S0-AZQ-401

VILLA KÉRYLOS

Né en 1966, Adrien Goetz, membre de l'Institut, est un écrivain et historien de l'art français. Il enseigne à la Sorbonne. Il écrit également dans divers titres de la presse artistique et il est le directeur de la rédaction de *Grande Galerie, le journal du Louvre*. Il est l'auteur de plusieurs romans : *La Dormeuse de Naples*, couronné par le prix des Deux Magots et le prix Roger Nimier, ou *Intrigue à l'anglaise*, qui obtient le prix Arsène Lupin en 2008. *Le Coiffeur de Chateaubriand* a obtenu le Grand Prix Palatine du roman historique. Adrien Goetz a reçu en 2007 le prix François Victor Noury décerné par l'Académie française. Il a été élu en 2017 à l'Académie des beaux-arts.

Paru au Livre de Poche :

À bas la nuit !

Le Coiffeur de Chateaubriand

Intrigue à Giverny

Intrigue à l'anglaise

Intrigue à Venise

Intrigue à Versailles

La Nouvelle Vie d'Arsène Lupin

ADRIEN GOETZ

Villa Kérylos

ROMAN

GRASSET

ISBN : 978-2-253-90660-5 – 1re publication LGF

PREMIÈRE PARTIE

Les rochers bleus

«Les Grecs ont découvert la gloire, ils ont découvert la beauté, et ils ont apporté à cette découverte une telle allégresse, une telle surabondance de vie qu'il se dégage encore de leur œuvre, après deux ou trois mille ans écoulés, une contagion de jeunesse... »

Théodore REINACH

1

La terrasse des Alcyons

J'ai gardé les clés de la maison. L'été, il m'est déjà arrivé de m'y glisser, comme aujourd'hui, ombre qui se confond dans l'ombre du portique, derrière la bibliothèque, du côté où personne en ville ne peut me voir. J'écoute les oiseaux. Cette fois, j'ai décidé que ce serait la dernière. Je ne reviendrai plus à Kérylos. Durant des années, je n'ai pas pu m'empêcher d'y entrer par effraction, de temps à autre, sans prévenir personne, pour toucher les statuettes de bronze, regarder les meubles, les peintures, pour entendre le jet d'eau dans le péristyle et pour revoir la mer à travers les fenêtres ouvertes. Cette fois, je ne suis pas venu pour contempler. Je veux reprendre mon bien. Il est temps.

Kérylos, la villa grecque, est devenue célèbre. On la vend en cartes postales chez le marchand de tabac de Beaulieu-sur-Mer. J'en ai pris cinq ou six, avec des magazines que j'ai glissés dans la sacoche de ma caméra. Je ne suis pas revenu depuis une bonne dizaine d'années. Parmi ces cartes, j'ai trouvé celle qui représente la mosaïque du Minotaure, avec Thésée qui le décapite au centre du Labyrinthe, il le tient par une corne, le sang coule sous forme de tesselles de pierres ocre rouge. La semaine dernière, j'en ai reçu une semblable : mon adresse tapée à la machine, à la place du texte, le dessin stylisé et un peu maladroit d'une couronne de laurier antique, sans signature. Ce ne sont pas les ornements du triomphe de César, elle a des feuilles nombreuses, avec des fruits entre les branches, c'est une parure royale grecque, la couronne d'or d'Alexandre le Grand – que tous les archéologues du monde rêvent de retrouver. C'est ce qui m'a fait revenir. Je sais au moins maintenant où cette carte s'achète. A-t-elle été envoyée par quelqu'un d'ici, que j'aurais connu autrefois ? Certains auraient-ils conservé, depuis la guerre, l'habitude des lettres anonymes ? Mon adresse de Nice n'est pas difficile à trouver. La légende de l'image est sobre : « Soleil d'été sur la villa grecque Kérylos – Une mosaïque de la salle de réception (l'Andrôn). »

Kérylos, c'est encore un lieu secret, qu'on ne visite pas et où les propriétaires, depuis longtemps, ne donnent plus de fêtes. Elle était, pour moi, quand j'avais vingt ans, une sorte de perfection. Aujourd'hui, je me demande pourquoi je l'ai trouvée si belle. Ce matin, je vois les peintures qui s'écaillent comme un maquillage défraîchi, les rideaux usés, les arbres morts. La canalisation du jet d'eau a dû casser, il ne fonctionne plus. Si je découvrais pour la première fois cette architecture, je me dirais qu'elle est ridicule, une page de poésie, apprise à l'école et vite oubliée.

J'aime, depuis que je suis devenu adulte, loin d'ici, les maisons qui ressemblent aux tableaux que je peins : des volumes géométriques, des murs nus. À l'intérieur je ne veux que des objets utiles et quotidiens. Tous ces ornements, que j'ai pourtant regardés, fasciné, ébloui, ont perdu leur charme. Comment faisait-on pour vivre dans ce décor, qui aurait pu être ma prison si je ne m'étais pas enfui ? Plus personne n'y habite, si ce n'est, je crois, les petits-enfants et arrière-petits-enfants Reinach, quelques semaines, pendant l'été ; c'est la mode. Ils restent entre eux. Ils ont laissé tout là-haut des flacons de crème solaire et des matelas. Tout s'est inversé, et tant mieux : dans ma jeunesse, « la saison », c'était l'hiver.

Je retrouve, dès le seuil, mes réflexes d'adolescent, comme si je me faisais un devoir d'être jeune dans cette maison de ma jeunesse ; je grimpe deux étages – en m'arrêtant pour souffler, ma carcasse est encore plus usée que ces murs – et j'arrive sur la terrasse la plus haute, ma terrasse, ce grand carré au sommet de la tour centrale, d'où je pourrai filmer le panorama de la Côte d'Azur : l'anse de Beaulieu, la villa Ephrussi avec sa façade rose et ses arbres exotiques, de l'autre côté « la Réserve », qui est devenue un hôtel célèbre, les falaises d'Èze, belles comme celles qui dominent le sanctuaire d'Apollon à Delphes, Saint-Jean-Cap-Ferrat et ses milliardaires. Je n'ai pas apporté mon petit pied télescopique, il ne faudra pas trop trembler, je veux laisser des images à mes enfants. Les heureux du monde peuvent m'envier. Ici, j'ai été plus heureux qu'eux – et moi je suis parti à temps. Des maisons se sont construites, mais au bout de cette pointe qui entre dans la mer, si j'oublie la villa, je peux encore me croire sur une île grecque. Aujourd'hui, je distingue bien la Tête de Chien, le cap d'Ail, je devine même Monaco en fête. Si je reste jusqu'à la nuit, je verrai le feu d'artifice du prince – mais il ne faut pas ; au coucher du soleil, je serai loin. J'aurai trouvé.

J'ai mis mes lunettes de soleil et je me suis allongé sur les mosaïques. Je les ai vu poser, avec les calques dont s'aidaient les artisans : les tesselles composent une série de lignes, avec les points cardinaux comme dans les anciennes cartes des navigateurs, les noms des vents écrits en lettres grecques, je vois le ciel, je ferme les yeux, je les rouvre, à intervalles réguliers. Les poutres auraient besoin d'un coup de peinture. J'ai remarqué qu'un ou deux bronzes des balustrades se détachent. Encore quelques tornades et ils tomberont dans les rochers. Personne ne sait plus les refaire, j'imagine. Je ne veux pas croire que cette maison sera un jour une ruine. C'est ce qui peut lui arriver de mieux. Un jour de colère, j'avais eu envie d'y mettre le feu. Je m'étais retenu. Si j'y avais passé ma vie, j'aurais été emmuré vivant, je n'aurais jamais pu devenir artiste, je serais resté le bon petit garçon qui admire tout ce qu'on lui montre. L'escalier a une marche qui ploie et qu'il faudrait changer. Il y a quarante ans, j'aurais tout refixé et trouvé le bon pot de peinture dans le local du calorifère. Ma mère aurait été fière de son Achille, le bon garçon qu'elle a si bien vendu à cette jolie famille, et moi j'aurais été content, j'aurais fait le beau. Aujourd'hui, je vais laisser la marche se casser, mais l'envie de réparer me vient encore, malgré moi. Il ne faudrait pas qu'un indice trahisse ma visite de cet après-midi.

J'ouvre la porte d'une des deux chambres qui sont sous le toit, « Dédale » et « Icare » – ici toutes les pièces ont des noms. J'avais oublié à quel point chaque loquet est ouvragé, en forme de palme stylisée inspirée par des motifs de l'Orient ancien, ciselée, patinée, d'un vert qui s'harmonise avec les couleurs chaudes du bois. On a remplacé les lits jumeaux par un grand sommier, le soleil tape sur la couverture ocre brodée de sphinx. Encore quelques années et les tissus, décolorés, brûlés, vont se déchirer et partir en charpie. J'ai retrouvé les odeurs des essences exotiques, j'ai passé mes doigts sur les marqueteries et les incrustations, puis j'ai plongé ma tête dans un coffre, vide, le parfum était comme le jour où les premières dizaines de meubles ont été livrées. J'étais là et tout le monde poussait des cris de joie. La fin de mon enfance, ici, quand j'y pense, me fait presque horreur.

En passant dans les pièces du bas, je regarde la lumière qui joue entre les chaises : le sol a été ciré. Qui fait cela ? Passer une cireuse à parquet sur du marbre ! La pierre a besoin de respirer, elle va mourir si ce traitement continue, tout va s'écailler et se fendre, devenir jaune. Dans vingt ans, Kérylos sera mort. On construira autre chose ici. Il restera de vieilles cartes postales dans des albums. Les mosaïstes qui ont passé des mois entiers à composer ce pavement avaient travaillé pour le Musée océanographique, à Monte-Carlo. Ils me fascinaient. Je copiais leurs dessins pour m'amuser.

Ils avaient créé au sol de la salle à manger un poulpe aux gros yeux, très drôle, mon animal fétiche. Je l'avais décalqué dans mes cahiers avant d'en faire un tatouage que j'ai sur le bras. Cela surprend toujours les gens, on me demande si j'ai été marin. On n'ose pas me demander si j'ai été en prison. Je m'étais rendu chez un vieux tatoueur, sur le port de Salonique, un peu avant la guerre de 14. J'avais eu mal deux jours. J'étais heureux de garder une trace du plus extraordinaire des voyages que j'avais fait hors de Kérylos – sans me rendre compte que c'était encore un motif de Kérylos que je choisissais, en terre grecque, pour m'accompagner durant toute ma vie. Les maîtres mosaïstes, après leur départ, avaient laissé leurs recettes pour laver les tesselles. Je suis le dernier à savoir ça. C'était sans doute noté dans les papiers qui ont été embarqués par les Allemands. Théodore Reinach avait indiqué tout ce qu'il fallait faire pour s'occuper de sa maison après lui. Qu'est devenu ce carnet, avec sa couverture de cuir noir ?

Si je n'écris pas, personne ne se souviendra plus des soirs de décembre dans cette maison où on ne fêtait pas Noël, même si chacun préparait des cadeaux, avec la chaleur qui montait du sol et que les grandes verrières retenaient comme dans une orangerie ; plus personne ne saura comment Adolphe Reinach et moi, « les garnements », nous escaladions les rochers pour rentrer après l'heure, en passant par les galeries souterraines, personne ne gardera le souvenir de nos projets d'expédition, des centaines de livres que nous avons lus, de nos vies emmêlées, inventées comme si nous les avions déjà vécues au temps de Périclès sur l'Acropole ou d'Alcibiade entre les montagnes et les temples de Sicile, nul ne saura rien de ma vie ni de mes amours.

Cette maison blanc et ocre, je l'ai vue en chantier, je l'ai habitée, j'y ai travaillé, j'y ai fait l'amour, j'en connais chaque pièce, aussi bien que celles de mon appartement de Nice ; à peine arrivé dans ces vieux murs, je m'y sens chez moi malgré tout, mieux que la plupart de ceux qui y ont eu leur chambre, et qui ont presque tous disparu aujourd'hui.

La première fois où j'y ai été seul, j'ai pris un bain dans la baignoire du maître de maison : j'étais le berger Pâris qui nargue le roi Ménélas. Je ne voulais pas séduire sa femme, je ne pensais pas à Fanny Reinach en chantant dans la mousse mon air préféré de *La Belle Hélène*, mais je lui prenais son palais, comme s'il était celui de mon père et de tous mes aïeux, comme si mon char attendait à la porte, avec ma cuirasse et mes jambières, mon bouclier orné de scènes légendaires, et que je retrouvais ma demeure légitime. C'était aussi une machine à boire le soleil ; un refuge pour penser ; un navire sur l'océan du temps ; un morceau de folie raisonnante – je lui ai tourné le dos, mais elle m'émeut, c'est le décor de toutes les histoires que j'imaginais quand j'étais encore un petit garçon, c'est là que j'ai vu, quelques années plus tard, pour la première fois, celle que j'ai le plus aimée. C'est la mosaïque de mes jours. Mon bonheur en petits cailloux. C'est pour elle que j'y suis revenu, pas trop souvent, pour ne pas souffrir.

Nous n'aurions pas dû nous rencontrer, elle était à peine plus âgée que moi, elle était mariée, j'étais pauvre – il a fallu que ce richissime M. Reinach fasse venir un architecte et lui demande de lui construire un palais de vacances pour qu'après une succession d'événements que personne ne pouvait prévoir je croise les yeux de cette femme, que j'apprenne qu'elle s'appelait Ariane, et qu'elle me regarde. Un prénom surprenant, surtout quand on pense aux jolies filles de 1956 qui sont plutôt Nicole ou Martine. Ariane au Labyrinthe, Ariane abandonnée, Ariane sœur de Phèdre, Ariane à Naxos : je n'en avais rien à faire, elle était vivante, pour moi, avec ses mocassins de plage, ses chapeaux de coton blanc, sa bicyclette. Elle ne sortait pas d'un livre. Je m'appelle bien Achille, dans une famille où personne avant moi n'avait entendu parler de la guerre de Troie.

Nos prénoms, à nous les hommes de ce temps-là – je suis né en 1887 – ont fini sur les monuments aux morts : Jules, Antonin, Honoré, Paul, Siméon, Damien, Marius, mes amis de Beaulieu, je vous revois et je sais, pour chacun, comment vous êtes tombés. Je dois à Ariane la part d'intelligence que l'illustre Théodore Reinach, le maître de Kérylos, avait oublié de me donner. Lui ne m'avait parlé que de l'Antiquité, de la musique, et des poètes qu'il aimait. Jeune homme, je récitais dans ces rochers de Beaulieu les vers des *Fleurs du Mal* : « Mais les bijoux perdus de l'antique Palmyre / Les métaux inconnus, les perles de la mer… » Une édition reliée en rouge qu'Adolphe, son neveu, mon meilleur ami, m'avait trouvée quand nous avions quinze ans, avec les « pièces censurées » recopiées à la main sur des pages collées à la fin qui nous donnaient des frissons. Adolphe était plus petit et plus chétif que moi, mais il avait de l'allure, une élégance de cavalier, un air sérieux qui plaisait beaucoup à l'instant où il cessait d'être sérieux, et qu'il éclatait de rire. Ces bijoux de Baudelaire, j'avais envie d'aller les chercher pour Ariane, dans les sables, sous la mer, dans des citadelles au bout du désert, dans les coffres les plus secrets de l'Atlantide. Je voulais voir des colliers de perles et d'or sur ses épaules et sur ses seins, avant de la caresser. J'en avais assez d'aimer les statues. Racontée ainsi, la romance qui a transformé ma vie a l'air d'un conte. Notre histoire ne s'est jamais terminée, je l'ai cachée à mes enfants, et bien sûr à leur mère – mais en parlant de Kérylos, c'est cela aussi que je veux leur léguer, en plus de ce que je suis venu récupérer ce matin. Pourquoi mes enfants ignoreraient-ils ma grande aventure ? Cette maison qui ne m'appartient pas, que j'ai cessé d'aimer, ce labyrinthe absurde qui est devenu grotesque à mes yeux, cette demeure qui va mal finir, je veux la leur donner, pièce par pièce. C'est là qu'est restée ma vie.

À Monaco, ce matin, le prince épouse Grace Kelly. La mer quand je me suis levé avait des vagues dorées et elle était couverte de navires – comme dans une page célèbre de l'*Iliade* qu'on m'avait fait traduire –, du paquebot au rafiot de pêche, tous se précipitaient là-bas pour faire rugir leurs sirènes. Ma petite ville de Beaulieu est vide. Je me suis dit que je pourrais venir sans attirer l'attention. Personne ne sait que je suis là. Je pense que vers sept heures le gardien et sa femme vont revenir de la principauté ; je ne sais pas si ce sont encore ceux que j'ai connus, je pense que non, ils seraient si vieux, mais après tout le climat est bon. Ils resteront sans doute dans leur petite maison à l'entrée du promontoire, qu'on appelait « la guitounette » mais dont beaucoup se seraient contentés. Je ne veux pas prendre de risques.

J'ai du temps pour trouver ce que je cherche, mais pas trop. Si au moins je savais dans quelle pièce aller. Théodore Reinach, dans les années qui ont précédé sa mort, a dû laisser un signe, un repère, que personne n'est plus capable de déchiffrer. La maison était pleine de coffres et d'armoires débordant de lettres, de plans, d'albums de photos, de brouillons de livres savants et de cahiers d'écolier ; les nazis ont tout renversé, tout vidé, et beaucoup emporté. Je me suis toujours demandé s'ils avaient pris plaisir à piller une demeure « juive », ou s'ils cherchaient quelque chose de précis – s'ils cherchaient eux aussi cette couronne de vainqueur que je suis venu trouver.

Les papiers des Reinach, s'ils n'ont pas brûlé à Berlin en 1944, sont peut-être dans des cartons pas ouverts aux archives de Moscou, nul ne s'y intéressera jamais. Je vais devoir procéder par déduction. Je les connais si bien, le clan, les trois frères, leurs femmes, leurs enfants. Je sais comment ils pensaient – et en premier, Théodore, le plus génial de toute cette famille, le créateur de Kérylos. Je n'ose pas dire « mon bienfaiteur », il ne m'a pas fait que du bien. Aujourd'hui, je ne lui en veux plus. Il me manque. Il serait si vieux, un sage capable de raconter toutes les histoires de ce monde, nos odyssées et nos périples, vieux comme Homère ou Hérodote.

J'utilise depuis toujours l'entrée par la venelle, je passe par la grande cuisine, qui est si fraîche. C'est par là que je suis arrivé la première fois, à quinze ans, en 1902. C'était l'entrée du chantier, qui commençait à peine. Parmi les trous creusés un peu partout, on ne devinait même pas les fondations, je ne sais pas si une « première pierre » avait été posée. On faisait sauter des rochers à la masse, on respectait certains arbres, on en plantait d'autres. J'ai vécu six ans au cœur de la construction, avec les artisans, les ouvriers, les décorateurs, six autres années ensuite, les plus heureuses, à profiter d'une maison grecque où souvent j'étais seul, comme aujourd'hui. Puis ça a été la guerre. Tout a sombré. J'étais adulte. Après 1918, la vie qui recommença nous laissa tous avec plus de souvenirs que de projets. J'ai commencé autre chose. Je me suis éloigné. Je ne supportais plus cet amour absurde de l'Antiquité grecque. Je suis devenu peintre, j'ai voulu être de mon temps, j'exposais mes tableaux, j'en détruisais d'autres, j'aimais les formes pures, j'ai été cubiste, je n'avais pas choisi la vie la plus simple.

2

Ce qui se murmure à Beaulieu

À Beaulieu, en voyant de loin s'élever les murs, les gens commencent tous à parler du « château Reinach » ; chez les Reinach on dit « la villa », « la maison » ou simplement « Kérylos ». Dans la petite station, ce projet de reconstruire une demeure de l'Antiquité est commenté par la crémière d'un air docte et par le facteur d'un air vague, qui veut dire qu'il en a vu d'autres. M. Théodore Reinach, « un grand homme de Paris », assure le notaire, a choisi le meilleur architecte, qui a travaillé sur place, en Grèce, dans les ruines. C'est un mystère de plus, un architecte qui a appris son métier « dans les ruines ».

Certains savent en ville qu'Emmanuel Pontremoli est le petit-fils du rabbin de Nice. Quand il s'installe au café avec son panama et déplie ses plans, on l'observe. Il a des doigts très fins, une moustache tombante, des vestes claires. À chaque fois qu'il parle on comprend qu'il est architecte : il construit ses phrases avec tant de soin qu'on a envie de les répéter, avant de se rendre compte qu'on vient de les oublier. Ses yeux battus brillent quand une jolie femme ou une jolie formule passent à sa portée. Le notaire, vieux garçon sinistre, aux lunettes rondes, qui aligne les clichés avec autant de soin qu'il authentifie les actes, n'en sait rien. La famille Reinach possède « une fortune immense » et « une importante situation », tout sera fait avec « un luxe extravagant », « le château » va surclasser tous les petits palais qui rivalisent de « riante fantaisie » dans la région, ces villas mauresques, ces Trianons en marbre rose qui ont l'air de salles de bains et les châteaux gothiques qui dissimulent des cabines de plage dans leurs tourelles. Tous parient sur le triomphe du style 1900, ce sera une « folie » juste un peu plus folle que les autres, comme la villa Gentil avec son minaret – M. Gentil vend des œuvres d'art –, La Vigie, avec son plan circulaire – c'est un ami de Gambetta et de Waldeck-Rousseau qui l'a fait construire –, le château Saint-Jean – caprice d'un banquier italo-allemand –, la villa du Parc, aussi grande que le palais de Monaco – le propriétaire est un ancien maçon, M. Peretmère, en un seul mot. Sur la promenade, tout le monde ressasse : on l'a vu ce Reinach, il n'a pas belle apparence, mais on voudrait surtout connaître sa femme, on dit qu'elle a des émeraudes, et ses deux frères, on dit qu'ils sont inséparables.

Dans cette mare aux grenouilles, l'arrivé des premiers blocs de marbre est beaucoup commentée.

Ils sont blancs. Ils renvoient le soleil à la figure des badauds. Des mois plus tard, dans un second temps viendront quelques plaques de couleur, pour la salle à manger, du marbre tigré pour les thermes – des thermes ! Mais les grosses colonnes, éclatantes, tout le monde les a acclamées, à la gare, et quand on les a descendues vers le chantier dans des charrettes qui manquaient de s'effondrer. Elles sont arrivées par bateau, puis elles ont pris le petit train, comme tout le monde. Pontremoli a choisi, à Carrare, une carrière qui n'a pas changé depuis Michel-Ange, celle qui donne les pierres les plus pures. Les gens avaient imaginé une maison bariolée, ils sont un peu déçus. La crémière le sait : les temples grecs étaient rouge, bleu, jaune, et les statues étaient toutes peinturlurées. Elle montre cela à qui veut dans les *Almanachs du Magasin pittoresque*, qu'elle garde depuis des années dans son arrière-gourbi, et où il y a des gravures de temples grecs. Elle a sa petite bibliothèque à elle. Ses livres sont couverts avec du papier à beurre. C'est ainsi qu'elle est si savante sur tous les sujets. Elle ressemble d'ailleurs à une bibliothécaire, ordonnée, méthodique, avec cette nuance de tristesse mêlée de ressentiment qui vient de ce que le destin lui donne à cataloguer des pots de lait alors qu'elle aurait mérité de mettre en devanture des éditions originales.

Comme le chantier Reinach est interdit, et que les ouvriers sont si bien payés qu'ils ne parlent pas dans les cafés, personne ne sait exactement ce qu'il en sera. Tout le monde imagine des baignoires en argent et des salons remplis de statues indécentes avec plus de fesses que dans un musée. La fesse antique, dit le facteur, c'est toujours « équivoque ». Il préfère Fragonard et Boucher, ou Watteau, *L'Embarquement pour Cythère*, qui est plus convenable. Une villa grecque, ce sera du grand spectacle, des débauches de frontons et d'escaliers, et le curé a dit tout de suite, oubliant la charité chrétienne : « Cela fera de jolies ruines quand ces gens-là seront ruinés. » Ruines : le mot revient sans cesse. Quand on dit « une villa grecque », impossible d'imaginer autre chose. On voit déjà l'écriteau : « Attention. Chute de pierres. » Pour la médisance, le sujet est excellent : ce sera une Maison carrée de Nîmes en carton-pâte, un décor de théâtre barbouillé à la hâte, une machine pittoresque avec des colonnes brisées et des arcs abattus dans le genre décoration de cimetière ou de vacherin, cela ressemblera à une grosse pendule sans globe, devant la mer. Le sel ravagera tout puisqu'il n'y aura pas de volets. La maison s'édifie portée par ces rumeurs, qui refluent et deviennent plus sourdes et éteintes à mesure qu'on voit se dresser les murs et les terrasses, pour reprendre quelque temps plus tard, comme une vague plus haute, avec l'arrivée des caisses de meubles. Bientôt, la pâtissière elle-même, rivale de la crémière, mais moins cultivée, la plus virulente furie de ce chœur de théâtre antique, auquel se joignent parfois le cordonnier et la lingère du Bristol, ne trouve plus grand-chose à redire. Elle reste silencieuse en attaquant, l'air morne, ses rangées de saint-honorés à grands coups de poche à douille.

M. Théodore Reinach porte barbiche, toujours en costume trois-pièces, et quand il va se promener entre les grands oliviers penchés le long de la plage de Beaulieu, il ajoute un chapeau gris à large bord et une pochette blanche à pois bleus. Quand on l'a vu pour la première fois, en ville, il n'avait que quarante-deux ans, tout le monde croyait qu'il en avait au moins soixante. Sa barbiche est poivre et sel, son front très dégarni. Les gamins se moquent : s'il veut vivre à l'antique, il doit se baigner tous les jours, courir tout nu, porter des couronnes de laurier-sauce, lancer le poids et le javelot : et c'est un petit homme replet qui apparaît, le visage chiffonné, les yeux cernés comme s'il avait passé plusieurs nuits à étudier et à écrire, qui ne ressemble pas vraiment à une statue. Il est tout sauf grec, avec ses bottines au bout lustré et glacé, mais personne ne semble en rire parmi les grandes personnes. Il les impressionne, à cause de son immense fortune et aussi parce qu'il est l'image même du savant. Son chien le suit. Il en a eu successivement deux, le doux Cerbère, qui n'aboyait jamais, et Basileus, féroce – il l'avait baptisé du mot grec qui veut dire « le roi », comme Victor Hugo avait appelé Sénat son chien de Guernesey. Quand il l'appelait, on sentait dans sa voix toute l'autorité de la République. Il s'en occupait lui-même : les chiens de la bonne société sont faits pour que leurs maîtres puissent sortir se promener.

Le poissonnier raconte que pour être domestique « là-bas » il faudra porter des jupes blanches, des chaussures à pompons, être capable de parler le grec ancien et ce n'est pas facile, au dire du curé. Sous la Troisième République, comme sous Louis XIV, le grec ancien est une chose importante. Il y a ceux qui en ont fait et les autres – puisque tout le monde a plus ou moins appris un peu de latin… Chacun est capable de citer Molière, et de se moquer des femmes savantes. Le grec, c'est risible, surtout avec l'accent du Midi : « Du grec, ô Ciel ! du grec ! Il sait du grec, ma sœur ! / Ah, ma nièce, du grec ! — Du grec ! quelle douceur ! / Quoi, Monsieur sait du grec ? Ah permettez, de grâce / Que pour l'amour du grec, Monsieur, on vous embrasse. » La crémière enlace la pâtissière, leurs méchancetés les réconcilient de temps à autre.

Théodore reçoit parfois son frère Salomon, un peu moins souvent son frère Joseph, tous en lorgnons et chapeaux. La première fois, le bruit a couru la ville en une heure. Tout le monde est venu voir, le facteur a interrompu sa tournée. Ils se ressemblent. Même taille à peu près, même barbe, même pince-nez. Salomon est le moins chauve, Joseph le plus corpulent, Théodore le seul qui sourit. Le spectacle de cette triade, attablée à la Réserve de Beaulieu, devant la mer, se donne à peu près une fois par an. Le serveur dit qu'il les entend toujours se disputer et que le ton monte vite entre ces trois-là, mais il est incapable de dire à quel sujet, alors que Marinette, la femme de chambre monégasque, affirme que les trois messieurs Reinach sont toujours d'accord sur tout, elle le sait, c'est elle qui amidonne leurs chemises. Elle fait très attention à ne pas les confondre, elle se repère aux initiales brodées. Le curé a dit, et on lui a tous fait répéter : « Ils sont là, les trois, tels Minos, Éaque et Rhadamante. » C'étaient les juges des Enfers. Mais il ajoute, avec du miel et du fiel dans la voix : « À moins que ce ne soient plutôt Sem, Cham et Japhet », les trois malheureux fils de Noé dans le livre de la Genèse. Le rire de la pâtissière part dans l'aigu.

Nul ne conteste que le bassin de la Réserve est le plus beau vivier de crustacés de toute la côte. La « Riviera française » a vu arriver homards, pétoncles, araignées de mer, langoustines de toutes sortes : des rois exilés, des cocottes devenues marquises, des cardinaux en civil et des maréchaux de France en grand uniforme, des écrivains américains en désintoxication et des dames russes à voilette mais pas tellement de savants, si l'on excepte ceux de l'observatoire de Nice – financé par les largesses de M. Bischoffsheim –, et les océanographes du prince de Monaco, toujours entre deux expéditions vers les pôles. L'astronomie et les créatures du fond des mers, ce sont des sciences bien particulières, on comprend tout de suite de quoi il s'agit, même si on n'y entend rien. Théodore Reinach, lui, est savant dans tous les domaines. On n'ose pas parler quand il est là. Au début, tout le monde pensait qu'il n'était fort que sur la Grèce antique. On a vite vu qu'il lisait dans toutes les langues des livres sur tous les sujets, il laissait sa pile à côté de son transatlantique, et Marinette les remontait dans sa chambre comme si c'étaient les Évangiles. Ses loisirs d'archéologue étaient consacrés à la chimie, à la géométrie, à la musique, à la légende de Catherine Ségurane qui avait repoussé les Turcs lors du siège de Nice à la fin du Moyen Âge en leur montrant ses fesses. Cela intimide.

Tout le monde dit que cet homme-là, malgré ses costumes de laine doublés de soie rouge et sa canne à pommeau d'argent, a l'air heureux. Une plante de serre à qui le soleil et le vent font du bien. Il n'étudie plus, il compose. Pour la première fois de sa vie, il fait autre chose que lire et écrire. C'est un musicien qui s'empare d'un thème, construit des variations, se lance dans un mouvement, puis un autre, ajoute de nouveaux instruments pour attaquer son finale. J'écoute, assis sur les pierres, je joue à faire des ricochets. Je regarde. Je m'amuse avec mon harmonica. J'attends mon heure. Cette construction, avec ces dizaines de manœuvres, de terrassiers, de dessinateurs et d'arpenteurs sur la « pointe des Fourmis » – elle portait ce nom auparavant, il devient bien adapté –, sera la plus belle œuvre de sa vie.

3

L'archéologue et l'ingénieur

J'avais décidé de partir à l'assaut de ces rochers et de parler avec ce M. Reinach, je ne savais pas trop comment, je ne savais pas trop de quoi. J'avais fait mon enquête, je discutais avec tout le monde, j'étais un gamin qui aidait le facteur et qui rendait service au curé, embrassé sur la joue gauche par la crémière et sur la joue droite par la pâtissière – aimable, utile à tous, qui ne fréquentait pas plus que cela le cordonnier, j'étais de bonne humeur, cela a toujours été mon talent principal.

Ce M. Théodore Reinach, je ne le croisais jamais, je ne l'avais vu qu'une fois, de loin, entrant dans un hôtel. Il ne me faisait pas peur, j'attendais calmement le bon moment en observant. Je ne disais rien à ma mère : je craignais trop qu'elle ne bondisse comme une diablesse et ne s'écrie que c'était une excellente idée et qu'il fallait absolument que son petit génie de fils puisse être remarqué par ce grand savant génial. Je détestais la manière qu'elle avait, devant les autres domestiques, de toujours me mettre en avant, comme si elle voulait me vendre au marché : elle me faisait réciter mes fables de La Fontaine devant la repasseuse, la bonne et les garçons qui venaient aider au jardin, faute de pouvoir me produire devant un public plus digne de moi – c'est-à-dire d'elle. À la plage, j'avais toujours peur qu'elle ne me déshabille pour montrer à tout le monde à quel point elle m'avait bien réussi.

On s'interrogeait, à la sortie de la messe comme devant l'école. L'Antiquité grecque posait des problèmes à l'instituteur : est-ce que ce serait comme le Parthénon ? Ou plutôt comme l'Érechtéion, précisait la crémière, l'air lubrique. Est-ce qu'il y aurait des cariatides, des processions, des sacrifices d'animaux ? Des cothurnes, ajoutait le cordonnier, qui voyait un marché s'ouvrir et décalquait des modèles dans une encyclopédie pour tous que le curé ne montrait pas à tout le monde. La boulangère, sèche et rassie, était rassurée d'apprendre que les Grecs ne pratiquaient pas les sacrifices d'enfants, le receveur des postes qui avait lu Flaubert lui avait expliqué qu'elle confondait avec les Carthaginois, que la boulangère ne situait pas bien sur la carte. Le facteur prenait l'air entendu. Il aimait jouer les érudits, il savait que les habitants de Beaulieu s'appellent les Berlugans, vrai nom de monstres marins dans les marges des portulans du XVIe siècle. Le curé avait fait peindre les armoiries de la petite ville sur son tabernacle : il y avait un soleil et un olivier, avec la devise *Pax in pulchritudine*, dont il était peut-être l'auteur. Cette « Paix dans la splendeur » promettait qu'on pouvait rêvasser tranquillement devant la mer, alors que tous passaient leur temps à se disputer et à disserter sans fin. La crémière allait chercher son grand atlas, que le *Magasin pittoresque* avait donné en supplément à ses abonnés, à moins que ce ne soit le *Musée des familles*. Qu'elle était belle la France qui découvrait l'instruction publique obligatoire et gratuite. Une génération entière avait appris une foule de choses et voulait en apprendre plus encore, les gens avaient chez eux des dictionnaires et des grammaires, qu'ils donnaient à leurs enfants. Aujourd'hui, je crois que dans nos petites villes de la côte on lit surtout *Cinémonde*, et quand on parle du Minotaure, tout le monde comprend que c'est la boîte de jazz de Juan-les-Pins, celle où défilent les vedettes.

Le curé, dont le crâne luisait comme une lampe d'albâtre dans une chapelle, disait : « Le grec est notre langue, celle dans laquelle sont écrits les Évangiles. » Il ajoutait que tout le monde ne pouvait pas, et même ne devait pas, lire le texte grec – à l'encontre de ce que recommandaient les protestants –, mais il n'était pas très clair dans ses explications. Je n'y comprenais rien, et à vrai dire je m'en moquais. Pour le curé, saint Jérôme avait tout traduit en latin, c'était plus sûr. Je me disais, moi qui ne savais rien, que le texte original, c'était mieux. Les orthodoxes détestaient le latin, et il me restait quelque chose de mes origines, une sorte de prévention irraisonnée contre ce qui venait de Rome

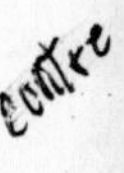

et des Romains : ma famille était venue de Grèce pour s'implanter en Corse, à ce qu'on m'avait toujours dit. C'était pour moi une sorte de noble origine qui se perdait dans le passé. Je disais à mes amis du port, que ça n'impressionnait à vrai dire pas plus que cela : « Moi qui suis grec... » À treize ans, je m'étais révolté contre ma mère. Je ne supportais pas les longs offices de la cathédrale de Nice auxquels elle me traînait. Je lui avais dit : « Je refuse », et j'avais ce jour-là reçu ma première gifle. J'en avais conservé une rancune absolue contre les popes, leurs barbes sales, leur encens et leurs cantiques également soporifiques. Devant les autres, je restais fier de cette singularité. Mon père me parlait français et corse, ma mère y ajoutait le grec, j'étais trilingue, talent absolument inutile. Le notaire assurait que le grec moderne ce n'était rien du tout, à peine un dialecte, que le grec des Évangiles, celui des pêcheurs du lac de Tibériade, ce n'était pas bien fameux ; les discours des orateurs d'Athènes c'était tout de même autre chose. Quand je raconte à mes petits-enfants ces discussions qui avaient lieu le soir, sur les petits bancs verts de la promenade, entre les oliviers, ils pensent que je suis fou, que je leur parle du temps de Catherine de Médicis et de sa cour de grands humanistes et de pieux astrologues. Mais non, c'est ma jeunesse !

Parmi les gens que je côtoyais tous les jours, je vénérais un personnage bien plus extraordinaire encore que ce fameux M. Reinach. C'était l'homme prodigieux pour qui travaillaient mes parents. Il comptait, je l'ai appris ensuite, parmi les rares vrais amis du clan Reinach. Au village, il était célèbre, et très respecté. Un vieux monsieur bien mis, malicieux et triste, petite barbe en pointe et moustache blanche, très soucieux de son cran et de sa mèche qui répandaient autour de lui une odeur de brillantine. Il incarnait l'opulence et la réussite et pourtant passait son temps à se lamenter et à me raconter ses malheurs. Je ne sais pas pourquoi, depuis toujours, « les adultes » me parlaient et avaient confiance en moi. J'aimais autant les domestiques avec lesquels ma mère jouait au loto le soir que les amis sévères du notaire ou le facteur : je parlais avec tout le monde, j'aimais rire, je me moquais d'eux dès qu'ils avaient le dos tourné, ils étaient comme de ma famille, tous ces gens de Beaulieu. Mais cet homme-là était à part.

Ce génie de la République habitait la plus belle maison du coin, une demeure construite comme un coffre-fort. Il m'avait pris en affection et me disait toujours que sa vie était un échec : il avait fait rêver tout le monde, il avait incarné le XXe siècle alors que le XIXe n'était pas encore fini ; pour lui-même et sa famille il avait voulu une grande bâtisse à l'ancienne, en belles pierres de taille et en briques, avec des arcades classiques. Il avait choisi ce morceau de nature bien avant les Reinach, et c'est peut-être lui qui leur avait signalé qu'on pouvait bâtir une jolie chose sur la pointe des Fourmis. Cela je ne l'ai jamais su. Théodore Reinach m'a fait plus tard des imitations très drôles des monologues de ce grand homme, battant la mesure avec sa canne comme un chef d'orchestre désespéré devant les flots. La crémière s'inclinait légèrement en prononçant son nom : « Monsieur Gustave Eiffel. »

Toutes les nuits, me disait-il en jouant avec sa lourde chaîne de montre qui étincelait au soleil, il rêvait qu'on allait démolir son chef-d'œuvre pour cause d'inutilité : « J'ai demandé à M. Reinach, que j'aime tant, si dans l'Antiquité, dont il est un des meilleurs spécialistes au monde, les grands monuments devaient être utiles. Le phare d'Alexandrie, oui, j'en conviens, il l'était, mais les Pyramides ? Le temple de Zeus à Olympie ? à qui cela servait-il vraiment ? Leur villa, tu verras, ce sera une merveille de style grec, mais ils l'utiliseront tous les jours. Alors, ma tour… Tu es allé la voir, à Paris, ma tour, ma pauvre tour ? Non ? Il faut que tu ailles à Paris, toi qui es beau comme le jour. Je l'avais proposée pour l'anniversaire de la Révolution, j'avais voulu 1789 marches… Les plus grands noms ont fait une pétition, de Maupassant à Gounod, sans oublier Charles Garnier, ce chocolatier en chef, avec qui j'ai bien travaillé tout de même pour l'observatoire de Nice. J'ai répondu, j'ai fait face, mais ça m'a marqué. Si on avait eu ma tour en 1870, pendant le siège des Prussiens, on aurait pu observer les mouvements des troupes, on les aurait peut-être repoussés, on n'aurait sans doute pas subi l'humiliation, la défaite, la perte de nos chères provinces, tu sais. Puis, à l'Exposition de 1900, personne n'en a plus parlé, alors qu'elle était toujours là, ils n'en avaient tous que pour les souterrains de cette taupe de Fulgence Bienvenüe, leur maudit métropolitain qui sent si mauvais, et pour le trottoir roulant. Une tour c'est quand même plus admirable qu'un trottoir ! C'est terrible de survivre à son chef-d'œuvre, de vivre assez vieux pour se voir démodé. Qui se souviendra de la tour Eiffel ? Je finirai à la ferraille. L'avenir, tu vas voir, je me demande si ça ne va pas être l'art grec… »

Mon ignorance, contrairement à ce que me disait l'aigre crémière, ne m'empêcha pas de me faire embaucher par les Reinach. L'ingénieur Eiffel me mena à l'archéologue. Je n'avais lu ni Platon, ni Aristote, ni aucun des historiens antiques, je ne savais même pas leurs noms, et ça ne me manquait pas. En arrivant chez les Reinach, je ne connaissais rien à rien. Je possédais une seule arme : chez les Eiffel venaient beaucoup de jeunes gens qui prenaient des notes, qui dessinaient ; M. Eiffel m'avait donné pour mes dix ans des carnets de papier bien épais, et des crayons. Il m'avait appris à tracer une perspective avec un point de fuite central, à faire des schémas, à construire une vue en coupe, et comme il voyait que je devenais plutôt bon, il me donnait toujours des feuilles, des albums, pour que je m'exerce.

La première fois que j'ai vu M. Reinach j'avais à la main un carnet de format italien, sur lequel je m'étais amusé à dessiner chacune des nouvelles villas qui se construisaient. Il avait tout feuilleté avec attention. Dans le jardin des Eiffel, les conversations s'étaient tues. J'ai longtemps pensé, avec un rien de fatuité, que c'était parce que tout le monde regardait mes œuvres.

Des années plus tard, je me suis dit que peut-être on évoquait avant mon arrivée des sujets dont il ne fallait pas parler – des secrets. Tout cela me revient aujourd'hui, parce que je suis venu faire une dernière visite à Kérylos. Ce carnet-ci contiendra mes souvenirs, le nom de celle que j'aime toujours, les noms des amis qui sont morts, mais aussi des indications, que je vais laisser, pour retrouver l'objet insigne que je suis venu chercher dans cette maison vide et que je suis le seul à pouvoir retrouver. J'ai trop longtemps reporté, j'aurais dû accomplir cette tâche depuis longtemps. Hier, j'ai senti que mon cœur pouvait me lâcher à tout moment – je ne respirais plus – et je me suis dit que ce serait aujourd'hui, ma dernière visite.

4

Croquis des villas au bord de la mer

La maison suit la forme de la presqu'île et le mouvement des blocs de pierre où s'accrochent les algues. Elle est allongée au soleil, les murs pâles paressent, avec les joints des soubassements peints en rouge, les grands balcons ornés de bronzes, les terrasses qui se croisent. Elle n'a rien de régulier et pourtant il s'en dégage une harmonie qu'aucune autre villa ne possède. Le vent la caresse comme un yacht bien profilé.

De loin, c'est un jeu de cubes, trois morceaux de sucre posés sur une soucoupe, au café de la plage. Les oliviers vivent vieux au bord de l'eau. Dans l'anse de Beaulieu, ils sont protégés du mistral. Entre leurs branches, le soleil éclate au-dessus de Kérylos ; les reflets qui hachurent la mer isolent au milieu des rochers cette principauté mystérieuse.

Elle plaît tout de suite à ceux qui y arrivent par ce portail de bois qui pourrait être, à Ithaque, celui du palais d'Ulysse et qui s'ouvrait en grand pour les premières automobiles. On entre par le perron, en franchissant une haute porte de ce beau rouge antique, celui du labyrinthe de Minos à Cnossos. La première chose qui frappe, c'est le bruit du jet d'eau, la fraîcheur, la cour carrée avec ses colonnes où pousse un laurier-rose, penché vers la vasque, les couleurs douces. Il suffit de se laisser porter vers la bibliothèque, ouverte sur la Méditerranée, on découvre peu à peu les escaliers, les couloirs, les chambres…

Un pin parasol a construit pour les oiseaux une charpente qui s'agite avec douceur. Autour de lui, Théodore Reinach n'a pas voulu d'un vrai jardin, il a laissé les plus beaux arbres qui se trouvaient là, il en a planté d'autres, en désordre, quelques cyprès pour l'ombre, des rosiers, des plantes grasses trouvées dans l'arrière-pays et les palmiers de la Riviera. Une poignée de bancs de bois, jetés au hasard, pour lire et méditer, ont l'air de venir du Japon. Sous un auvent, une peinture de Pompéi, protégée par des vitres, change de teinte avec le jour. On pourrait croire qu'elle a été découverte ici. Elle ne représente rien, juste quelques guirlandes, très bien peintes. Elle donne la note juste, comme une citation découpée et collée à la première page d'un roman.

Ça brille. Les villas à cette époque, les autres, sont époustouflantes et étouffantes, on se cogne dans les meubles, on mélange des buffets à balustres et des chaises dorées plus ou moins Louis XVI capitonnées comme de vieilles mondaines. Les couleurs sont agressives, fuchsia, vert Empire, bordeaux, elles se détachent sur un fond de brou de noix qui est le même que celui des préfectures et des mairies. Certaines sont des cavernes, sombres et mordorées, avec des abat-jour qui froufroutent dans tous les coins, des passementeries, des globes remplis d'oiseaux des îles empaillés, des boîtes à thé en laque du Japon et des paravents de Coromandel, d'autres sont des robes de mariée, où tout est Louis XV, blanc sur blanc, coiffées de lustres bourdonnants de cristaux. La société locale passe des unes aux autres avec un certain écœurement. L'odeur des lampes à pétrole monte à la tête. Même les cambrioleurs se lassent, ils n'emportent que les bijoux, et encore, en se méfiant du plaqué or et de la verroterie.

À Kérylos, le visiteur respire, le regard est porté au loin. On se réveille dans des chambres où le soleil entre, le blanc pur joue avec l'ocre des pierres, la mer est découpée en grands rectangles. Cela sent le sel, les draps frais et amidonnés, l'huile d'olive et la résine. Il n'y a aucune raison d'être malheureux.

L'omnisciente crémière assure qu'elle connaît tous les forfaits de ces Reinach, et s'embrouille dans ses explications. Elle prétend que M. Eiffel lui aussi est un voleur et qu'il a été condamné – ce n'est pas un hasard si ces deux-là, ces deux gros richards, s'entendent si bien. Elle parle du scandale de Panama, « comme le chapeau », une terrible affaire qui a éclaboussé Ferdinand de Lesseps, qui avait si bien réussi le canal de Suez du temps de l'impératrice Eugénie mais qui cette fois s'est englué dans ses finances. Eiffel aurait touché des millions. Elle parle du suicide du banquier Jacques de Reinach, mais elle ne sait pas dire si c'est la même famille que « nos Reinach » de Beaulieu, elle pense bien que oui. Sa meilleure cliente, une musaraigne de la paroisse, répond que cette planète est horrible, malhonnête, et que l'humanité n'aime que l'argent. Avec la poissonnière et la bouchère, elles forment un cercle qui vaut celui des dames d'honneur de l'impératrice. Ce sont des duchesses.

Quand la maison commence à apparaître, si blanche, la crémière répète à tout le monde que c'est bien la preuve que ce M. Reinach est un imposteur, il ne connaît pas aussi bien qu'elle les monuments de la Grèce. Le facteur, en se resservant de rosé, confirme que sur les enveloppes M. Reinach n'est jamais « Monsieur de Reinach », mais que ce peut être une autre branche de la même famille : « Certains ont pris la noblesse, ils ne sont pas à ça près… »

Le facteur distribue ses tournées de médisances, il parle du château Amicitia, avec ses colonnes et ses grands escaliers, qui l'impressionnent et où s'est installé un diplomate américain. Partout, il y a eu des drames et des affaires, et le curé, suant à grosses gouttes sur sa bicyclette, raconte à nouveau le procès Dreyfus, pour ajouter qu'on ne sait pas vraiment si le capitaine, réhabilité, était aussi innocent que cela. Ce saint prêtre est reçu chez les Eiffel, il en parle à tort et à travers. Si M. Eiffel pouvait lui refaire son église ! Une bonne toiture en poutrelles, mais qu'on masquerait avec du plâtre à l'intérieur. Ma mère les écoute pendant des heures. Mme Eiffel, qui s'appelait Marguerite, est morte jeune, à trente-deux ans, M. Gustave d'une certaine façon porte toujours son deuil, mais ils ont eu cinq enfants, trois filles et deux garçons, cela aurait pu donner une joyeuse maisonnée. Chez eux on ne rit pas beaucoup. Il y a toujours de jolies femmes. Eiffel a inculqué à tous la réserve et la rigueur, et un grand genre louis-quatorzien qui est celui de leur maison de Paris, rue Rabelais, un vrai palais avec un salon qui ressemble à la galerie des Glaces. Rien à voir avec la fameuse tour. Le curé qui y est allé une fois – pour réclamer des étrennes – en garde un souvenir de conte de fées, il a vu chez le roi de l'acier riveté des baldaquins en dentelle, des tapis de Perse noués au petit point, des cheminées sculptées comme le maître-autel de Notre-Dame de Paris.

Ce qui l'éblouit surtout c'est que M. Eiffel a tout fait très jeune : à vingt-six ans, il dirigeait le chantier de la passerelle métallique de Bordeaux. Pour ceux qui sont intelligents et « capables », rien ne sert d'attendre cinquante ans pour se révéler. Et le curé explique au facteur que cela s'appelle le progrès.

5

Les barbares bruissent autour de la maison

J'aurais dû partir de Kérylos pour me présenter au concours de l'École des beaux-arts – Pontremoli m'y encourageait, on y apprenait encore « la bonne architecture », celle qu'il pratiquait lui-même –, je serais peut-être devenu plus vite artiste, en tout cas j'aurais été libre. J'aurais dû partir avec la femme de ma vie, au lieu de la laisser avec un autre, partir en emportant ce que j'avais découvert en Grèce, de mes propres mains, et qu'on m'a pris, je serais aujourd'hui un archéologue célèbre, partir sans éprouver la moindre reconnaissance pour les Reinach, mais sans regrets, partir quand je n'ai pas réussi à emmener avec moi le cadavre de mon meilleur ami, j'aurais dû partir sans dire merci, partir avant d'être chassé comme Candide du château de Thunder-ten-tronckh, à coups de pied au cul. Je suis resté, Ulysse captivé dans la grotte de Calypso, Ulysse chez les Phéaciens, Ulysse drogué par

Circé, Ulysse abruti qui n'arriverait pas à sortir du ventre du cheval de Troie. Et aujourd'hui, c'est moi qui reviens à petits pas.

Il a fallu la dernière guerre pour que ce sanctuaire soit profané. Après 1914, je pensais avoir vu le pire. À la guerre, je me suis dit que j'avais rencontré, de près, les monstres qui voulaient détruire la civilisation, le contraire de tout ce qui avait été mon éducation chez les Reinach : quand les Allemands ont brûlé la cathédrale de Reims, je me suis dit que nous avions atteint le sommet de l'horreur. Mon ami André Pézard m'a raconté les mois qu'il avait passés comme une taupe, dans les souterrains de la colline de Vauquois, à ramper dans la pourriture, avec les rats, pour poser des mines sous les galeries creusées par les Allemands. Des mois entiers à ne pas voir le ciel et à respirer la mort. Il s'en est sorti, il a eu de la chance. Il passe sa vie en Italie depuis, il ne veut plus voir que des belles choses, il se soigne en traduisant des poètes du Moyen Âge et en ne parlant plus trop de ce qu'il a vu.

Je ne me doutais pas que j'allais être le témoin, peu d'années plus tard, du triomphe absolu des barbares, que j'allais voir des gens que j'aimais, que je connaissais, mourir d'une manière impossible à dire, impossible à raconter, après laquelle il se fit un grand silence. Un silence qui commence à se briser aujourd'hui, un peu, pas encore.

Tout à l'heure, en montant l'escalier, j'ai vu un détail auquel je n'avais pas prêté grande attention :

le soleil illumine l'autel qui est dressé au fond de l'« Andrôn », la plus belle des pièces, et on ne voit que l'inscription qu'elle porte : « Au dieu inconnu. » Je me suis dit que c'était peut-être la dédicace de cette maison. Je la comprends à ma façon : Dieu est resté pour moi un inconnu. Je l'ai prié parfois, pour qu'il me fasse retrouver mon Ariane, perdue à jamais – je suis un simple, un pauvre en esprit, il ne m'a jamais entendu et il m'a laissé malheureux.

La première chose que j'ai apprise au sujet des frères Reinach, c'est qu'ils étaient tous les trois très unis, et qu'il y avait un moyen tout simple de retenir leurs prénoms : Joseph, Salomon, Théodore, leurs initiales formaient une sorte de devise qui était « Je Sais Tout ». Ils incarnaient les sciences, les arts, les lettres, la politique – tout ce qui faisait la France de cette époque.

Joseph était un parlementaire qui écrivait dans les journaux. S'il l'avait voulu, il aurait pu devenir un grand professeur, un inventeur, un conservateur du Louvre. La présidence de la République – ou même la présidence du Conseil – n'était pas hors de sa portée. Salomon et Théodore étaient des membres de l'Institut, portant l'habit vert qui sert d'uniforme à cette catégorie d'immortels dont je n'arrivais pas encore à retenir le nom, à qui on donnait du « cher maître » deux fois par phrase, les membres de l'Académie des inscriptions et belles-lettres.

Moi le fils d'une cuisinière qui avait commencé comme bonne et d'un jardinier, pas même jardinier-chef, j'ai dû apprendre à toute allure qu'en France depuis Colbert – lui, je le connaissais, l'instituteur en avait parlé – nous possédions une sorte de parlement de savants qui s'élisent entre eux. Dans la liste de noms célèbres que le notaire m'avait donnée à toute allure, le seul qui avait été mentionné à l'école, c'était Champollion, mais cela me suffisait. Théodore était, en plus, lui aussi, député.

Le curé, avec un sourire, répétait : « Les frères Je-sais-tout-et-plus-encore », et il partait d'un rire de boy-scout. Ensuite, j'ai entendu au fil des années toutes les plaisanteries imaginables : « Les frères Reinach savent tout, mais ils ne savent rien d'autre ! », « Ces trois-là sont savants et grimaçants comme des singes », « Voici Orang, voilà Outang, suivis par Orang-Outang, le petit dernier », « Des singes, oui, mais très savants, qui épousent des chèvres, savantes elles aussi », « Le soir, on les range dans des bocaux sur une étagère »… Tout cela était dit à Paris pour se moquer d'eux, dans les cabarets de Montmartre ; c'est qu'ils étaient célèbres. J'ai vu des caricatures, des statuettes ignobles qui transformaient mon cher M. Reinach en singe, avec une pancarte autour du cou où il était écrit « Théo dort », une autre que je n'ai pas comprise tout de suite, car c'était lié à l'un des grands mystères de la maison, où il peignait au pinceau une sorte de bonnet de nuit : « Théo dore ». Ils étaient jalousés, mais pas parce qu'ils étaient érudits, puissants, doués pour tout, simplement parce qu'ils avaient hérité d'une fortune, chose qu'on leur aurait pardonnée volontiers s'ils avaient été un peu bêtes. À l'époque, j'avoue que ces plaisanteries me distrayaient, je n'y voyais pas grand mal. C'est moi qui étais un peu bête.

« Je Sais Tout » : c'était une insulte, je ne l'ai pas compris sur le moment. Comme tous les vrais génies, les trois Reinach ont écrit beaucoup de pages où ils disent qu'ils ne savent pas, où ils reconnaissent leurs erreurs – j'ai retrouvé les commentaires de Théodore au sujet des livres grecs laissés par cet historien qui cite le nom du Christ, Flavius Josèphe : « Je me suis rétracté, je reviens aujourd'hui sur ma première appréciation… » Il y a de nombreux passages comme cela dans leurs ouvrages, c'est même une des leçons qu'il m'a données : celui qui dit « Je sais tout » n'est pas un bien grand savant. Combien de fois ai-je entendu Théodore finir une explication par : « Je ne sais qu'une chose, c'est que je ne sais rien. » Dans leur jeunesse on pouvait encore essayer de tout savoir, c'était possible, pas aujourd'hui où on va envoyer des hommes sur la Lune. Ensuite, j'ai compris ce que ce surnom signifiait, de méchanceté, d'ignominie, de mépris. Avant de côtoyer les Reinach, je ne comprenais rien à l'affaire Dreyfus. Adolphe Reinach, fils de Joseph, qui avait mon âge à quelques jours près et que la politique passionnait, devint mon meilleur ami. Il avait entrepris de la raconter en détail dans un gros cahier, avec des dessins des personnages. À quinze ans, j'en avais vaguement entendu parler, comme tout le monde, rien de plus, tout ce vacarme était si loin. Je ne savais même pas vraiment non plus ce que cela voulait dire « être juif », je me demande si je le sais un peu plus aujourd'hui, mais je suis certain qu'aucune des plaisanteries de cette époque ne peut plus me faire rire.

Ces quolibets, ces caricatures, ce n'était rien d'autre que de la haine. La haine qu'on avait déployée contre le capitaine Dreyfus, la même haine qui allait venir, partout. On baissait la voix, pour les calomnier autant que pour leur faire des compliments, c'étaient des génies, des bienfaiteurs, des hommes de goût et de talent, c'étaient des voleurs, des imposteurs, des faussaires, des « étrangers ». Il y avait eu un scandale, à Paris, qui les avait atteints. Je sentais qu'on ne me disait pas tout, j'interrogeais ma mère, qui me rassurait : « Les bonnes gens d'ici ne savent rien. J'ai pris mes renseignements. Il n'y a pas mieux que cette famille-là. Travaille pour eux et je serai bien tranquille, mon garçon ! »

La villa Kérylos, dont je ne devinais pas qu'elle serait pour moi – et pour eux – aux frontières de l'enfer, j'y suis arrivé parce que j'avais décidé d'en faire la conquête. Le rocher était là, sous mes yeux, je n'ai pas mis très longtemps à franchir la grille. J'étais encore presque un enfant, j'étais déjà un petit adulte assez satisfait de lui-même. M. Reinach, dans les mois du début du chantier, venait souvent et logeait à l'hôtel qui s'intitulait, en lettres majuscules, « Palais des Anglais », devant la gare, ou parfois au Métropole ou au Bristol. On lui réservait un étage, il arrivait avec sa femme, ses enfants, les gouvernantes anglaises et allemandes, les femmes de chambre et les majordomes, les chiens et les chats dans des paniers. On ne peut plus imaginer cela aujourd'hui. Il était bien plus connu qu'une de nos vedettes de cinéma. La presse du pays l'annonçait, parmi les sommités venues en résidence pour quelques semaines en hiver – la Côte d'Azur l'été, c'était bon pour les pauvres et les ouvriers qui réparaient les maisons. On disait que chacun des six enfants avait un valet de chambre personnel et un répétiteur, comme cela avait été le cas pour Joseph, Salomon et Théodore jusqu'à leur entrée au lycée. J'ai travaillé dans leurs cahiers, quand « M. Reinach » m'a aidé à rattraper un peu mon retard : on leur avait donné des cours déjà écrits, ils les apprenaient seuls, puis les maîtres en parlaient avec eux pendant des heures pour s'assurer que tout était compris. Leur père était l'inventeur de cet enseignement à l'envers. Beaucoup de liberté, mais qui lui permettait de les tenir, ses trois génies. Il faut imaginer mon éducation, en 1902, dans cette sorte de village paysan envahi de royalties, de dames gâteuses et de divas, à côté de Villefranche – le village des pêcheurs, que ma mère méprisait – où tout le monde n'allait pas à Nice chaque semaine. Les gens qui vivaient là travaillaient pour les grandes maisons et dans les hôtels, cela composait une petite troupe pauvre, snob et cancanière. En dix ans, disait ma mère, le poissonnier avait plus que triplé le prix des rougets et des soles.

Jusqu'en 1908, date de l'inauguration, j'ai assisté à tout. Il n'y eut ni ruban coupé avec des petits ciseaux d'or par l'élégante Fanny Reinach, on ne fit pas venir de photographe, le rabbin de Nice ne récita pas de prière devant la porte, personne n'a entonné de chant en l'honneur de Poséidon. Il restait d'ailleurs des armoires qui devaient prendre place dans les chambres, les caisses de livres n'étaient pas toutes déballées, les rideaux n'avaient pas été accrochés, mais les Reinach commencèrent à venir souvent : Kérylos était achevée.

J'étais arrogant et ignorant, ma force était de le savoir. J'avais changé en bien et j'en avais conscience. Année après année, j'avais fait des centaines de dessins, que j'envoyais chez les Reinach à Paris mais que parfois j'ai gardés. On y voit les fondations, les travaux au milieu de la caillasse avec les arbres emballés dans de l'osier pour qu'ils ne soient pas abîmés, l'arrivée des blocs et des poutres, le travail des peintres et des staffeurs, les livraisons de tissus… C'est ce qu'on m'avait demandé, et ce à quoi j'ai d'abord été utile, avant de me rendre indispensable. « M. Théodore Reinach, de l'Institut », « député de la Savoie », ne m'intimidait pas. Vu de Beaulieu, ce petit monsieur en manteau, avec sa barbiche et sa démarche un peu voûtée, toujours un livre dépassant de la poche, c'était un personnage, mais pas un être humain. Je ne l'ai considéré comme un homme que quand je l'ai vu habiter la maison qu'il avait fait construire. Je l'ai d'abord beaucoup aimé.

Kérylos devenait la principale attraction de la ville. Je l'ai vénérée comme une demeure de famille, alors que cette famille Reinach n'était pas la mienne. Ensuite, j'ai vécu deux guerres, j'ai vu disparaître mes amis. J'ai vu des blessés et des héros. Et dans ce décor qui était celui de la plus haute civilisation, j'ai vu triompher les barbares. Pendant la dernière guerre, les Allemands étaient comme chez eux à Monaco. On disait qu'ils avaient saccagé la villa Gal, à Villefranche, une des plus riches, et deux ou trois autres, où ils s'étaient installés. J'étais là, quand les nazis sont venus arrêter Julien Reinach, un des fils de Théodore, que je connaissais depuis son enfance. Il avait cinq ans de moins que moi. Il venait voir toutes mes expositions de peinture et m'avait encouragé quand j'avais décidé de devenir artiste. Je l'entends encore : « Alors, Achille, on est passé du culturisme au cubisme ? Je suppose que c'est un progrès. »

Il avait l'air sévère, et à vingt-cinq ans il semblait plus âgé que moi. Durant la période difficile où Théodore, avant sa mort, ne voulait plus me voir, il continua à me fréquenter comme une sorte de cousin. Il était conseiller d'État. Il avait dédié sa vie au droit et à l'étude de ce qu'il appelait « les législations comparées ». Quand il prenait un peu de temps pour en parler, c'était très intéressant. Il avait été nommé conseiller d'État en 1940, année où il était aussi, « de fait », exclu de la fonction publique, à cause du « statut des juifs » qui venait d'être décrété au mois d'octobre. Il me disait, il n'y a pas si longtemps, avec sa voix si distinguée et ses mots choisis : « Cela faisait vingt ans que j'étais entré, par le concours, vois-tu, j'avais été un jeune auditeur plein de passion pour la République, ils étaient obligés de me nommer conseiller, ça marche à l'ancienneté, tu sais, alors ils m'ont fait directement conseiller d'État honoraire, ça ne s'invente pas ! »

Il a été arrêté dans la bibliothèque, alors qu'il traduisait Gaius, un des auteurs antiques qui a écrit sur le droit. Sa croix de guerre de 1914 ne l'a pas protégé de la police française.

On l'a interné à Drancy. Sa femme, Rita, s'est présentée d'elle-même aux autorités pour demander à le rejoindre. Savait-elle que cela pouvait les mener à la mort, comme ce fut le cas pour Léon, frère de son mari, qui avait commencé une carrière de compositeur de musique, et pour la femme de celui-ci, Béatrice ?

Julien m'a raconté qu'il avait retrouvé à Drancy un des enfants de Pontremoli – les deux fils de l'architecte sont morts en 1944. Qu'ont-ils bien pu se dire ? Ils ont dû parler de Kérylos et des moments heureux. Le Conseil d'État, c'est la plus haute des institutions de ce pays, ceux qui y siègent garantissent le droit, pour tous les citoyens – et quand Julien Reinach disait « citoyen », je pensais à Athènes et lui aussi sans doute. Là, ils portaient l'étoile jaune, ils étaient citoyens français et c'étaient des Français qui les gardaient. Julien a été mis au secret, puis il est parti pour Bergen-Belsen, dans un wagon à bestiaux. Il a échappé à la mort par miracle. Libéré par les troupes alliées, il a repris son travail avec rigueur et acharnement. Il faisait, en apparence, comme si rien ne s'était passé.

6

Première rencontre

« Achille, dépêche-toi, viens m'aider ! » Je suis arrivé en rechignant. Je n'aimais pas seconder ma mère dans son service, quand elle avait son tablier blanc, mais ce jour-là, je m'en souviendrai toujours, a été le plus important de ma vie, la fin de mon enfance. Elle savait ce qu'elle faisait, en criant un peu trop fort : « Achille ! Achille ! » J'avais peur qu'elle ne m'exhibe comme un singe dans un cirque, je connaissais son regard dans ces moments-là : même devant les Eiffel, elle voulait qu'on dise : « Comme il est joli », « C'est vrai que vous lui faites réciter les *Fables*, madame Leccia ? »

C'est parce que je portais ce prénom, et que j'étais « grec » – en réalité je me sentais surtout corse, ça me plaisait quand j'entendais dire « un vrai petit bandit corse » –, que M. Reinach, comme je le nommais alors sans me douter qu'un jour je pourrais l'appeler par son prénom, m'avait choisi. Sans ma mère, qui disait «l'occasion n'a qu'un cheveu», en relevant son chignon, je n'aurais jamais su saisir cette chance. Je serais maître d'hôtel à Nice ou à Ajaccio, ou marchand d'oranges, ou professeur de gymnastique au lycée Masséna. J'étais décidé à rencontrer M. Reinach, mais je n'y étais pas encore arrivé. Elle avait eu la même idée, sans m'en parler, cela me rendait furieux ; j'étais encore à l'âge où l'on peut obéir à sa mère – du moment qu'il ne s'agissait pas de subir la messe de la Résurrection chantée en slavon en restant trois heures debout…

Ma mère habitait une chambre au premier étage de la maison des domestiques qui dépendait de la villa Eiffel, avec vue sur la pointe des Fourmis. J'avais la petite chambre voisine, nos deux fenêtres étaient côte à côte, et je laissais la mienne ouverte le plus souvent possible. Aujourd'hui j'ai encore du mal à m'endormir si je n'entends pas le bruit des vagues. Je faisais des fugues, j'allais me promener à travers les chantiers, on construisait partout dans ce village qui n'avait pas cinq cents habitants quinze ans auparavant. J'empruntais la bicyclette du curé, qu'il attachait mal, et je filais à Nice où j'arrivais vers minuit. Je me promenais sur le port, place Garibaldi, je regardais tout et je n'étais devenu pour autant ni voleur ni débauché. J'aimais juste me sentir libre, et ne dépendre de personne. J'étouffais dans la casemate des bonnes, j'avais envie de voir des gens, de parler, de vivre d'autres vies. J'imaginais que j'étais à la tête d'une flotte, que j'étais amiral, je me voyais architecte, je voulais devenir général et sauver la France, ouvrir une poissonnerie, conduire une locomotive, épouser une danseuse espagnole, je passais mon temps à me raconter des histoires. De nos jours, cette petite maison où logeaient aussi les jardiniers serait la plus cotée, on peut directement descendre se baigner entre les rochers bleus, mais, à l'époque où la famille Eiffel s'était installée, la maison de maître était au centre du grand jardin. Il n'aurait pas été élégant de construire au bord de l'eau.

Dans ce qui était presque un parc, Eiffel avait installé des pluviomètres, des baromètres, des thermomètres, un sismographe, un héliographe Campbell et un anémomètre Robinson, dissimulés derrière de fausses arcades romaines et des vases Médicis. Pour moi c'étaient des jouets avec des aiguilles et des chiffres. Ses fabriques de jardin étaient « scientifiques ». M. Eiffel relevait lui-même ses appareils, et comparait les résultats avec d'autres stations climatiques de son invention, qui se trouvaient je crois à Bordeaux et à Meudon… Brandissant ses feuilles de papier millimétré, il prouvait à tout son personnel ce que tous ici savaient : Beaulieu bénéficie d'un microclimat favorable. Moyennant un bon régime on y finissait centenaire sans trop de difficultés – ma mère me regardait pour que je la remercie. Quand je l'ai connu, il ne montait plus vraiment à cheval, comme il l'avait fait durant des années, mais continuait à afficher son amour du sport en organisant des tournois d'escrime dont on parlait dans *Le Petit Niçois* et que ses amis suivaient avec passion, allongés sur des « transatlantiques » à rayures bleues et blanches. J'aimais aussi beaucoup son bateau, *L'Aïda*, avec lequel il nous emmenait tous, sans trompettes ni tambours, maîtres et maisonnée, faire des pique-niques dans les environs. Tout l'équipage entonnait, bouches fermées, la grande marche triomphale de l'opéra de Verdi.

Ma mère avait peu à peu réussi à se faire admettre aux cuisines et elle en avait vite pris le gouvernail : elle en imposait, elle savait diriger, elle aimait la variété, elle inventait des recettes qui ne ressemblaient pas à celles de Paris. Son régime de produits frais plaisait à M. Eiffel, à qui son médecin avait déconseillé les sauces, les graisses, les préparations lourdes. Grâce à ma mère, il avait découvert le cédrat du cap Corse, dont il raffolait. Il plantait des arbousiers, des myrtes, des bruyères. Enfant, j'aimais cueillir les cédrats, durs et amers, lourds dans ma main, ensuite on les plongeait une semaine dans un des grands éviers de pierre, avant de les ébouillanter pour qu'ils deviennent des fruits confits, après huit bains de sucre successifs. Ma mère en glissait des morceaux dans des poissons frais, pêchés du jour : personne n'avait jamais goûté cela ! Sauf peut-être Alexandre le Grand – dit un jour M. Reinach – quand il est arrivé, avec son armée, en vue des contreforts de l'Himalaya : « Le cédrat de Mme Leccia c'est plus rare que le caviar de la Caspienne ! » Ma mère ne rougissait pas, elle savait que c'était vrai.

Les murs de nos chambres étaient blanchis à la

chaux, comme dans les monastères du nord de la Grèce que j'ai visités quelques années plus tard. L'intérieur de la villa Eiffel, en comparaison, me semblait un vrai palais : lustres de Venise, tapisseries des Flandres, bahuts gothiques, tapis de Smyrne, tables Henri II croulant sous les services de Sèvres, des fleurs partout débordant de vasques de porphyre, des plafonds à caissons et des boiseries comme dans un manoir anglais. Sur une commode tombeau paradait un bon gros cartel en écaille Boulle qui me fascinait, les nappes étaient brodées, amidonnées, les serviettes pliées avec art, rien n'évoquait une résidence balnéaire, rien ne disait non plus qu'on était chez le génial créateur de la tour Eiffel. Ma mère s'était rendue indispensable, moi je faisais mon éducation ; j'allais au petit lycée de Nice, une carriole attelée payée par M. Eiffel transportait tous les matins les enfants du village... Je n'avais pas encore ma bicyclette, je ne rêvais que de ça et d'une canne à pêche que j'avais vue dans une vitrine à Villefranche. J'étais entré un jour, avec mon porte-monnaie à la main, le vendeur a bien ri quand il a compris que j'avais pris la longueur, affichée à côté du plus beau modèle, pour le prix. Ma passion, sinon, depuis l'âge de dix ans, c'étaient les soldats de plomb. M. Eiffel en avait de très beaux, il me laissait ouvrir les boîtes et les installer sur la table de la salle à manger quand il n'y avait pas d'invités, il m'en avait acheté aussi. Je faisais se combattre les compagnons de Jeanne d'Arc et les grenadiers de Napoléon, j'avais vingt guerriers de la phalange macédonienne, mes troupes d'élite. Je passais des soirées à faire capturer Jeanne d'Arc par les soldats d'Alexandre le Grand qui exigeaient une rançon, je lançais mon maréchal Ney contre les vases de Canton du grand salon, qui figuraient les fermes de Waterloo, j'attaquais La Marseillaise sur mon harmonica. Je n'aurais jamais dû jouer dans les appartements des maîtres, mais on me laissait tranquille : « Tu étais réservé à des balles françaises, infortuné, disait M. Eiffel, citant Victor Hugo, en passant devant le brave des braves, mais prends garde à mes potiches. » Ma mère était fière qu'on me laisse jouer dans le salon, elle y passait sans raison, avec un plateau d'argent à la main, je faisais mine de ne pas la voir.

Nous nous appelons Leccia, comme beaucoup de Corses, le nom de jeune fille de maman était Stéphanopoli, elle ne l'avait pas oublié. Ce fameux jour, à la fin du déjeuner, dans le parc de la maison des Eiffel, ma mère a donc eu l'idée de crier mon prénom par-dessus la haie. Elle avait une jolie voix. M. Reinach a relevé la tête : « Il y a ici quelqu'un qui s'appelle Achille ? Il n'obéit pas vite, dites-moi, cet Achille est une tortue. »

J'ai montré le bout de mon nez sous ma carapace. Il a dit une phrase que je n'ai pas comprise ce jour-là. C'était : « Chante, déesse, du Pèlèiade Akhilleus la colère désastreuse, qui de maux infinis accabla les Akhaiens, et précipita chez Aidès tant de fortes âmes de héros… » Il avait ajouté en tirant sur son cigare : « Vous vous souvenez, mon cher Gustave, c'est la très poussiéreuse traduction de Leconte de Lisle, ça sonne tout de même mieux en grec ! Μῆνιν ἄειδε θεὰ Πηληϊάδεω Ἀχιλῆος... » J'ai su ensuite que c'étaient les premiers vers du récit de la colère d'Achille chez Homère. Je suis demeuré interdit en l'écoutant ; il me regardait, comme s'il guettait un sourire ou un froncement de sourcils. « Cet Achille ne comprend pas le grec, Gustave, il a envie d'apprendre sa vraie langue, non ? ça se voit ! Première leçon tout à l'heure, sous les oliviers de mon nouveau terrain, allons prendre le café chez les fourmis. »

Piqué, je lui ai répondu, Κατάλαβα, catalava, « J'ai compris ». Le visage de ma mère s'est épanoui. Elle n'a pas pour autant lâché son plat à tarte ; en bonne comédienne, elle continuait son service. Un jeune garçon qui parle le grec moderne, c'est tout ce qu'il fallait à Théodore, et à côté de sa future maison. C'est cela que je revois aujourd'hui, à soixante-dix ans. Comme tous les hommes de mon âge, j'ai vécu les grandes horreurs, les lâchetés, les trous d'obus, les morts, j'ai eu des amis qui ont été des résistants torturés et d'autres, que j'aimais bien au lycée, qui ont fini dans la Milice, j'ai vu ma mère mourir parce qu'il n'y avait plus de tickets de rationnement. J'ai moi aussi, maintenant, autant de souvenirs que le vieil Homère derrière ses yeux vides. Mais cette journée-là, en moi, est intacte.

Lors de ma première rencontre avec Théodore Reinach, je n'ai pas été trop timide. Mon ignorance était ma cuirasse. Je savais vaguement qu'un autre monde existait, peuplé d'écrivains morts, de dieux auxquels personne ne croyait plus et de héros d'épopées. Il me suffirait d'aller vers eux, je crois même que j'en avais vaguement envie avant de rencontrer l'étrange tribu. Je n'avais lu que Jules Verne et plusieurs Vies de Napoléon à l'usage de la jeunesse qu'on donnait aux enfants dans les écoles communales, chez nous, en Corse, avec les illustrations signées de JOB, pont d'Arcole, sacre et Waterloo. Mon père avait reçu tout cela en livres de prix et me les avait donnés, avec mon harmonica, mon porte-bonheur. J'avais quitté la Corse à huit ans. Je voyais dans cette pointe des Fourmis une sorte de mélange de l'île mystérieuse et de Sainte-Hélène. La demeure à venir serait mon palais de rêve.

J'étais débrouillard, malin, amusant disait-on, ce chantier fut mon terrain de jeux. J'étais un des rares à avoir le droit de suivre les travaux, de tout regarder, de me promener là-dedans comme si j'étais de la famille. On m'avait demandé de faire des dessins, ma mission était donc de tout voir, et j'appelais bien fort, devant la crémière, le facteur, le curé et tout le chœur antique, la villa qui se construisait par son vrai nom, « Kérylos », le mot grec qui veut dire alcyon. Les alcyons volent sur les vagues, ce sont les oiseaux de la tristesse, ceux qui pleurent dans les poèmes.

En réalité, alcyon, c'est aussi le nom savant des martins-pêcheurs, des bestioles plutôt drôles, avec leurs petits cris sarcastiques et satisfaits qui se terminent en roucoulades. Les trois frères Reinach, Joseph, Salomon et Théodore, nés avec une belle régularité, de deux ans en deux ans, ressemblaient aux alcyons, des animaux qui savent construire leurs demeures sur l'eau, brindille après brindille, pour y élever leurs familles en équilibre sur la mer. Tout le monde disait que ces Reinach étaient très laids, épousaient de plutôt jolies femmes, qui étaient toutes encore plus riches qu'eux. J'ai toujours trouvé que Théodore Reinach avait une bonne tête, un nez retroussé qui lui donnait l'air de Socrate. Il avait la flamme dans l'œil – expression de ma mère, je pense à elle en l'écrivant. Quand il me parlait, il était simple et je saisissais tout de suite ce qu'il m'expliquait. Il me proposa un marché. Je devrais lui envoyer mes dessins deux fois par semaine, pour qu'il puisse, de Paris, suivre son chantier.

Ma première leçon de grec ancien eut lieu ce jour-là parmi les abeilles, entre les buissons de romarin. Ma mère avait suivi avec les tasses et la cafetière, les Eiffel bavardaient dans leur coin, M. Eiffel en chapeau de paille faisait de grands pas pour mesurer ce qui serait la largeur de l'édifice, la végétation avait déjà été bien raccourcie et cela sentait l'herbe. Le placide Cerbère se dorait le museau au pied de son maître. Je m'étais assis sur un rocher. M. Reinach, sur sa chaise pliante en cuir, ressemblait à un devin, il avait de la poussière sur ses guêtres, sur ses manchettes et sur son chapeau, sa chemise blanche était noire et sa veste noire était blanche. Il ne m'a pas ennuyé avec de la grammaire, il a choisi deux mots, démocratie, démagogie, et il m'a expliqué les différences, en me parlant de la Chambre des députés, des élections, des discours, ça m'a bien plu. J'étais une grande personne. Je voyais le soleil, le ciel, les oiseaux, je regardais l'horizon. Dans une ambulance, en 1917, quinze ans plus tard, j'ai parlé grec avec un blessé allemand, il avait étudié les comédies d'Aristophane à Heidelberg, et, en grec, nous avons récité un dialogue cocasse entre deux grenouilles, plein d'onomatopées, et nous avons juré de tout faire pour qu'il y ait un jour la paix. Il m'a offert son couteau de poche. Je l'ai toujours. Cela peut sembler naïf. Il faut comprendre qu'on avait coupé deux jambes à côté de nous, l'air était infesté, avec cette odeur de pourriture douceâtre si caractéristique, nous avions vu mourir des camarades, et c'est parce qu'il citait Aristophane que je ne l'ai pas considéré, sur son grabat, comme un boche tout juste bon à laisser crever pour qu'on ait plus d'eau. Quand j'ai dit cela à mes enfants, ils m'ont regardé, goguenards. Mon petit-fils a pris l'air insolent et, levant les yeux au ciel, a murmuré : « Plus jamais la guerre ! »

Sous le soleil, ce jour-là, dans mon souvenir, je vois des fenêtres qui n'existent pas. M. Reinach avait pris mon carnet que j'avais posé à côté des tasses, sur la petite table en bambou, pour dessiner les portes, les baies, les ouvertures, là où elles seraient. Ses fenêtres, il me les commentait : ici la plus grande, là une simple meurtrière, ce sera l'emplacement de l'escalier, dans cette chambre, j'en veux trois, comme une lanterne.

Ces fenêtres, je les ai vues s'élever dans les mois qui suivirent ; ma mission fut de les dessiner tous les jours. Aujourd'hui encore, je sais comment les ouvrir, avec ce système de glissière à poignée fixe le long de la barre verticale. On l'actionne vers le haut ou vers le bas, et cela fait entrer la crémone dans les ferrures du chambranle, c'est très moderne, mais de loin cela semble antique. Eiffel lui-même a été émerveillé quand il a vu qu'une petite roue dentée tournait au centre du mécanisme. Archimède aurait pu inventer cela. M. Reinach et M. Pontremoli discutaient de ces questions techniques pendant des heures. Je les vis passer des journées entières, cette année-là, devant les plans : comme des fenêtres aussi larges ne pouvaient pas exister au Ve siècle avant Jésus-Christ, il fallait inventer pour les ouvrir ce système original, qui aurait l'air ancien. Pas question de dessiner des espagnolettes avec des dauphins ou des sphinges ! Il ne fallait pas plaquer un décor grec sur une fenêtre moderne, ni copier une vraie fenêtre antique fermée avec une plaque d'albâtre poli à travers laquelle on ne verrait rien, mais inventer pour faire entrer le soleil et voir la mer une fenêtre qui ait un air grec. Cette différence m'enchantait. Tant qu'on y était, on s'amuserait à créer la vaisselle. La maison Christofle avait réédité en argent des pièces du trésor de Boscoreale, copiées au Louvre – un don mirifique du baron de Rothschild. M. Reinach acheta quelques-unes de ces pièces qui connurent une certaine vogue. Mais une famille de l'Antiquité ne se serait pas servie de ces coupes chargées de sculptures tous les jours : il fallait des fourchettes susceptibles d'avoir été utilisées avant l'invention de la fourchette. Je trouvais cela très drôle.

C'était ça, ma grammaire, celle que j'aimais. Théodore Reinach fut autant que Pontremoli l'architecte de sa maison, ils pensaient à tout. Ils étaient comme moi avec mes boîtes de petits soldats. Ça ne m'a frappé qu'au bout de deux ans de chantier, alors que c'est une évidence : les maisons de Méditerranée, celles qu'on voyait dans *L'Illustration*, en Algérie, au Maroc, en Grèce, n'ont pas comme cela autant de fenêtres, elles ne s'ouvrent que sur des patios, des cours intérieures. Lui voulait des ouvertures partout, ce serait la différence principale entre sa « villa grecque » et les maisons de l'Antiquité ; il n'allait pas imiter, il allait créer, composer, en grec ancien, un texte absolument nouveau. Pas un faux palais antique, une maison pour lui, pour Fanny et pour les enfants.

Chacune de ces fenêtres servait de cadre à un fragment de paysage. Je me suis rendu compte que cette côte que je croyais connaître depuis toujours était belle, que la nature devenait un tableau si un architecte dessinait une ouverture pour la voir. Dans les années de Kérylos, quand je travaillais avec mon ami Adolphe Reinach, ce neveu de Théodore qui avait mon âge, j'ouvrais tout en grand ; je pouvais rester assis dans une des loggias du dernier étage, celles de « Dédale » et d'« Icare », pendant une heure, à regarder les nuages. J'ai dessiné ces fenêtres aux volets rouges. J'ai encore mes aquarelles, en séries, comme en faisait Claude Monet, selon les heures du jour et selon les saisons, toujours les mêmes rectangles de lumière, année après année. Avant de partir d'ici, je sais que j'ai envie d'ouvrir la fenêtre de la chambre qui porte le nom de « Philémon », la fenêtre centrale de l'andrôn, une des fenêtres de la bibliothèque... Je n'aurais jamais écrit dans mon carnet dix fois le mot « fenêtre » si je n'étais pas revenu ici. Avec ma caméra, aujourd'hui, le dernier modèle Kodak, je vais cadrer, filmer, fixer, je veux voir une dernière fois ce qu'est devenu mon ciel. J'aime faire des plans fixes : comme si j'avais chez moi, ensuite, une grande photographie avec les nuages qui bougent.

Ma mère, à ma plus grande surprise, s'opposa à cette espèce d'enlèvement de son fils – M. Reinach déclara, dès le premier jour, qu'avant la fin du chantier, dès qu'il y aurait une partie habitable, je viendrais loger à Kérylos –, j'avais cru qu'elle en serait très contente. Elle tempêta. Elle n'était pas capable de bien élever son fils ? Une femme corse ne lâche pas ses petits. Et quand elle serait vieille, elle aurait besoin de son fils aîné. De quel droit ces messieurs de Paris voulaient-ils le lui prendre, son chérubin ? Je n'osais pas trop protester, de peur de ses colères. C'était elle qui m'avait poussé vers Théodore Reinach, elle m'avait dit maintes fois que cette famille lui plaisait, elle avait aimé voir mes croquis, elle s'intéressait elle aussi à la nouvelle maison. Je ressentais cela comme une injustice. Elle trouvait que « M. Théodore » ne me donnait pas assez d'argent pour mes dessins, avec le temps que j'y passais. Je me suis demandé si au fond elle ne l'accusait pas un peu d'être avare : ma mère ne connaissait aucune famille juive, en Corse. Mais elle était capable de tenir, avec l'aigre crémière, des propos qui me faisaient honte, elles disaient avec un air entendu que ces Reinach avaient « les doigts crochus », là j'explosais, je prenais la défense de mon nouveau bienfaiteur. Elle a fini par comprendre que rien ne me ferait changer d'avis. Un jour elle jeta la pile de livres qui était au pied de mon lit : « C'est encore ton M. Reinach qui t'a donné ça ? Ta chambre va finir par ressembler à un vrai taudis. » J'avais l'âge de crier. M. Eiffel a dû intervenir en personne pour nous séparer. Il me dit que je n'avais pas à élever la voix en présence de ma mère. Mais il lui a parlé à part, ensuite, et elle ne m'a pas adressé la parole pendant quinze jours. Elle ne me laissa partir qu'une année et demie après, avec mes cahiers et mes boîtes de soldats – M. Eiffel m'en avait donné pour compléter mes bataillons, des Gaulois de Vercingétorix, j'étais fier. La maison n'était pas encore habitable, mais j'ai été le premier à y avoir ma chambre, dans ce qui est devenu ensuite un bout de couloir au rez-de-chaussée dans le quartier des domestiques. J'avais un lit de camp, mon matériel de dessin, quelques habits que je lavais moi-même. C'était un observatoire, je pouvais rendre service aux ouvriers, aider le cuistot qui leur faisait leurs repas, tout regarder, suivre la progression des étages. Je me disais que cela mettrait dix ans. En réalité, ce jeu de construction fut vite assemblé. Rien n'était fini en haut que déjà les peintres s'emparaient des pièces du bas. Les plans étaient tellement bien faits qu'il n'y eut aucune mauvaise surprise. Je me sentais là-dedans comme dans un navire, un mousse en haut du grand mât. Certains hivers, les vagues étaient violentes, les rochers protégeaient les maisons, mais je passais des journées entières à nettoyer les vitres que le sel rendait opaques. Je n'en pouvais plus. Ma mère me donnait du travail pour les Eiffel tous les jours, de l'argenterie à faire briller, des souliers à cirer, elle avait une théorie bien au point selon laquelle les enfants sont des esclaves envoyés par le bon Dieu et me regardait, l'air glacé, quand je n'obéissais pas assez vite. Ce fut Mme Reinach, et pas ma mère, qui m'acheta, à Nice, au Muguet de Paris, ma première paire de pantalons longs. Elle avait choisi une étoffe chaude et légère, je n'osais pas les montrer aux gamins de Beaulieu. Dans la principauté de Kérylos, je paradais, vêtu comme un prince, heureux d'avoir trouvé une famille qui avait envie de faire de moi un homme. Gustave Eiffel fut sans doute le premier à saisir que ce séjour chez les Reinach, pour exécuter de menues tâches, me serait salutaire, et m'aiderait à faire quelques études de base, puisque j'étais doué. Il me délivra des cuivres et de la crème à chaussures. Ma mère, qui ne perdait jamais la face, me répétait : « M. Eiffel me l'a dit, ce M. Reinach est un puits de science. » Elle faisait durer avec délectation le *u* et le *i* : « un pu-its de science, mon petiot. Je le sais, toi tu seras quelqu'un, un jour, tu seras quelqu'un... » – et comme elle n'était jamais capable de me dire qui, je me moquais d'elle, et elle finissait par rire avec moi.

Ce qui m'intriguait à quinze ans, c'était la raison

pour laquelle ce Théodore Reinach si amusant, si chaleureux, était traité de voleur. Qui avait-il dépouillé ? Pourquoi semblait-il, aux yeux du notaire et du curé, une sorte d'escroc ? un agent à la solde de l'ennemi ? Il y avait une histoire qu'on n'était pas capable de me raconter. J'étais bête, je me disais qu'en m'approchant de cette famille je comprendrais pourquoi, comment, depuis quand ils étaient si riches ; j'allais mener mon enquête – et je ne trouvais qu'un homme plein d'enthousiasme, qui me parlait des pays lointains, des fleuves de l'Empire russe, des montagnes de Ceylan, des dynasties royales de Java, de la République, des caravanes traversant l'Arabie Heureuse, des amours des dieux, un homme autoritaire aussi, qui avait envie de m'apprendre une foule de choses à moi qui découvrais le monde. Et cela m'allait. Tous les samedis, je retrouvais ma mère, je l'aidais et, le dimanche pour lui faire plaisir, j'acceptais de temps en temps d'aller avec elle aux offices de la cathédrale russe de Nice. C'est pour Pâques que j'osais mettre devant elle mon pantalon de jeune mirliflore, avec un veston un peu court dont Adolphe Reinach ne voulait plus. J'avais ajouté un mouchoir plié pour me faire une pochette et emprunté une épingle de cravate. Elle inspecta tout d'un coup d'œil qui me fit trembler – j'étais décidé à lui tenir tête – et m'embrassa.

Apprendre le grec ancien, cela voulait dire beaucoup de grammaire. Pour moi, cela a été une souffrance. Je travaillais cinq ou six heures d'affilée, à recopier des pages de textes, qu'ensuite j'apprenais et que je récitais seul dans ma chambre. La nuit, je rêvais de petits mots grecs avec des pattes, qui grimpaient en colonne le long de mon oreiller. Je retenais des bribes, qui épataient les Reinach, mais jamais je n'ai connu le moment où, quand on apprend une langue, on sent qu'on vient de passer la frontière : la barrière se lève, tout est naturel, simple, avec sa logique et sa beauté. Le grec de Platon restait pour moi un champ rocailleux, où je m'écorchais les ongles. Je n'aurais jamais abandonné. Je voulais être pris au sérieux. Je recommençais mes fugues, je ne pouvais pas m'en empêcher, après des journées entières dans les livres, j'avais envie de ville et d'arbres en ligne le long des immeubles. J'avais ma bicyclette à moi désormais, une De Dion-Bouton, achetée avec l'argent que j'avais gagné. Nul ne me surveillait, mais j'avais l'impression de fuir quand je fonçais dans la nuit pour retourner errer dans Nice. À chaque coup de pédale, je continuais à entendre les déclinaisons, à scander les vers, à essayer de sentir l'accentuation. Je n'arrivais pas à lire dans le texte les discours de Démosthène, je trichais, j'allais chercher la traduction, je savais qu'on ne m'aiderait pas et je voulais à toute force être capable de tenir ma place dans cet orchestre des Reinach. Mes fautes les amusaient, j'enrageais ; Théodore demeurait bienveillant. Quand il sentait que je n'en pouvais plus, il me donnait des cours d'histoire, et j'aimais entendre parler des combattants spartiates, des guerres de Philippe de Macédoine, de la défaite du grand roi Darius. Je lui posais des questions sur les navires, les rangs de rameurs, les trirèmes, je voulais comprendre comment on pouvait mettre autant de soldats dans ces embarcations. En avait-on retrouvé ? Je caressais Cerbère. Comment savait-on à quoi ressemblaient les vaisseaux de la bataille de Salamine, dans « la nuit au sombre visage » ? Je savais, je crois bien, le dire en grec. Tout est parti, vague après vague, comme une houle usante dans les cavernes de mon cerveau et je ne me souviens plus aujourd'hui de ce que je savais quand j'avais dix-huit ans. Les ouvriers avaient fini les fondations. Je dessinais les pièces et les corridors du sous-sol : c'est comme cela que je suis sûr qu'il n'y a pas de salle souterraine cachée, de chambre secrète. Cela me fait gagner du temps aujourd'hui. M. Pontremoli n'avait pas fini emmuré comme les architectes des pharaons dans les superproductions d'Hollywood que j'ai tant aimées plus tard. J'avais eu tous les plans entre les mains ; ce matin, je les ai en tête.

J'ai entendu M. Reinach me raconter, dans ces moments où il jouait à faire de moi un historien, la grande aventure du peuple juif. S'il avait su tourner des films, il aurait été un des grands metteurs en scène du début du cinéma, il aurait inventé des péplums à la française dans les studios de la Victorine. Il me montrait des monnaies photographiées dans les livres, me parlait du temple de Salomon, du chandelier à sept branches et de l'arche d'alliance qui contenait les Tables de la Loi et qu'on portait sur un brancard d'or surmonté par deux statues de chérubins. Il décrivait la Mer de bronze, le grand bassin dans lequel les

Hébreux faisaient leurs ablutions. Il frétillait en me mimant la reine de Saba, s'attardait sur la captivité à Babylone, le Veau d'or, toujours debout. Il m'en parlait comme il m'expliquait la Constitution d'Athènes à l'époque de Clisthène – quel drôle de nom – ou la construction des temples grecs de Paestum – j'apprenais que les plus beaux temples grecs se trouvent en Italie, qu'on photographiait les vieilles monnaies pour en faire des livres, qu'il n'y avait pas que la Bible qui avait parlé des Hébreux, et qu'on brûlait de l'encens ailleurs que devant nos icônes. Mon étonnement durait deux minutes, ensuite je savais – et j'étais capable d'étonner ma mère et la crémière.

Au petit lycée, je suis devenu un des premiers de la classe, ma mère bien sûr faisait celle qui ne s'en étonnait pas et ne me récompensait jamais. Elle prenait son air pincé de gouvernante en chef pour dire : « Mais c'est très bien ça, continue. » C'était injuste : tout le monde lui faisait des compliments sur sa cuisine, elle redressait la tête comme un petit chien à qui on montre un sucre ; je crois que je la détestais dans ces moments-là, j'avais des prix et elle ne me disait rien. Elle essaya un jour d'aller voir Fanny Reinach, pour lui expliquer qu'elle prêtait son fils, et qu'il faudrait peut-être lui verser un peu quelque chose à elle. Mme Reinach la regarda et ne lui répondit même pas. Ma mère cria en me racontant cela. J'avais honte. Elle avait raison pourtant, je me mets à sa place, ce qui nous arrivait était si étrange. Elle dénonça la cupidité de Théodore et de Fanny, alla en parler au curé.

J'avais peur qu'on ne me renvoie si tout cela se savait à Kérylos. Elle parla de me placer chez un frère de mon père, jardinier à la préfecture, qui saurait bien me faire avoir une paye de journalier. Je pleurais. Je savais que je ne serais jamais assez bon en grec et en histoire pour être gardé chez les Reinach. J'en faisais des cauchemars.

7

Conversation dans la langue de l'ennemi

Les gens de Beaulieu ne savent pas bien prononcer ce nom « allemand » : le boucher et le maréchal-ferrant disent *Reinacheu*, avec l'accent. Ceux qui disent *Rail-Narre* n'aiment pas les juifs. Ils n'aiment pas non plus les Allemands d'ailleurs, on répète sans se lasser qu'ils nous ont vaincus en 70 et nous ont pris l'Alsace et la plus jolie partie de la Lorraine. Pour les Corses, on pourrait croire que c'est loin, ces marches de l'Est, mais non, c'est comme si on nous avait arraché encore un petit morceau du manteau de Napoléon, l'ultime étape du démantèlement du grand Empire. Ma mère ne pardonne rien aux Allemands.

Un matin d'hiver, j'entends avec effroi, sans comprendre ce qui se passe, Théodore Reinach tenant Cerbère en laisse et Gustave Eiffel, sur la digue, parler entre eux en allemand.

Je prends peur. Je me demande si je ne suis pas très

mal tombé, si j'ai eu raison de quitter ma mère, si je ne devrais pas retourner en Corse et chercher du travail à Ajaccio. Des Allemands, il y en a au village, juste à côté : la villa Livesey, construite par un ingénieur des chemins de fer britanniques très élégant qui recevait James Gordon-Bennett, l'homme des montgolfières, a été vendue en 1905 au prince Alexandre de Hohenlohe-Schillingsfürst, gouverneur de la Haute-Alsace. Nul ne lui parle, ni à lui ni à ses domestiques, mais tout le monde connaît par cœur ce nom si compliqué. À Beaulieu, on admire Eiffel, mais personne ne dit la « villa Eiffel », on préfère parler de la « maison Salles » – c'est l'adresse qui figure sur toutes les enveloppes. Le facteur a cru comprendre que le vrai propriétaire est le gendre de M. Eiffel, Adolphe Salles, le mari de sa fille aînée, Claire, et que le génial ingénieur n'a pas voulu se mettre en avant ni faire de la publicité sur son nom qui sonne mal pour les oreilles méridionales. Craindrait-il des attaques ? Je n'ai compris cela que plus tard. Pourquoi Reinach et Eiffel parlent-ils allemand ? Si nous étions, ma mère et moi, chez des espions ? Je ne veux pas qu'elle fasse encore du scandale, je ne raconte cela à personne, je le garde au fond de moi, comme une angoisse de plus que je soigne en apprenant par cœur les pages de mes livres de grec. Le sourire de Fanny Reinach, qui m'apporte des gâteaux pendant mes heures d'étude, parvient à peine à me calmer.

J'entends encore M. Reinach, le lendemain, comme s'il savait que j'avais surpris cette conversation, me dire, de sa voix flûtée : « Apprendre l'allemand, vois-tu, parce que c'est la langue de nos ennemis et que nous allons devoir les combattre à nouveau, c'est être déjà décidé à refaire la guerre, apprendre l'anglais, pour se battre aux côtés des habits rouges, c'est aussi vouloir la guerre, et pratiquer un peu le commerce au passage si l'envie t'en prend, apprendre n'importe quelle langue vivante, c'est penser à défendre des frontières, conquérir, envahir. Celui qui apprend le grec va savoir penser, aimer, il va retrouver à travers le monde entier tous ceux qui ont voulu connaître cette langue pour partager l'intelligence, le sens des nuances et les progrès qu'on fait tous plus ou moins bien dans la connaissance de soi-même. »

Il ne m'a pas dit tout cela, bien sûr, en une seule fois, ce jour-là, j'en rajoute. Il me l'a fait comprendre durant les six premières années, pendant le chantier. L'homme qui sait un peu de grec, ou qui en a appris dans sa jeunesse, va fréquenter d'autres personnes cultivées, qui aiment le théâtre, l'architecture, l'histoire, la beauté des statues, l'émotion qu'il y a à soupeser une monnaie dans sa main en pensant à tous ceux qui l'ont tenue ainsi avant nous depuis des siècles, des tas de choses belles et inutiles, graves et joyeuses, tragiques et pathétiques, comiques et tristes – sans se souvenir qu'ils sont allemands, italiens, britanniques… Apprendre le grec, c'est comme aimer la musique, c'est savoir un langage universel.

Je ne comprenais pas bien. Plus personne ne parlait le grec d'Homère. J'avais l'intelligence de voir, je crois, qu'il ne comptait pas faire de moi un savant. Il avait vu que j'avais du mal à apprendre, que j'étais bien plus lent que son neveu Adolphe. Alors, à quoi bon ? Si je suis devenu, à force d'efforts, assez bon en grammaire grecque – à une époque je connaissais ces friandises que sont l'« optatif oblique » ou l'« aoriste second » –, c'était histoire de ne pas avoir l'air trop stupide. C'était aussi pour l'épater lui, M. Théodore. Je voulais faire la roue devant ces gens qui étaient en train de m'adopter. Aujourd'hui, je ne connais plus guère que quelques phrases apprises à cette époque… Théodore me cita, des années plus tard, un écrivain dont il m'a donné un livre, Saint-Marc Girardin : « Je ne demande pas à un honnête homme de savoir le latin. Il me suffit qu'il l'ait oublié. » Et d'ailleurs nul ne se souvient plus de ce M. Saint-Marc Girardin. Je suis un vestige.

J'ai tout oublié. C'est délicieux. Comme cette brise fraîche sur le bout de mon nez ce matin. Je me suis libéré de Kérylos. Théodore m'avait modelé. Ensuite, j'ai rué. Le grec, langue de la paix, c'était bien beau, mais ce n'était pas vrai. Les textes grecs qui me plaisaient quand j'ai commencé à les comprendre ne parlaient que de combats, de sièges, de batailles, de héros qui tuaient, massacraient, profanaient les corps de leurs ennemis en les attachant à l'arrière de leurs chars. Les Reinach, ces paisibles savants, luttaient dans leurs articles pour battre les spécialistes allemands. La guerre se faisait aussi entre les universités. Il y avait un archéologue de Munich appelé Furtwängler dont ils parlaient avec respect, dont ils possédaient tous les livres et qu'en même temps, c'était très curieux, ils avaient l'air au fond de détester – comme un mélange de rancune et d'admiration. Tous les Français éprouvaient cela vis-à-vis des Allemands.

Sur la terrasse de la Réserve, les Reinach restaient en famille. Personne n'osait les approcher. On les regardait avec toujours les mêmes commentaires : « Les filles ne sont pas bien jolies, elles ont tout pris de leur père, vous avez remarqué leurs gros yeux de crapaudes, et les garçons, voyez-vous cela, sérieux comme des petits papes ! » Ils n'avaient rien de somptueux, pas de cannes à pommeau d'or ni de robes extravagantes, ce que les grooms et les rombières eussent compris. Ils se contentaient d'ombrelles anglaises, de gilets gris et de bottines cousues à Londres, le luxe le plus invisible. Ils ne donnaient pas prise. On ne les apercevait jamais à la synagogue de Nice, et cela aussi était commenté. On aurait préféré, pour les commérages, qu'ils y aient leurs places au premier rang. Ils n'entraient pas dans les grandes catégories : le nabab avec sa grue, le marquis suivi par ses pages, le monsieur de Paris ruiné au jeu, l'Anglais à la Oscar Wilde fumant de fines cigarettes, tous faciles à décrire et dont on pouvait parler pour ne rien dire. Sur les Reinach, ce qu'on racontait en ville était toujours à côté. Personne n'avait eu l'idée de lire leurs livres. La seule clé qu'on trouvait, et qui revenait sans cesse, était une constatation, qui n'allait pas bien loin, portée plutôt à leur crédit : « Ce sont de grands amis de M. Eiffel, un homme de valeur celui-là, et pas fier ! Vous croyez vraiment qu'il avait touché dans l'affaire de Panama ? Moi je ne pense pas, cela dit, il n'y a pas de fumée... »

Il y avait une histoire qu'on ne me racontait pas, et dont la crémière elle-même ne savait que des bribes. Le notaire, essuyant ses loupes, disait : « Ils ont été un peu escrocs, je crois, ils ont fait acheter, pour une fortune, des œuvres pour le Louvre qui n'y avaient pas leur place. » C'était dit sur un ton pontifiant, mais ça s'arrêtait là. J'allais découvrir plus tard que l'affaire avait été dans tous les journaux et qu'elle avait même inspiré les caricaturistes. Mais il faut se représenter ce qu'étaient « les informations » à cette époque, dans une bourgade comme la nôtre : le notaire ne levait guère le nez de ses actes et par économie n'était pas abonné au *Figaro*, la crémière montait en neige tout ce qu'elle entendait mais comprenait de travers le peu qui passait à sa portée. Et puis, moi, très vite, je me suis trouvé enfermé au cœur de la citadelle des Reinach, où j'avais un travail fou, tous les jours, et où on ne parlait de rien qui puisse fâcher le maître de maison – du moins en ma présence. J'allais passer plusieurs années à démêler un écheveau, au lieu de me rendre à la Bibliothèque pour tous de Nice – ça ne s'appelait pas encore comme ça, avant le Front populaire – et de me faire apporter les volumes reliés du *Figaro*, ou du *Temps*, qui avaient raconté au jour le jour les diverses affaires où le nom des Reinach avait été prononcé. J'étais tellement occupé, dans ce chantier, avec tous ces nouveaux livres qu'on me donnait. À quinze ou seize ans, on peut vivre une vraie passion pour de très vieux auteurs, des amours tourmentées et parfois malheureuses, quand je lisais trois fois la même page, pour bien comprendre, ou que j'en passais dix, pour savoir plus vite la suite des amours de Daphnis et Chloé. Ma mère n'avait pas prévu que cela m'arriverait, mais au fil du temps elle s'adoucissait – elle avait commencé par me dire : « Vois-tu, si tout le monde faisait comme eux, rien ne se ferait. »

Le grand sujet, c'était encore et toujours « l'Affaire », et à Kérylos on avait le droit d'en discuter jusque tard dans la nuit. J'étais mordu. Je connaissais jusqu'aux moindres rebondissements. J'aurais été capable de me battre. Dreyfus était innocent, Adolphe savait tout de son histoire et son père, le frère aîné et respecté de Théodore, le chef de la famille, avait écrit des centaines de pages à ce sujet. Ils appréciaient beaucoup la famille du malheureux prisonnier de l'île du Diable. Joseph Reinach était l'historien officiel de l'Affaire, je ne le connaissais pas encore, je n'avais fait que le voir de loin, je trouvais ses livres un peu longs, mais je les lisais tout de même, c'était moins éprouvant que la grammaire grecque. Je préférais entendre Adolphe me raconter le commandant Esterhazy et la femme de ménage française de l'ambassade d'Allemagne épluchant les corbeilles à papier.

Ces énigmes, dont je n'avais pas une claire conscience, en dissimulaient une autre, que je n'avais pas perçue tout de suite. Une question que je ne me posais pas : que voulait-on de moi au juste ? J'étais là, heureux de jouir d'un statut à part, j'étais le seul qui pouvait à sa convenance dîner dans la grande cuisine avec le personnel, où tout le monde connaissait ma mère, et qui avait aussi le droit de prendre ses repas avec les enfants Reinach et leurs cousins quand ils venaient pour les vacances. Cela ne choquait pas. Je savais que j'étais dans une maison libérale, aux idées avancées, chez des philanthropes. En Angleterre, en Allemagne, dans les grandes familles italiennes, cela ne se serait pas passé comme ça.

Quelques années après, en passant devant la pièce qui se trouve entre les appartements de Monsieur et ceux de Madame, où ils avaient l'habitude de se retrouver pour lire ensemble et bavarder, j'entendis Mme Reinach demander : « Et le petit Achille, mon ami, il est fin, il est malin, il se faufile partout. Quand lui faites-vous enfin jouer le grand rôle pour lequel vous le préparez en secret depuis si longtemps ? Il a envie de partir, il ne peut pas rester enfermé dans Kérylos, à son âge. Vous le tenez captif, quand Adolphe n'est pas là, il s'ennuie, il va finir par s'échapper de votre geôle, c'est le moment, croyez-moi. » Je gardai ces phrases pour moi. Je n'avais jamais pensé que, peut-être, je n'étais pas dans cette maison par hasard – ou par simple gentillesse. Il allait se jouer une pièce dont je devais être l'acteur, que je n'imaginais pas et dont on ne me disait rien.

Personne hélas ne pouvait deviner ce qui survint. La tragédie qui se joua n'eut pas d'auteur. Adolphe, mon seul véritable ami, est tombé en 14, dans les Ardennes, sous mes yeux. Il n'a pas vu naître son petit Jean-Pierre, que j'ai découvert en revenant du front, qui lui aussi devait mourir au combat, engagé dans la France libre, en 1942. Résistant, Jean-Pierre Reinach avait été capturé. Il s'était évadé et avait réussi à gagner l'Angleterre. Il avait épousé Naomi de Rothschild, à la grande synagogue de Londres. Il a été parachuté avec Jean Moulin. Leur fille Jocelyne est née cette année-là. Elle non plus n'a pas connu son père, parce que, comme le père de son père, il était mort pour la France. La même histoire s'était répétée. Je les ai si bien connus, tous, je les ai si bien aimés que cette histoire est devenue, un peu, celle de ma vie. Kérylos vide, avec ses murs écaillés, me dit aussi, maintenant, que leurs rêves étaient chimériques, qu'ils auraient peut-être mieux fait de dépenser leur argent de manière plus utile, qu'ils étaient inconscients et aveugles, ne voyaient rien de leur époque. Ils ont joué avec moi, je les amusais, j'étais trop sous leur emprise pour me révolter, Joseph était trop égoïste pour m'aider à entrer en politique, faire de moi un attaché de cabinet ministériel, Salomon aurait pu me donner un travail au musée de Saint-Germain-en-Laye quand il en était le directeur, Théodore aurait pu me dire de me présenter au concours d'entrée des Beaux-Arts – à eux, je leur en veux, mais Adolphe et sa famille seront toujours sacrés pour moi.

Je n'allais pas devenir, comme ma mère l'avait cru dans les premiers jours, le secrétaire de M. Reinach. Il dictait, au dire de M. Eiffel, des textes remplis de citations en grec, en latin, en hébreu, en copte, dans des langues qu'il fallait connaître pour pouvoir le suivre… Ma mère avait dit « non », quand quelques mois auparavant un cinéaste avait voulu me faire tourner dans un film sur les rois d'Espagne. Il m'avait vu sur la plage. Il m'avait promis un pourpoint noir avec des manches à crevés et trouvait que j'avais l'air d'un infant. Ma mère n'avait eu qu'une phrase : « Chez nous, on ne gagne pas sa vie avec sa frimousse. » Moi qui me voyais sur un grand écran, en uniforme, avec un collier d'or, et mon nom sur les affiches… Chez les Reinach, en une semaine, sans avoir rien fait que bafouiller, j'avais une place, un salaire, une seconde famille – avec ma mère et mon père à deux pas, c'était idéal. Quand mon petit frère est né, Cyrille – nous avons une grande différence d'âge –, Théodore a dit : « Cyrille ? Espérons qu'il va travailler avec méthode. » Il est devenu un des plus brillants ingénieurs des chantiers Eiffel. Gustave Eiffel lui avait d'abord fait une recommandation pour le collège Sainte-Barbe, à l'ombre du Panthéon – dont il avait lui-même été l'élève –, et l'avait préparé pour le concours de l'École centrale des arts et manufactures, celle qu'il avait faite. La République fonctionnait en ce temps-là aussi bien que les ascenseurs de la fameuse tour, deux garçons intelligents avaient leur chance, et les grands hommes ne dédaignaient pas de les aider. Mon frère était mieux tombé. Son protecteur avait été plus efficace que le mien et moins rêveur. Entre les deux guerres, cela s'est dégradé ; aujourd'hui, avec le pays qui se reconstruit, ce genre d'aventures est redevenu possible pour les petits-fils de bergers des montagnes que nous sommes. Si cela dure.

Fanny Reinach m'a emmené dans un ballon dirigeable, un peu avant sa mort. Elle était faible mais elle n'avait pas pu se refuser ce plaisir. Les enfants lui servaient, je pense, d'alibi. Théodore n'était pas là. Elle avait tout organisé, c'était une surprise pour Adolphe et moi, et pour « les petits », Julien, Léon, Paul et Olivier. Nous étions surexcités. Le ballon s'est élevé dans les jardins de la propriété voisine. Du haut du ciel, nous avons découvert Kérylos. Je revois encore sa fine main gantée qui lançait dans l'air un signe d'adieu.

8

Devant la porte rouge

La maison n'était pas finie, mais on installa la porte, deux grands vantaux avec leurs gonds, qui me firent l'effet d'un monument. Il faut, tout à l'heure, avant de partir à tout jamais, que je la filme, cette entrée principale. Elle n'a rien de grec. Cette laque pourrait être celle d'une boîte du Japon. C'est à la maison Bricard, les meilleurs serruriers de Paris, qu'on avait commandé les lourds fermoirs dessinés dans un style qui rappelle un peu l'Égypte. Les grosses ferrures cloutées ressemblent aux portes des cathédrales, j'en ai vu comme cela à Chartres ou à Amiens, ou dans *Notre-Dame de Paris* de Victor Hugo, qui dit que c'était « à désespérer Biscornette », du nom d'un architecte du Moyen Âge, je pense, qui d'ailleurs a sa rue près de la Bastille. La grille qui permet de voir les visiteurs est comme celle des couvents que j'ai découverts plus tard, sur le mont Athos. Les grosses poignées me semblaient dignes d'un coffre d'empereur romain. Ces portes m'impressionnent encore. Kérylos est une forteresse. À peine les vantaux installés, il y eut un rayon de soleil. Tout le monde regardait, en demi-cercle, dans un si grand silence. Le chien passait de profil avec une lenteur de chat.

La couleur rouge, sur le blanc des murs, devant le gravier de la petite esplanade, c'est celle de nos blessures. Je revois ce jour de l'été 1914 où nous arborions nos uniformes neufs, en demi-cercle aussi, dans le salon Reinach, à Paris. J'étais chez eux, avec eux, depuis douze ans. Je regardais ma vareuse bleue et mon pantalon rouge, les meubles dans ce lourd style Louis XV rocaille qui voulait dire qu'on avait réussi, le grand tableau de Gustave Moreau encadré de rideaux violets, les femmes en robes de chez Worth, les coupes de champagne. J'ai vu que c'était terminé. Alors que pour cette famille, c'était le début. Ils allaient entrer bientôt au nombre des grandes légendes françaises, comme les Carnot ou les Casimir-Perier. Les fils désiraient la gloire. Les trois frères formaient la deuxième génération d'une famille qui avait fait fortune et accédait enfin à l'Olympe, ils avaient envie de se prolonger, peut-être qu'un de leurs petits-enfants serait chef de l'État – Joseph en avait rêvé, il avait eu l'intelligence de comprendre que c'était trop tôt dans leur histoire –, leur nom attendrait encore une génération ou deux pour faire le tour du monde, pour devenir universel, comme ceux de Pasteur ou de Poincaré. Mais moi, qui ne savais rien, en une seconde, devant nos pantalons garance j'ai vu que tout était fini, déjà, plus vite que prévu. Le temps des Reinach débutait, et il s'achevait. L'époque où les gens très riches pouvaient aussi être très savants. Aujourd'hui, les gens riches ne sont plus jamais des savants, et les savants ne sont plus jamais riches. La fin allait durer des années encore, jusqu'à la guerre suivante. J'allais assister à tout. J'allais les voir mourir, souffrir, disparaître. J'allais éviter de peu la balle qui aurait pu me tuer aussi. Je leur devais tout, mais je leur dois aussi cet instant où, à vingt-sept ans, j'ai senti ce qui s'appelle le temps. Je réécoutais les voix que j'entendais une dizaine d'années auparavant. Dans la maison vide aujourd'hui, je revois les années du chantier et cette image.

Théodore, à la pointe des Fourmis, m'énumérait tout ce que je devais apprendre, il se moquait de moi, quand j'avais quinze ou seize ans, en me poussant à l'eau. Je n'allais tout de même pas passer ma vie à chasser les vipères dans la caillasse, ce n'était pas à cinquante ans que j'allais apprendre à bien nager, me mettre à la musique, à l'histoire et à la géographie, ou à déchiffrer Homère, c'était maintenant. J'avais les genoux écorchés par les rochers, il me repoussait dans l'eau en mimant les mouvements de la brasse depuis le rivage, avec son journal à la main. Au grand soleil de décembre, la maison s'élevait derrière lui et elle grandissait avec moi.

9

La mosaïque de l'entrée ne disait rien de l'avenir

J'ai entendu Théodore raconter que la mosaïque du vestibule était antique. Il baratinait. Fanny écoutait en baissant les yeux. Quand il parlait, il était impossible de ne pas le croire. Il l'avait achetée à Rome mais elle avait la finesse des décors d'Alexandrie. Il était capable de décrire la boutique de l'antiquaire, de dire d'où provenait ce fragment, de rappeler comment il avait un peu hésité, pour le plaisir de marchander, devant le prix évidemment trop élevé qu'on lui avait annoncé. Il avait l'air riche, cela se trahissait à ses manières, même quand il s'habillait comme un petit rentier. Le sujet lui plaisait, idéal pour l'entrée de sa maison : un coq, une poule, des poussins. Une image simplette de la famille. Il enjolivait, certain que nul ne le contredirait parmi ses invités. Il avait bien trouvé ce morceau en Italie, mais il provenait d'un mosaïste travaillant pour les musées du Vatican : c'est un faux. Il n'aurait jamais laissé un chef-d'œuvre antique sous les pieds de visiteurs en bottes ou de dames en talons, à côté de la gamelle de Cerbère. Elle semble si vraie cette mosaïque ; ce beau coq à plumes rouges, bleues et blanches, c'est lui-même, c'est son portrait, c'est le coq gaulois, celui qui chante, cambré, dans *Chantecler* d'Edmond Rostand, c'est la France.

« Thyrôreion » est le nom du vestibule, ou de la loge du portier, dans les maisons grecques. Je l'ai toujours appelé comme cela. Pour moi, à dix-sept ans, c'était normal. Je n'avais pas conscience de l'anomalie monstrueuse qu'était ma vie de tous les jours avec les Reinach. Je disais sans rire : « J'ai oublié mon parapluie dans le Thyrôreion. » J'avais adopté leurs usages, j'avais gardé mon accent, c'était ainsi. J'ai tellement aimé leur maison, d'un amour lent, qui s'était construit pierre à pierre, pièce par pièce, qui s'était embelli d'un étage puis de deux. Je suis capable de me mettre à la place du jeune homme que j'étais. Mais en entrant ce matin, je n'en revenais pas d'avoir pu être fou de cette architecture. Comme artiste, j'ai fait tout le contraire. Dès mon premier tableau, j'ai tenté de tuer tout ce qu'il y avait de grec en moi.

À quinze ans, j'avais envie de ressembler à un athlète antique. La seule œuvre d'art qui m'intéressait, c'était moi-même. J'avais grandi vite et pendant toute la période du chantier je ne cessais de m'exercer, j'avais appris le crawl « australien », comme on disait alors, et le papillon, avec le sous-officier en retraite qui donnait des « cours de nage » à l'hôtel Bristol – un des derniers hommes à cultiver sa ressemblance avec Napoléon III. Tous les soirs j'étais dans la mer, je voulais des muscles comme ceux de l'*Héraklès* des grands livres d'images de la bibliothèque – rien à voir avec les sportifs de 1910, ces hybridations de cavaliers et de lutteurs de foire. Cela prend du temps, je n'avais pas tellement d'autres loisirs, à part manger comme un loup. J'étais grec, je devais le prouver. L'âme grecque, c'était d'abord le corps. Les gros popes étaient l'horrible décadence de la Grèce. Je l'avais compris d'instinct avant de déchiffrer en ânonnant les morceaux de dialogues de Platon que me donnait Théodore, qui me poussait vers le baccalauréat et l'amour de la Vérité.

J'étais un gentil petit sauvage qu'il s'appliquait à policer. Un bon garçon. Je dessinais, je chantais – peu à peu les hymnes corses de mon enfance furent remplacés par les airs d'opéra dont Mme Reinach me prêtait les partitions. Elle avait remarqué que j'étais plutôt bon, je tenais les notes longtemps sans vibrer. J'avais commencé par lui servir de tourneur de pages. Deux ans plus tard, elle m'accompagnait au piano, nous répétions l'air de Nadir dans *Les Pêcheurs de perles* : « Oui, c'est elle, c'est la déesse », que je chantais en duo avec Adolphe dont la voix avait mué un peu après la mienne. Nous marchions en chantant vers la statue d'Athéna Lemnia, un moulage qui avait trouvé place dans la pièce où prenait l'escalier qui permet d'aller vers les chambres. Et nous éclations de rire tous les deux. À l'époque, il n'y avait pas tellement de distractions. Je chantais *La Belle Hélène*, mon triomphe : « Je suis le bouillant Achille, le bouillant Achille, et je serais bien tranquille, n'était mon talon… » Je faisais l'avantageux. Je crois que j'avais conscience d'être beau et bien fait, grands yeux noirs et sourire de camelot, mèche plaquée sur le front, je comptais tirer de tout cela le meilleur parti possible pour réussir dans la vie. Je me suis acheté des lunettes. Car j'avais conscience également de mon intelligence. J'étais un sale gosse. Je volais les cravates d'Adolphe, qui n'en avait cure. Qu'y a-t-il de pire qu'un jeune homme qui lit dans les yeux de sa mère qu'il est beau et qu'il est exceptionnel et qui a une claire conscience du fait que sa mère a raison – et que c'est pour cela qu'elle ne lui fait pas souvent de compliments ? Ma belle Ariane aux grands yeux bleus, à qui je disais cela, me répondit sans rire : « Sans doute un enfant à qui sa mère dit qu'il est laid… »

À seize ans, j'étais infréquentable, ce qui n'avait pas d'importance puisque je ne fréquentais personne – ma chance était d'avoir devant moi ces Reinach qui me rendaient modeste, et que j'admirais. Le sport était le seul domaine où je pouvais sans peine les surpasser. Je redoublais d'efforts pour les faire enrager, parce qu'ils n'osaient pas me dire que ce n'était pas bien. Je nageais bientôt en récitant par cœur mes déclinaisons, les conjugaisons des verbes difficiles, les fameux « verbes en *mi* », un des écueils de la grammaire grecque, je remontais à la cuisine où la petite Justine qui m'aimait bien me faisait griller une entrecôte, et je passais au jardin, récitant toujours, pour soulever des sacs de sable et faire des pompes.

Je rêvais d'Athéna et d'Aphrodite. J'exultais à l'idée de Poséidon barbotant avec les sirènes, j'échafaudais de nouvelles ruses d'Ulysse, je me racontais à moi-même les lois de Solon, et j'en inventais d'autres, encore plus justes, pour le peuple, pour l'armée, pour les esclaves, pour les crémières et les pâtissières, je dessinais des maquettes en papier découpé des monuments de l'Acropole, je lisais à haute voix les récits de la jeunesse d'Alexandre, je domptais Bucéphale en l'orientant face au soleil, je massacrais avec mon arc les prétendants de la reine Pénélope, je faisais poser les plus jolies filles de Sicyone pour avoir sous les yeux un tableau de la plus belle femme du monde, je traversais le Bosphore sur un pont de bateaux, je criais « Evohé, Evohé ! » dans les vagues et je me promenais nu sur la plage pendant la nuit, j'apprenais par cœur des prières à Perséphone et à Hadès, dieu des Enfers, je faisais fumer une cassolette de feuilles de laurier dans ma chambre, je combattais l'hydre de Lerne et massacrais les oiseaux du lac Stymphale, j'étais heureux.

Je n'étais pas encore amoureux. C'est venu un peu plus tard, et je ne pus en parler à personne. J'ai eu le temps d'y penser : l'amour est né, aussi, de cette maison. Je ne pouvais rencontrer Ariane, l'Ariane « aux belles boucles » d'Homère, qu'à Kérylos. Elle ressemblait aux jeunes femmes grecques de mon imagination. Elle aimait porter des sandales, des robes du grand couturier Fortuny qui s'inspirait de l'Aurige de Delphes, avec des châles de soie qui tombaient de son épaule jusqu'à ses chevilles, comme Artémis chasseresse. Elle dessinait elle aussi. Mon amour pour elle a été comme mon amour pour Kérylos : il s'est édifié lentement. La différence c'est qu'aujourd'hui mon amour pour Ariane est intact. 

C'est devant Ariane que j'ai esquissé pour la première fois un beau récit de l'histoire de ma famille, pour lui cacher que ma mère était cuisinière et mon père jardinier, je n'ai pas menti, mais j'ai insisté sur ce qui lui plairait le plus. Mes parents s'étaient installés à Beaulieu quand j'avais huit ans. Il n'était pas facile de trouver à s'employer dans notre bourgade corse. Cargèse est sans doute le seul village grec de France. Ma mère me racontait notre odyssée à nous, pendant des heures, comme les autres mères de Cargèse qui devaient chacune embellir le récit à leur manière, mais le fond était vrai, notre aventure était historique, autant que la guerre de Troie. C'est terrible, pour séduire une femme, de devoir reprendre les récits qu'on n'aimait pas entendre dans la bouche de sa mère. Je savais que tout cela n'était sans doute qu'à moitié vrai. Ariane s'émerveillait quand je lui racontais « notre histoire ». Un bateau chassé par les Turcs au XVIe siècle était arrivé sur une côte inconnue, un peu sèche mais belle, entre les rives du Liamone et les montagnes. Je ne sais pas trop combien de pèlerins il y avait sur ce *Mayflower* plein de popes, mais au XIXe siècle cela avait fini par donner plusieurs centaines de braves gens, pas trop consanguins, car beaucoup avaient épousé des Corses, des paysans qui avaient encore des noms et des prénoms grecs qu'ils « corcisaient » ou francisaient – j'aurais voulu m'appeler Stéphane, comme mon cousin, ou Nicolas, ou Paul, Alexandre ou Alexis. Achille c'est un peu voyant. Dans la France de la Troisième République, c'était un prénom qui se donnait, il arrivait dans ma génération qu'on ait un oncle Hector ou Nestor – un jour chez les Reinach, j'ai même croisé un vieux duc qui s'appelait Sosthène et qui m'a dit qu'il faudrait fonder le club de ceux qui portent des prénoms plus ou moins cités par Homère. Il avait un cousin qui se nommait Antide, ça c'était rare… J'ai bien ri quand j'ai vu que Proust avait donné à je ne sais plus lequel de ses personnages le prénom de Palamède. À Cargèse, notre village, deux églises se font face : la catholique et la byzantine. Nous suivions la liturgie « grecque », c'était un peu compliqué, car à leur arrivée sur l'île les moines orthodoxes avaient dû faire allégeance au pape, et on les considérait comme des catholiques de rite oriental. L'archimandrite avait la sagesse de servir aussi de curé, il changeait juste de costume et d'église, selon les cérémonies. Il conservait des liens avec ses collègues popes à Athènes, à Thessalonique ou à Corfou, avec lesquels il correspondait beaucoup plus qu'avec l'évêque d'Ajaccio dont il était censé dépendre. Et dès que nous étions à Nice, ma mère filait brûler des cierges à la cathédrale russe.

Le « Thyrôreion » rougeoyait dans la lumière du

matin quand la grande porte était ouverte sur la mer et les rochers. Les deux murs sont peints de fresques dont les symboles ne sont pas difficiles à interpréter. Du Reinach pour débutants : d'un côté une vasque, avec des oiseaux, de l'autre un bouclier. Comme si Théodore avait voulu placer son œuvre entre la paix et la guerre. Le livre que je pourrais écrire, si je continue dans ce carnet, serait comme une transposition de *Guerre et Paix*, j'aurais autant de personnages, d'histoires, de combats et d'amours. J'ai le sentiment que cette aventure embrasse tout un monde. Nous avons connu plus de combats qu'aucune autre génération depuis Napoléon et le tsar. Théodore, avec ses rondeurs et ses bonnes manières, était un guerrier. Il avait affronté de vrais ennemis, avec ses frères, au moment de l'affaire Dreyfus, il avait connu la guerre de 1870, le siège de Paris, les combats d'une France vaincue, quand les brasiers de la Commune ajoutaient des lumières dramatiques à l'humiliation d'avoir été battu. Théodore me racontait comment on avait perdu, dans l'incendie des Tuileries qui avait failli gagner le Louvre, toute la bibliothèque de Napoléon III, des enluminures, des incunables, une partie de l'héritage des rois de France. On avait brûlé la maison de Prosper Mérimée, avec son immense bibliothèque et tous ses tableaux, il était venu mourir à Cannes, pour ne pas survivre à son temps. Selon Théodore, la guerre et la paix, c'était l'histoire des hommes. Il était capable de prendre fait et cause pour Gilles de Rais, de refaire son procès, de démontrer qu'il avait été accusé à tort et traîné dans la boue, dépeint comme un Barbe-Bleue sadique et sanguinaire, parce que ses richesses faisaient envie à tous. Il connaissait par cœur des pages entières de dialogue du procès de Jeanne d'Arc. Il savait qui avait fait quoi dans les batailles des Armagnacs et des Bourguignons. Il vivait dans l'histoire comme les religieux dans la prière – et il me parlait en plaisantant des monastères qui, méprisant le temps qui passe et n'ayant que l'éternité en permanence sous les yeux, continuent de prier pour la conversion de saint Paul ou pour que saint Augustin renonce à la luxure. Rien de tout cela ne nous préparait à gagner la guerre.

La guerre de 14 n'a pas surpris les Reinach, elle les a horrifiés. Finis les documents historiques, on apportait aux familles des avis avec les noms des disparus et des morts au combat. Un matin est venu le tour d'Adolphe Reinach : mon ami, mon camarade, n'a rien su de la vie d'après. J'aurais voulu qu'il me voie heureux, qu'il vienne à ma première exposition de tableaux, qu'il lise avec moi la première critique parue sur mes peintures. Théodore, mort en 1928, n'a pas vécu l'autre guerre. Il n'a pas eu à connaître l'étoile jaune. Il n'a pas vu mourir ses petits-enfants dans un camp de la mort.

Pendant l'été de 1945, de passage à Paris, j'ai vu un film consacré aux crimes des nazis. Tout était montré. Je suis resté jusqu'à la fin. Dans les journées de la Libération, je m'étais imaginé de simples camps de prisonniers, plus rigoureux que les autres. On allait fêter le retour de ceux qui avaient survécu. Ils ne parlaient pas, quand on les croisait, on n'avait pas envie de leur poser des questions. J'ai compris devant ce film, qui était long, où j'ai entendu pour la première fois les noms de ces lieux de mort, comment Léon, fils de Théodore, Béatrice, sa femme, leurs deux enfants, avaient fini. J'ai compris surtout qu'ils n'avaient pas été les seuls, qu'il y en avait eu des milliers.

Le commentaire disait à peine que la majorité de ceux dont les corps étaient empilés dans ces charniers étaient des juifs. J'ai du mal à avouer ce que j'ai pensé, je dois l'écrire, pour être exact avec moi-même : toute leur culture, toute leur science, tout ce qu'ils savaient et qu'ils m'avaient appris ne les avait pas protégés de l'enfer. Leur génie n'avait servi à rien. Ils avaient cru que la pensée, la beauté, l'enthousiasme, l'intelligence s'étaient transmis de génération en génération, depuis Athènes. Ils s'étaient battus pour retrouver les maillons de cette chaîne, pour la continuer. Tout cela pour finir dans ces charniers. Je me suis dit, en sortant de cette projection, qu'ils avaient eu tort. Que leurs vies n'avaient servi qu'à ranimer des choses mortes avant de mourir eux-mêmes, dans une horreur qu'on ne pouvait comparer à aucune autre. Tout ce à quoi j'avais cru, moi aussi, était mort, avec eux, à jamais. J'ai même pensé que j'avais eu raison de fuir Théodore, de rejeter Kérylos, de ne vivre que pour moi en peignant des tableaux qui ne représentent rien : la voie où ils m'avaient lancé était celle qui ne conduisait qu'à l'extermination.

Aujourd'hui, bien sûr, je ne veux plus penser comme cela. Je suis moins amer, mais c'est difficile.

Je m'en voulais d'être presque en colère contre des victimes, qui avaient souffert à ce point, comme personne avant eux. Je n'ai pas effacé ces images de mon esprit. Si je n'avais pas vu ce film, je n'y aurais pas cru.

Je continue à me dire que si mes enfants ne comprennent rien à Kérylos, rien à l'histoire ancienne, après tout… Je ne leur ai rien transmis, à eux, je n'ai pas voulu leur infliger toute une culture inutile, ils vendront mes livres au premier brocanteur venu, mais je leur ai parlé très tôt de ce qui s'était passé dans les camps, de l'extermination par les nazis. Les petits-enfants de Théodore et Fanny, je les avais bien connus. Il m'arrive encore de rêver d'eux. Pour moi, ce sont comme des neveux. Je les écoute dans mes songes me dire que je suis devenu trop vieux.

J'ai retrouvé, après le débarquement en Normandie, un essai que Salomon Reinach avait écrit et que m'avait donné son frère, qui passait son temps à me dire d'emporter chez moi des livres et des plaquettes, en pensant que je finirais bien par y comprendre quelque chose ou que cela m'amuserait peut-être un jour. À Nice, moi le va-nu-pieds des montagnes corses, j'ai une bibliothèque digne de celle de l'université – j'ai tout gardé. Dans ce livre de 1892, j'ai coché cette phrase, que d'autres avaient dû marquer eux aussi d'un trait rouge, et que plus de gens auraient dû lire : « Parler d'une race aryenne d'il y a trois mille ans, c'est émettre une hypothèse gratuite : en parler comme si elle existait encore aujourd'hui, c'est tout simplement une absurdité. »

10

«Réjouis-toi»

Dès l'âge de dix-sept ans, armé d'un peu de culture et frotté de belles-lettres, musclé comme les dieux sur les sarcophages, j'étais sûr d'une chose : je ne resterais pas à Kérylos. Je rêvais d'aventure et de voyages. Le chantier serait bientôt fini. J'avais appris beaucoup, je voulais voir le monde, prendre la mer. Je ne cessais de dire à ma mère que j'avais envie de partir. Elle s'inquiétait, mais savait qu'elle ne pourrait rien faire, j'étais devenu grand et fort, comme elle disait. Je voulais un bateau, un voyage, vivre comme dans *L'Île mystérieuse*, *Deux ans de vacances* et les aventures d'*Un capitaine de quinze ans* – on ne m'avait pas dit que pour écrire mes romans préférés, Jules Verne n'était guère sorti de chez lui. J'avais envie d'être marin. J'aurais aimé être architecte, mais je ne crois pas que j'aurais eu la rigueur nécessaire. Je n'ai pas hérité de l'esprit organisé de ma cuisinière de mère ; si elle avait fait des études, elle aurait été chimiste. Elle était devenue la Marie Curie de la ratatouille, recette moins dangereuse que celle du radium – les Reinach croyaient que le radium guérirait l'humanité de tous ses maux, à l'époque on ne devinait pas la suite. Elle était la seule à savoir comment faire cuire séparément chacun des légumes et combien de temps, dans quels types de casseroles de cuivre. Mon père, jardinier, était mort peu après la naissance de mon frère Cyrille, sans nous laisser d'argent. Je lui dois mon endurance et mes muscles. Je pense souvent à lui, qui n'a rien connu de ma vraie vie. Je me demande s'il m'a protégé, de là-haut, ce qu'il penserait de moi, de mes tableaux, de mes expositions, s'il m'aurait ressemblé s'il avait eu le temps de se transformer en vieillard.

XAIPE. *Chairé*, en grec : c'est le mot qui figure sur le seuil. Cela veut dire « réjouis-toi », on peut aussi bien le lire en entrant qu'en sortant. On peut y croire ou ne plus y croire. Quand les Reinach n'étaient pas là, il m'arrivait d'être seul pendant quelques semaines, je me réjouissais, les domestiques en profitaient pour prendre leurs congés, je veillais à tout. Parfois, Théodore me faisait venir à Paris, pendant les vacances, et je retrouvais toute la famille – avant de repartir heureux avec une malle de livres.

J'ai été pour Théodore Reinach et ses enfants, surtout à partir de notre première croisière en Grèce, comme le Passepartout du *Tour du monde en quatre-vingts jours*, leur homme à tout faire – et de temps en temps un ami. Quand j'aurai trouvé ce que je suis venu chercher ce matin, je reprendrai l'escalier en vis qui me ramènera directement dans la cour arrière – et je continuerai à écrire mes chapitres, pièce par pièce, comme un puzzle, de mémoire, à la terrasse du café de Beaulieu, sur les bancs verts, sur le sable, en regardant au loin ce palais d'or au bout du cap.

Ensuite l'horrible personnage que je suis portera ces pages chez le notaire. Je ferai en sorte qu'un de mes descendants puisse les publier, quand tout le monde aura disparu. Car ce que je veux raconter sera aussi, j'espère, la révélation d'un secret qui touche la Grèce, les historiens, les archéologues, et qu'on pourra monnayer… Un secret plus étonnant encore que celui du site de Glozel et de ces tablettes alphabétiques, que le monde savant continue de réfuter, et qui devraient selon moi être au Louvre ou au musée des Antiquités nationales – alors qu'on les voit dans ce petit « musée » privé que le propriétaire du champ où on les a déterrées au milieu des crânes, le champ des morts, a ouvert au bord de la route – à quatre francs l'entrée. De cela aussi, il faudra bien que j'arrive à parler, même si cette histoire me navre et me fait mal. J'ai rêvé d'être le déchiffreur des tablettes de Glozel…

Si mon arrière-petit-fils, qui n'est pas bien futé, pouvait faire fortune grâce à ce carnet dans lequel je vais tout dire, ce serait drôle, une fois qu'il aura mangé mon héritage. Les Reinach au bout du compte auront servi à quelque chose : à enrichir les descendants de la cuisinière.

À mon âge, il ne faut pas mourir comme ça, en

avalant sa clé, ce serait sot, et cela n'aurait pas d'allure, de panache comme disait M. Rostand – lui, je l'aimais bien, c'était mon écrivain favori, il l'est toujours, on ne le lit plus. Il était comme moi du 1er avril, et il avait même fondé le club de ceux qui étaient nés ce jour-là. Je m'étais senti comme une fraternité avec ce grand maître qui semblait avoir pris la place de Victor Hugo.

dramatist – Romantic
auteur de Cyrano de
Bergerac

11

Philémon et Baucis rajeunissent

C'est dans une des deux chambres appelées « Philémon » et « Baucis » – elles portent toutes des noms – ouvertes sur un corridor donnant dans le péristyle que j'ai vécu ma première nuit d'amour. Pas ma première nuit avec une femme, j'en avais connu déjà plusieurs dizaines, rarement suivies de secondes nuits – c'était la difficulté. J'avais visité à peu près tous les grands hôtels de Beaulieu et des environs, je pouvais donner des notes à la qualité du service, à la bonne tenue des petits déjeuners, au moelleux des tapis, j'étais capable de comparer les Anglaises, les Écossaises, les Espagnoles et même les Allemandes. Aucune n'avait misé sur moi, j'étais pauvre, j'étais fat, je croyais que la grammaire grecque et la gymnastique étaient des sujets de conversation.

J'avais beaucoup bricolé, comme disaient les garçons de cette époque. Je séduisais tout de suite, puis on n'en parlait plus. Je faisais plaisir à celles qui voulaient tâter de la statuaire, ensuite elles me versaient dans les réserves de leur musée. Je me confiais à Adolphe, qui enviait mes succès faciles. C'était en ces temps heureux où, la maison finie, et la mort n'y étant pas encore entrée, nous avions l'illusion que l'univers allait nous appartenir. L'amour ne m'intéressait pas plus que ça. J'allais sans doute me marier un jour, cela ferait un peu de peine à ma mère, mais elle s'habituerait, je ne me disais pas que je pouvais tomber amoureux ni même que j'en avais envie.

J'avais connu ces deux chambres du rez-de-chaussée quand elles venaient d'être finies et qu'elles sentaient encore le plâtre. Comme elles étaient destinées à des invités convenables elles portaient les noms de deux personnages légendaires plutôt âgés. Philémon et Baucis, le couple de retraités de la mythologie, des paysans qui étaient devenus de proches amis de Zeus : il fallait rajeunir tout cela. J'y pensais à chaque fois que Fanny Reinach, pleine d'humour, s'en servait pour accueillir des parentes éloignées. À Kérylos, les chambres n'étaient jamais attribuées de manière définitive. Celles des invités, « Philémon », « Baucis », « Dédale », « Icare » allaient, selon la période de l'année, selon que la maison était plus ou moins pleine, à des amis, des cousins en visite, selon les règles de l'hospitalité grecque. Il m'est arrivé d'en occuper une de temps en temps, en particulier pendant l'hiver, parce que Théodore trouvait pratique de m'avoir près de lui pour me dicter des textes, ce qu'il fit souvent après quelques années – mon grec ancien était devenu correct –, me parler de ses hypothèses, et aussi, je veux le croire, pour me faire honneur. J'aimais tant avoir une des « belles chambres », et pas une des cellules de l'office. M'endormir avec les rideaux brodés entrouverts, fermer les yeux en suivant les guirlandes peintes et les étoiles stylisées, pour que le soleil du matin traverse la soie grège ou rose. J'aimais les couleurs des murs le soir : les tons gris devenaient chauds et profonds, avec des reflets orangés sur lesquels rosaces et palmettes se détachaient en rouge. À chaque fois que j'ouvrais un tiroir, je me sentais réconforté – et par la fenêtre j'entendais la mer et le vent. Je n'avais plus mes angoisses nocturnes des premières années. Je ne filais plus à Nice à deux heures du matin. Je me croyais sur un bateau, mais à l'abri des tempêtes, au calme dans ce phare qui était à la fois une bibliothèque, un jardin et un plongeoir. Je crois que je n'ai jamais été plus heureux que dans « Philémon », la chambre du rez-de-chaussée qu'on me donnait souvent et où je passais des heures à regarder les bateaux dans la baie. Je viens de pousser la porte en tremblant.

Ariane avait épousé très jeune un des adjoints de Pontremoli, celui qui l'aidait pour les plans. Elle avait aimé ce Grégoire, architecte-dessinateur, elle avait du talent elle aussi. Elle emportait toujours avec elle un bloc, sa boîte d'aquarelles. Elle mettait en couleurs. Pontremoli avait plusieurs adjoints : Mazet était celui qui avait le trait le plus sûr, il jonglait avec les coupes axonométriques et les élévations, c'était le maître de l'encre de Chine, mais pour la couleur il ne jurait que par Grégoire Verdeuil – sans savoir que tout dans sa palette était dû à sa femme…

Il en avait fallu des coïncidences pour que nous nous rencontrions, Ariane et moi ! Si je suis la chaîne des causes et des conséquences, il faut remonter à l'Exposition de 1900, quand Eiffel se désespérait parce que sa tour semblait une antiquité, alors que Théodore Reinach se sentit moderne en faisant la connaissance de ce brillant architecte nommé Pontremoli. Ils s'étaient croisés par hasard. Théodore trouva en lui un interlocuteur qui connaissait la Grèce d'une manière différente de la sienne. Il était moins spécialiste des textes, mais il avait fouillé, il avait élaboré des visions imaginaires pour la reconstruction des monuments de Pergame, cette cité qui avait connu la gloire avec les successeurs d'Alexandre et où s'était développé un art exubérant, excessif, avec des monuments chargés de draperies, de guirlandes, des statues agitées et tourmentées. Pontremoli exposait dans une petite salle ses dessins montrant la citadelle de cette ville telle qu'elle pourrait être si elle était restaurée. Ils avaient parlé du sanctuaire d'Apollon à Didymes, tout en rigueur et plus austère, le prochain chantier de l'architecte-archéologue. Le sujet passionna l'archéologue rêvant de se faire architecte. Ils s'étaient trouvés.

Pontremoli était malade, il avait attrapé le paludisme, et comme il était de Nice et connaissait bien le climat tonique de la région, il avait passé des journées à se soigner au grand air et au soleil du cap Ferrat, au milieu des pêcheurs. Juste à côté, à Beaulieu, Reinach venait d'acheter le terrain de la pointe des Fourmis. Pontremoli connaissait la famille Eiffel. Tout se tricotait. L'architecte fut ébloui par l'aura des Reinach. Grégoire, mari d'Ariane, entré depuis peu dans l'agence, fut envoyé pour faire les premiers relevés du site à conquérir : les rochers, les creux à combler, les arbres déjà vieux que Théodore avait exigé de garder. Je l'avais vu, à ce moment-là, au village, sans savoir que c'était lui : grand brun avec une fine moustache, visage souriant, bel homme avec un petit ventre, toujours en costume clair, je ne me doutais pas du tout que j'allais devoir un jour le détester.

C'est ce Grégoire Verdeuil, mari d'Ariane, qui suggéra à Pontremoli de bâtir autour du promontoire des terrasses sur la mer, pour étendre un peu l'emprise et permettre des agrandissements. La physionomie de la pointe serait modifiée, mais dans l'esprit des rochers grecs, selon des plans que Reinach et Pontremoli comparaient – à l'aide de calques – aux péninsules de la Chalcidique ou du Péloponnèse. Viollet-le-Duc avait rêvé de redessiner le massif du Mont-Blanc pour l'améliorer, aucune raison de ne pas retoucher les cailloux de Beaulieu.

Ariane et Grégoire furent bientôt installés à demeure. Pontremoli passait souvent, le chantier du gros œuvre avançait vite. Quand je remontais d'une matinée de nage, souvent, en haut des rochers, sur une chaise longue, elle lisait sans avoir l'air de m'attendre, et nous déjeunions tous les trois. Je la voyais comme une femme aimable et belle, l'idée d'en être amoureux ne me venait pas. Elle levait la tête de son livre et me souriait. Elle lisait des romans de Zola, qu'elle me prêtait ; nous nous moquions des malheurs de Gervaise, de l'innocence de Nana et du pauvre Claude Lantier, le peintre maudit, notre personnage préféré. Elle appartenait à un monde surprenant pour moi, celui des grands architectes parisiens, et je ne me sentais pas totalement à l'aise quand je parlais avec eux deux. Le plus souvent c'était pour demander à Grégoire de m'expliquer des choses, ou pour lui soumettre un des croquis que M. Reinach m'avait demandé de lui envoyer. Grégoire m'impressionnait, il voyait les faiblesses de mes dessins, il était brillant, aimable, son travail le comblait, cela se voyait. Il m'encourageait beaucoup, retouchait mes feuilles, il lui arrivait même de demander à Ariane si elle ne voulait pas y ajouter des couleurs.

Quand le chantier fut terminé, je ne les revis que de loin en loin. Grégoire s'occupait des travaux que nécessite toujours une maison. Il ne revenait pas à chaque fois avec sa femme. Je me rendis compte que j'étais déçu lorsque je ne la voyais pas. Ce n'était pas de l'amour, je m'éprenais de mes touristes russes et anglaises, j'avais une aventure à épisodes avec une des cousines de la crémière – qui ignorait tout – et les années passaient sans que la belle dame à la boîte d'aquarelles soit autre chose pour moi qu'une inaccessible rêverie, une femme à l'ombrelle, celle que j'aurais aimé avoir pour moi seul dans une autre vie, si j'étais né dans un beau quartier de Paris et si on m'avait donné un peu d'argent.

Des années plus tard, je revins du front, blessé, triste, battu. Elle avait été ma marraine de guerre. C'est elle qui me l'avait proposé, à cette soirée chez les Reinach où Adolphe et moi étions venus avec nos pantalons garance. Elle m'avait promis des mots et des colis. J'avais accepté sans réfléchir, Grégoire avait même ajouté: «Je vous donne ma bénédiction. Moi je suis trop vieux pour prendre mon fusil, sauf si la guerre dure, et que ma classe est appelée. Mais la guerre sera brève, Achille... » Il aurait pu s'engager malgré tout, se porter volontaire, beaucoup le faisaient... Mes petits-enfants vont se moquer de moi en lisant cela: l'histoire de la marraine de guerre sur fond de colonnes antiques. C'est pourtant ce qui m'est arrivé.

Nous échangions de courtes lettres. Je n'osais pas trop lui écrire. Je me bornais à raconter la vie du camp, à donner des nouvelles d'Adolphe, qu'elle appréciait. Il était officier, moi pas. Elle me demandait si le centaure qu'il était continuait, dans le camp, l'éducation d'Achille: comme j'étais très mythologique alors, j'étais flatté. Elle m'écrivait en vers, je répondais en prose. Par jeu, je lui disais que ses yeux me manquaient, je lui faisais la cour sur le ton de la plaisanterie. Pendant les premiers mois de la guerre, je me suis rendu compte que, semaine après semaine, je ne pensais plus qu'à elle. L'éloignement me l'avait rendue proche. Elle existait dans ma vie comme jamais auparavant, mieux qu'aucune autre des femmes qui, jusqu'alors, ne m'avaient pas laissé le temps de les aimer. Mon amour s'était construit pièce par pièce, étage par étage, sans que j'y réfléchisse.

Elle m'envoyait, au lieu des cartes postales toutes faites qui facilitaient la censure militaire, des dessins sur lesquels elle collait un timbre, elle écrivait qu'elle s'était ajoutée dans le décor pour me faire un petit signe de la main. On la reconnaissait, discrète silhouette dans une salle du Louvre ou dans les jardins de Versailles. Elle avait dessiné pour moi la *Victoire de Samothrace*, en haut de son grand escalier. Elle disait qu'elle lui avait arraché une plume pour m'écrire. Dès que je regardais ces ailes ouvertes, ce tissu mouillé sur le corps, en train de glisser, je cessais de penser aux horreurs et j'allais mieux, je reprenais espoir.

La Victoire s'élance, le vent qui plaque sa tunique sur son corps est moins fort que son élan : une seconde après l'instant fixé par le sculpteur, elle s'envole, elle est nue.

J'avais collé cette aquarelle à l'intérieur de ma cantine de soldat. Elle m'en envoya une autre : la statue était protégée par un coffre de bois, installé par les conservateurs du Louvre en prévision des bombardements. On ne la voyait plus, elle était enfermée en attendant que nous ayons triomphé.

Je lisais ses lettres dans mon camp, sans les montrer, elle me parlait de son mari, qui avait été requis pour peindre des camouflages sur la pelouse d'une vieille maison de Fontainebleau. Les cubistes fabriquaient des bâches pour les chars, au moins cette nouvelle forme d'art servait à quelque chose, disait Ariane – et c'est par elle que j'ai entendu parler pour la première fois de Georges Braque, sans imaginer qu'il deviendrait un jour un de mes amis.

Après mes deux blessures, reçues le lendemain du combat de la ferme des Tyranes, j'avais eu le droit, pour le temps de ma convalescence, avant de repartir pour le front, de m'installer dans « Philémon ». Le contraste entre la paillasse de la tranchée et le lit préparé par les Reinach m'avait fait pleurer. Je m'étais repris. Je m'étais débarrassé de ma mère qui voulait passer toutes ses journées auprès de moi. Je lui disais que le médecin m'avait recommandé la solitude et le silence complet. J'avais commencé un des livres les plus célèbres du XIXe siècle, *Les Derniers Jours de Pompéi* de sir Edward Bulwer-Lytton, dans une édition truffée d'illustrations avec des scènes antiques qui se déroulaient dans des maisons à portique, sous des balcons à croisillons de pierre et devant des jets d'eau qui ne me dépaysaient pas. Je n'étais plus le fils de la cuisinière des Eiffel, ce temps était loin. J'étais le compagnon d'armes d'Adolphe, tout le monde avait pour mission de me soigner, de me nourrir à la perfection, de me laisser lire et me reposer. M. Pontremoli continuait à venir travailler dans la bibliothèque. Son adjoint était là, avec sa femme. Je savais, en venant, que j'allais les rencontrer, que je reverrais Ariane.

Grégoire dut passer deux jours à Monaco, pour faire des relevés dans le vieux palais que le prince avait envie de moderniser. Il s'agissait d'améliorer le sol de la chapelle qui donne sur la cour intérieure de la forteresse Grimaldi. Grégoire avait un peu vieilli, toujours séduisant, il portait des lunettes cerclées mais il lui arrivait de s'endormir après les déjeuners à la Réserve. Il plaisantait : « Celui qui a dessiné le pavement de la Sixtine, c'est l'artiste que je plains le plus au monde ! » Ariane était restée à l'hôtel. Je l'invitai à venir chez moi, c'est-à-dire à Kérylos. Elle accepta tout de suite. Nous nous étions écrit des centaines de lettres sans jamais rien nous dire. Nous avions échangé assez de dessins pour recouvrir non seulement les voûtes de la Sixtine mais aussi la fresque du *Jugement dernier*.

Ariane entra dans ma chambre. Nul n'occupait « Baucis », à côté. Personne dans la maison cet après-midi-là, pas de bruit si ce n'est celui de la houle. Quelques années plus tôt, cela n'aurait pas été convenable ; depuis la guerre, c'était sans importance. J'étais malade, je cicatrisais lentement. Mes oreilles bourdonnaient. Je suis allé vers elle. Nous nous sommes serré la main, à la mode anglaise. Elle s'est assise sur mon lit, comme une infirmière ; elle a inspecté tout ce que le médecin avait laissé de fioles et d'onguents sur la table de nuit. Elle jouait à ravir son rôle de marraine d'après-guerre. Elle était belle. J'étais désespéré.

Elle me parla d'elle, ce qu'elle ne faisait jamais. C'est-à-dire que, pendant presque une heure, elle m'a parlé de son mari. Elle m'a dit ce jour-là tout ce qui les rapprochait, j'ai dû tout entendre de leurs destins communs et de leurs dessins faits ensemble. Je n'écoutai bientôt plus. Elle construisait entre nous deux une ligne de fortifications. J'ai effleuré sa main pour lui tendre un verre d'eau, elle a fait comme si de rien n'était.

Elle aimait Grégoire. Elle ne l'avait jamais trompé. Elle empilait des sacs de sable. Je rentrais la tête dans ma tranchée. À cet instant, j'ai cessé d'être amoureux d'elle. Je me suis fait la leçon – car au front, on devient adulte, on a le temps de penser. Je me suis dit que je n'avais pas le droit de séduire cette femme. Elle était franche. Elle avait compris et elle avait besoin d'expliquer. Mon devoir était simple : respecter ce qu'elle me disait. Je devais être capable de l'entendre et de cesser de penser à elle. J'avais été ridicule. Les tranchées ça peut rendre fou, ça exalte. Et puis à quoi cela ressemblait-il une histoire d'amour qui n'en était pas une et qui durait comme cela depuis des années ? C'était grotesque. Qui aujourd'hui passe encore une année entière à faire la cour à une femme ? Quelle femme supporte encore ça ? J'ai renoncé, en moins d'une heure. Je me suis senti heureux d'avoir renoncé. J'ai compris que j'allais mieux.

Nous avons plaisanté au sujet des amies de Mme Reinach qui occupaient cette chambre d'habitude. Elle ouvrit la fenêtre. Je me suis cru heureux, presque content d'avoir, dans mon esprit, cessé d'être amoureux d'Ariane, devant elle, avec elle, grâce à elle, c'était bien ainsi. Je lui ai même parlé des *Derniers Jours de Pompéi*. Elle se leva. Je lui redonnai doucement son chapeau et son écharpe de soie rouge, je lui mis son manteau sur le dos, en parfait galant homme. Nous étions tous les deux debout, devant la porte fermée. Elle partait. Elle se taisait. J'ai tendu la main vers la ferrure de bronze, pour ouvrir. Nous nous sommes regardés. Nous nous sommes jetés l'un sur l'autre.

Je voulais tout voir d'elle, ses seins, ses hanches, ses pieds, je voulais qu'elle promette de poser nue pour moi, autant que je le voudrais, qu'elle jure de revenir tous les jours, dans cette chambre, pour faire l'amour. Elle embrassa mes blessures et tout ce qui chez moi n'était pas blessé. Elle mordait mes lèvres et mes cuisses. Elle s'allongea sur mon lit, elle me laissa l'embrasser, la caresser, l'aimer comme je n'avais jamais aimé personne. Je n'en avais plus rien à faire de Pompéi, des Romains et des Grecs, je ne voulais plus qu'elle et elle ne voulait plus que moi.

Cela a duré. Elle est revenue. C'est de cette période que datent les dessins où elle pose nue dans le grand fauteuil, et où elle m'a fait poser, ensuite, à sa place, dans l'attitude d'Achille en fureur. Depuis que j'avais tenu sur mes genoux le visage mort de mon frère d'armes, je n'avais plus été capable de toucher un corps, de prendre quelqu'un dans mes bras. Elle m'a rendu la vie.

Cette scène est le bonheur de ma vie. Elle est ma folie. L'instant où j'ai été un homme de toutes les époques, de tous les temps, de tous les milieux, fait de toutes les images qui se fracassaient en désordre dans ma tête depuis les vagues de mon enfance, contre les rochers bleus, jusqu'aux bombes qui avaient éclaté si près. Cet instant, s'il existe un Dieu, j'aimerais qu'il me le redonne, au moment où je me sentirai mourir, qu'il me laisse le vivre encore une fois. Je me contente de l'écrire, en traçant, pour le plaisir, ici, dans cette chambre inutile puisque nul ne vient plus habiter Kérylos, avec mon doigt sur le mur : Ariane, Ariane. Les femmes de Thrace, jalouses, ont découpé en morceaux le corps d'Orphée. Sur la plage, il restait sa tête, qui fut ramassée par l'une d'elles ; sa langue continuait à bouger, il disait encore : « Eurydice, Eurydice… »

12

Le péristyle, tombeau pour Adolphe Reinach, mort au combat

Sur cette photo, que je crois voir encore et que je n'ai jamais pu retrouver après la dernière guerre, les trois frères posent sous le péristyle, chacun s'appuyant sur une colonne. Je ne sais pas à quelle date elle a été prise, pourtant, j'étais là. Je l'ai peut-être déchirée à l'époque où je ne supportais plus Théodore Reinach.

Avoir les trois Reinach ensemble, sous la même couverture de tuiles, était un cauchemar. L'après-midi on ne savait plus auquel des trois on avait parlé le matin, on répondait à l'un sans se souvenir que c'était l'autre qui avait posé la question. Ces trois barbiches me poursuivaient dans mes rêves, c'étaient Jolomon, Sanodore et Théoseph, je devenais fou. Ils déversaient sur moi trois cascades de science, de philosophie, de grammaire, c'était insoutenable. Ce monstre à trois têtes avait entrepris de faire de moi un autre monstre. Je me réfugiais dans l'eau, ils ne pourraient pas m'y retrouver pour m'apprendre encore quelque chose. L'année de la fin du chantier, je suis tombé sur la première histoire des Pieds Nickelés, dans *L'Épatant* : Filochard, Ribouldingue et Croquignol, c'étaient eux. Je tenais la version savante, un seul et même et haïssable Monsieur Je-sais-tout ! Cette photo manquante c'est comme si je l'avais devant les yeux, elle m'exaspère et elle m'amuse : Joseph est sérieux, il fronce les sourcils, Salomon est affable, souriant, Théodore un peu effacé, en retrait, sans doute inquiet d'avoir dans sa maison les deux visiteurs dont il redoute le plus le jugement.

Joseph, l'aîné, était l'homme politique. Dans les premiers temps, je ne l'aimais pas plus que ça. Il était très rasoir. Dans la famille, tous l'admiraient. Son frère Salomon, à l'époque où il était directeur du musée de Saint-Germain-en-Laye, le consultait souvent à propos d'œuvres antiques ou de vestiges gaulois ; il disait que Joseph était un expert, peut-être le meilleur du trio, et que la politique l'avait écarté d'une vraie belle carrière d'antiquisant. Ce grand homme écrivait des articles comme on boit du café, un ou deux par jour, parfois plus, produisait des collections de livres en dix ou vingt volumes, que pas grand monde ne lisait, sur une infinité de sujets. Pour l'affaire Dreyfus, il avait voulu tout raconter et il a rédigé un monument en je ne sais combien de tomes. Son frère Théodore en un petit livre, très clair, *Histoire sommaire de l'affaire Dreyfus*, a convaincu tout le monde et a eu beaucoup de succès. Pendant la Première Guerre, Joseph écrivait tous les jours, sous le pseudonyme de Polybe, des comptes rendus des combats qui fatiguaient même l'infatigable général Nivelle, celui de la fameuse « offensive Nivelle », qui avait dit : « Polybe cesse d'écrire ou je cesse de vaincre. » Déjà les textes du vrai Polybe, qui raconte en grec les guerres de la République romaine, sont un peu difficiles à suivre, mais là, le continuateur dépassait le maître... Réunis, ces articles formèrent vingt volumes, le grand œuvre de celui qu'on appelait « le Reinach qui n'écrit pas », car ses frères, eux, faisaient des livres. Je ne savais rien alors. J'ai compris des années plus tard que c'était une plaisanterie de Nivelle destinée à faire sourire les amateurs. Tous ceux qui étaient allés dans les bonnes écoles connaissaient cette courtisanerie de Boileau, historiographe de Louis XIV, qui n'arrivait plus à suivre les succès de son souverain et à troquer le ton de ses satires contre celui de l'éloge : « Grand roi, cesse de vaincre, ou je cesse d'écrire »... Personne ne m'avait appris cela.

Je regardais ravi l'illustre Joseph prendre son petit déjeuner dehors, dans la douceur de l'air, devant ce salon de musique que nous appelions l'« Oikos ». On se moquait, Théodore et ses fils les premiers, de sa technique impeccable pour beurrer ses tartines parfois des deux côtés : dans ses articles il racontait ce qu'il avait déjà dit, expliquait ce qu'il voulait dire et détaillait ce qu'il ne dirait pas tout en précisant ce qu'il n'avait pas dit. Il m'avait raconté sa première rencontre avec Dreyfus, qu'il ne connaissait pas. Ils n'avaient laissé paraître aucune émotion, ni l'un ni l'autre. Dreyfus avait tendu la main et dit « Merci », et j'entends encore Joseph commenter d'un ton sentencieux : « Ce fut tout. Un seul mot. J'eus l'orgueil de trouver cela également digne de lui et de moi. » Je redoutais plus ses récits de guerre : « Les nôtres avaient ce jour-là bien mérité d'une patrie qui, fort oublieuse, a su pourtant… » Ça n'en finissait jamais. À la villa, Joseph lâchait la bride, il était bonhomme, il admirait tout, on lui donnait toujours la même grande chambre du premier étage et il avait des conversations avec son frère qui duraient des après-midi entiers. Il disait : « Ici, je suis à bon port. »

Joseph et Théodore s'affalaient l'un en face de l'autre dans les fauteuils bas de la bibliothèque et envoyaient des ronds de cigare vers les inscriptions à la gloire de Démosthène et de Platon. Cela faisait dans l'air comme des « esprits durs » et des « esprits doux », ces signes grecs en forme de cercles interrompus qu'on place au-dessus des voyelles initiales, et des *rhô*, pour faire comme s'il y avait une aspiration à cet endroit… Un des défauts du « grec moderne », c'est qu'il n'a plus d'esprit – une plaisanterie de Théodore que j'ai entendue cent fois. Je n'étais pas à leur service, ce n'était pas à moi d'enlever le plateau du petit déjeuner. Quand je passais, j'entendais : « Les journaux de droite n'arrêtent pas de railler cette paradoxale tentative d'attacher les socialistes à une politique d'ordre. Le monde des affaires, sitôt qu'il sentira une main solide qui tient les rênes, reprendra confiance, vois-tu, Théodore… » Je ne savais pas lequel je devais plaindre. Je prenais certes la plupart de mes repas dans la grande cuisine, mais ensuite je montais dans la bibliothèque, pour parler un peu avec « mon maître », et quand ils venaient, Salomon ou Joseph. Leur entente était toujours bonne. Ils se supportaient avec héroïsme. Leurs femmes ne s'aventuraient jamais au milieu de ces conversations. Celui qui m'échappait, c'était Salomon. Je soupçonnais que c'était le plus drôle, on le disait séducteur, « jouisseur » – un mot que je ne connaissais pas –, il avait l'art de bavarder avec les bonnes dont il retenait les prénoms d'une année sur l'autre. Il ne me posait jamais de questions, comme s'il ne me voyait pas. Des années plus tard, je l'ai mieux connu, j'ai travaillé pour lui, et je m'interroge toujours à son sujet. Ce mélange de plaisanterie et de sérieux, cette manière de ne jamais faire attention aux détails faisait de lui le plus « grand seigneur » des trois, mais peut-être aussi le savant le moins sérieux. Il en imposait, n'ennuyait pas, faisait rire et osait rire des deux autres. Dans une famille, il y a toujours celui à qui les parents ont toujours tout pardonné. Salomon et sa femme venaient pour deux jours et repartaient sans que j'aie eu le temps de les découvrir. Salomon était le seul qui avait compris qu'on a le droit, devant la mer, de porter des costumes de coton, de troquer le gris contre le bleu et d'abandonner les bottines pour de confortables souliers anglais. Aucun de ces détails ne m'avait échappé, mais je ne savais pas trop ce qu'en pensaient Joseph et Théodore.

Chez Joseph Reinach, à Paris, se trouvait une gravure que j'avais regardée maintes fois, d'après un tableau de Fragonard qui se trouve je ne sais où, *Le Verrou*. Un cadre qui aurait plutôt eu sa place dans l'hôtel de Moïse de Camondo : le XVIIIe siècle galant avait fini par faire partie des « décors sérieux », signe qu'on avait à la fois de la fortune et du goût. J'avais longtemps pris cette image pour une vision d'un autre monde, un fragment d'une autre planète, heureuse, étrange, un instant de douceur de vivre qui ne disait pas grand-chose au berger corse. Je m'étais toujours dit que ce genre de scène, ce serait assez beau à vivre, mais que c'était si loin de moi, comme un rêve, un poème de Verlaine lu en cachette. Ensuite, j'étais tellement amoureux fou, que je repassais dans le couloir pour revoir *Le Verrou* et penser à mon Ariane. L'élan du jeune homme, la femme qui résiste mais dont on se dit qu'une seconde plus tard elle cessera de faire semblant de résister. Tout cela je l'avais vécu dans cette chambre où j'avais passé ma convalescence. Je la revoyais, prête à franchir le seuil, qui se retournait pour m'embrasser. Je n'ai jamais oublié cette porte fermée, sauf que mon verrou était en bronze et avait l'air d'être celui de la maison d'Alcibiade. Même chez Joseph, j'arrivais à penser à elle.

Dans les années qui suivirent, ce Joseph, chef de la fratrie, m'aima beaucoup, parce que j'avais fait la guerre aux côtés de son fils, que j'avais été courageux, blessé deux fois, que j'étais remonté au front, blessé à nouveau, démobilisé avec une citation et la médaille militaire. Le frère qui me faisait bâiller naguère était devenu mon protecteur, je n'avais pas envie pour autant de devenir son enfant, de remplacer celui qui était mort. Adolphe et moi étions de la classe 1907. Nous avions fait notre régiment à Mourmelon. Joseph me gardait toujours un moment à part, j'étais, il le savait, le seul véritable ami de son fils. Il m'aimait alors qu'il aurait pu me détester ou du moins me fuir, parce que j'avais vu mourir Adolphe, mon compagnon, avec qui j'avais grandi et parce que moi, fils de rien, ne sachant rien, ne servant à rien, n'héritant de personne, j'étais vivant. Il m'aima. Je le laissais faire, en souvenir des soirées dans le camp où Adolphe me disait qu'il n'était jamais certain que son père, si intimidant, si sérieux, l'aimât véritablement.

Mes petits-enfants, quand je leur en parle, osent faire de grasses plaisanteries au sujet d'Achille et Patrocle. L'amitié virile, la camaraderie des soldats : depuis 1918 on ose lui donner d'autres noms… Homère est très clair : Achille et Patrocle sont unis par un lien sacré, qui depuis leur enfance les a rendus inséparables, ils sont cousins. Adolphe et moi, c'est encore plus ridicule à écrire aujourd'hui, nous étions unis par le patriotisme. Mes petits-enfants ne comprennent pas. Nous ne parlions que de la victoire. Nous ne nous occupions pas de nous. Jamais je n'ai pu avouer à Adolphe mon amour épistolaire pour Ariane, je ne me l'avouais pas vraiment à moi-même. J'aurais été si heureux de raconter à Adolphe comment j'avais vécu, malgré moi, *Le Verrou* de Fragonard, avec elle. Je l'aurais fait. Il n'était plus là. Je suis certain que je serais allé le trouver, pour lui raconter, et qu'il m'aurait demandé les détails les plus obscènes et que je ne les lui aurais pas donnés, pas cette fois. Le moment où j'ai embrassé Ariane est celui où j'ai compris, après les quatre ans de guerre : « Je suis vivant. Je vais vivre. »

Le soir du *Verrou*, à nouveau seul et convalescent, j'ai eu peur. Je me disais qu'Ariane m'en voudrait, qu'elle refuserait de me parler. Elle revint le lendemain, avec un dessin, de nous deux. Et nous fîmes l'amour à chaque fois que nous le pouvions, jusqu'à ma guérison. Nous nous sommes dessinés l'un l'autre plus de vingt fois. Je ne pensais qu'à elle et de moins en moins à la guerre.

Puis elle a disparu. Grégoire et elle ne sont plus venus. Je n'ai pas bien compris pourquoi. Pontremoli m'a expliqué que Grégoire, son « bras droit » comme il l'appelait, avait désormais ouvert sa propre agence d'architecture. Il était d'ailleurs grand temps qu'il prenne son indépendance. Elle ne m'écrivait plus. Il ne me restait que quelques dessins – Adolphe, le seul à qui j'aurais pu me confier, était mort. Un an après l'armistice, j'ai rencontré celle qui est devenue ma femme : mes enfants connaissent la suite de l'histoire par cœur. Nous avons dansé au mariage d'un camarade de régiment, nous sommes partis nous promener sur la route de Villefranche et le soir même c'était décidé.

Ce lien qui m'a fait vivre aux côtés d'Adolphe Reinach est sacré, rien ne pourra l'altérer. Le temps a passé : le fils d'Adolphe, né après la mort de son père, est mort aussi. J'ai pleuré mon ami une seconde fois, dans son fils. Ils ont été courageux. Je n'ai pas été lâche, ni veule, je n'ai pas honte de moi, mais je n'ai pas été un héros et je leur ai, par hasard, survécu. Dans la mythologie, j'avais retenu que Thésée avait par erreur mis des voiles noires à son vaisseau, et que son père Égée, le croyant mort, s'était jeté dans la mer. J'avais été celui qui hissait la voile noire, et ce n'était pas par erreur, Égée avait pleuré son fils sur mon épaule.

Dans ma génération on savait par cœur les citations à l'ordre de la patrie des amis morts pour la France. À chaque fois que je me redis ces quelques mots sobres comme une inscription sur une stèle de marbre, je pleure :

« Reinach (Adolphe), lieutenant de cavalerie, détaché du 46e régiment d'infanterie (officier de liaison). En toutes circonstances, s'est particulièrement distingué par son sang-froid et sa bravoure exceptionnelle. Le 30 août, à la ferme des Tyranes, dans un moment difficile, a groupé autour de lui une dizaine d'hommes et, tout en restant à cheval, les a entraînés à l'assaut, permettant ainsi à un bataillon de se maintenir sur ses positions. »

On n'a pas retrouvé le corps d'Adolphe. J'aurais pu m'en occuper, le tirer avec moi dans la boue. Ça canardait partout. J'étais au milieu des hurlements, des éclairs, je n'ai pas hésité. Je me suis mis à courir. Joseph Reinach, dans son bureau, à Paris, dans le somptueux appartement de l'avenue Van Dyck, avec tous ses lustres, ses tableaux et ses gravures du XVIIIe siècle, quand il m'a demandé de lui faire le récit exact de la mort de son fils, m'a posé la question. Il voulait savoir où était son enfant, c'était normal. Je lui ai dit ce qui s'était passé, minute par minute. Nous avions fini par abandonner la position à l'ennemi. Si je m'étais chargé du corps d'Adolphe, les Allemands m'auraient abattu aussi. Il m'a regardé et j'ai compris qu'il me comprenait, qu'il m'approuvait. Il ne m'a pas dit : « J'aurais fait comme vous », mais j'ai entendu cela.

Chez nous, la célèbre villa Leopolda avait été transformée en hôpital pour les soldats blessés. On ne parlait que des gueules cassées. On avait construit des baraquements de bois dans les jardins, et les jeunes Belges qui dormaient là racontaient la vie au front, c'était, à quelques minutes de Kérylos, une colonie de survivants qui rendaient encore plus terrible le deuil des familles. Salomon a écrit qu'on ne sait pas ce que sont devenus « les restes » de son neveu. Ils avaient envisagé d'aller ensemble dans le coin de la ferme des Tyranes et de faire ouvrir les fosses communes, de regarder les visages des morts un par un. On leur avait dit que les corps avaient presque tous été pulvérisés. Je ne peux pas lire ces mots dans la préface au livre posthume de mon ami, son essai sur la peinture antique, sans un tremblement. Ces « restes », je les avais tenus contre moi. Mais je n'ai jamais regretté d'avoir fui, avec les autres, pour me sauver. Je me suis battu à nouveau trois heures plus tard. J'ai tué trois Allemands, face à face, avec un pistolet d'assaut. Je n'avais jamais tué d'homme avant ce jour-là. Tous ceux qui sont morts déportés, dans les camps de concentration des nazis, n'ont pas eu de tombe, eux non plus. Ma main ne tremblait pas. Ce matin si, j'ai trop chaud, je n'ai pas l'habitude de tenir cette caméra, mes doigts bougent : mon film sera flou, sautillant, il montrera Kérylos en désordre, un kaléidoscope de vues bancales, qui vont se succéder n'importe comment et qui n'auront pas de sens. Joseph après la mort de son fils était lui aussi flottant, imprécis au milieu de ses discours interminables, radotant et pompeux – mais je crois que je m'étais mis à l'aimer, cet homme qui de plus en plus souvent, les mains sur les genoux, se taisait.

Le pauvre Joseph Reinach n'a jamais été ministre, ses milliers de pages sont oubliées, son nom ne dit plus rien à personne. Lui qui croyait à la gloire littéraire et à son travail de député serait navré et très surpris d'apprendre aujourd'hui qu'il survit dans les mémoires, malheureux grand homme, parce que Marcel Proust l'a transformé en personnage : il ressemble à ce Brichot qui ennuie tout le monde aux dîners de Mme Verdurin. J'ai mis du temps à lire *À la recherche du temps perdu*, j'ai trouvé cela drôle, tellement proche de ceux que j'ai connus avant la Grande Guerre. Proust n'aimait pas trop les Reinach. Il connaissait un peu Pontremoli. Il avait écrit à Joseph pour demander une lettre qui l'aurait empêché d'être envoyé au front. On imagine la réaction de Joseph. La gêne de Proust, durant les années qui suivirent, d'avoir fait cela. Pour compliquer tout, Théodore en 1914 venait d'être battu aux élections en Savoie par un certain Paul Proust, homonyme du petit Marcel et sans lien de parenté avec lui je crois – et ce Paul Proust, en octobre 14, lui, était glorieusement mort à l'ennemi. Il est inscrit sur le monument aux morts de l'Assemblée. On ne pouvait pas prononcer le nom de Marcel Proust à la villa, c'est pour cela que j'ai mis si longtemps à le découvrir.

Proust aurait aimé sans doute se trouver dans la position mondaine des Reinach, avoir leurs relations, que ses parents à lui ne possédaient pas, et aussi les talents des trois frères pour les choses sérieuses. Il appartenait au même milieu, mais en un peu moins bien : une famille avec des origines juives, du talent, une passion pour les bibliothèques, les musées, les arts… Il avait réussi à écourter sa période de service militaire en devançant l'appel et, dans le fameux questionnaire que les gens qui ne savent pas appellent le « Questionnaire de Proust » comme s'il l'avait inventé, à la question : « le fait militaire que j'admire le plus », il a répondu : « mon volontariat ». Beaucoup de ses amis sont morts à la guerre, dont certains que j'ai aperçus de loin comme Bertrand de Fénelon ou Robert d'Humières et après tout il aurait peut-être eu du courage lui aussi s'il avait été au feu. Personne ne sait comment on réagit quand on entend tirer. En partant, je m'étais posé la question. Nous nous la posions tous, sans en parler. Au premier tir, j'ai eu la réponse : je n'ai pas eu peur. Je n'en ai eu aucune fierté. C'est comme ça. Pas besoin de boire de l'eau-de-vie. Je ne pensais pas que je pouvais être tué. Proust, tué à l'ennemi, aurait peut-être eu droit à sa citation : « Proust (Marcel), avec un inlassable courage… » Tout cela, je l'ai deviné en le lisant. Je ne l'ai jamais rencontré. Il s'est bien vengé. Les Reinach écrivaient sans cesse, mais le seul écrivain de leur monde, le seul qu'ils auront côtoyé, c'était lui, et je crois qu'aucun des trois frères ne l'aura jamais deviné.

Mon Adolphe Reinach était bien plus drôle que son Brichot de père, ce qui n'était pas difficile, et aussi bon helléniste que l'oncle Théodore, ce qui relevait de l'exploit. S'il avait mon âge, il avait « de bien meilleures dispositions pour les études » comme on disait en ce temps-là, et il était soumis depuis sa naissance à un véritable « bourrage de crâne », une expression qui faisait fureur en 1914. Il s'en moquait : « Ils ont fait de moi un animal bien dressé, me disait-il, mais tu verras, je vais les étonner. » Il aurait dû être celui qui continuerait les recherches des trois frères, qui écrirait des livres encore plus grands que les leurs, l'enfant devant lequel se prosternent Gaspard, Melchior et Balthazar. Nous avons découvert la Grèce ensemble. J'avais tellement aimé ce voyage qui m'avait fait enfin sortir de Beaulieu. Sans Adolphe, j'aurais séché sur place, il m'a prouvé que j'aimais partir – dans ma famille, personne n'avait jamais voyagé, on s'était déplacés, on n'avait jamais eu l'idée d'entreprendre des expéditions lointaines ni même d'aller « en vacances ». La Grèce c'était loin dans le passé, il m'a prouvé qu'on y était en quelques journées de bateau.

J'avais été recruté aussi pour m'occuper de lui, pour l'aider à réciter ses leçons. Pour le jeune Adolphe, la tradition familiale devrait continuer : un professeur de mathématiques, un répétiteur d'anglais, et moi qui devais lui servir à apprendre quelques connaissances utiles. En réalité, c'est comme cela que j'ai fait mon éducation. Adolphe, dans les premiers temps, se méfiait de moi. J'étais la nouvelle recrue de son oncle, le singe moins savant qui prononçait le grec comme il ne faut pas, qui distinguait « êta » et « epsilon », au lieu de lire « e » comme tous les écoliers d'Europe le font depuis Érasme. Il se disait peut-être que j'étais une sorte de petit arriviste du village qui s'était attiré Dieu sait comment les bonnes grâces du maître et qui cherchait à échapper à son statut de domestique. J'étais quantité négligeable, *epsilon*. Très vite, il a vu que j'étais le compagnon de jeux idéal, qui l'aiderait à tromper sa solitude – on lui infligeait depuis des années ces leçons interminables. Il m'a raconté qu'il avait été un enfant qui jouait très peu. Sa sœur Julie, qui avait deux ans de plus que nous, était elle aussi du genre sérieux. Julien, leur cousin, le futur conseiller d'État, fils de Théodore, avait cinq ans de moins, et son frère Léon six ; à cet âge-là, c'est une grande différence. On ne peut pas s'amuser ensemble au jardin. Les deux derniers fils de Fanny et de Théodore, Paul et Olivier, ont longtemps été « les petits », je ne m'en préoccupais guère. Leurs parents ne perdaient pas leur temps à jouer avec eux. Les seuls descendants de Théodore aujourd'hui, qui continuent sa famille, sont les enfants de Julien et du petit Paul. Paul était charmant, le plus beau de tous. Je les ai perdus de vue, nous nous écrivons pour les vœux. Du côté de Salomon, sa femme et lui n'avaient pas eu d'enfants qui eussent pu s'amuser avec Adolphe. Rose, Mme Salomon Reinach, docteur en médecine, avait présidé le refuge pour l'enfance de Neuilly. Elle se dévoua pendant la guerre en secourant les grands blessés. Salomon, son mari, lui épingla la Légion d'honneur au début des années vingt, j'avais assisté à la cérémonie.

J'étais ainsi le complice parfait pour Adolphe, le seul de son âge, sans doute Théodore y avait-il pensé. Il aimait bien s'occuper de son neveu, il savait que le genre d'éducation de la famille pouvait être pesant, l'idée de lui donner un camarade sportif, simple, de bonne volonté et de bonne humeur n'avait rien d'absurde… Un jour, il dit à Adolphe, qui me l'a répété, que sans doute je n'étais pas un ami à sa hauteur, et qu'il devrait se faire de vraies relations à Paris : il n'en fallut pas plus, Adolphe déclara sur-le-champ, pour faire enrager son oncle, que je serais toujours son meilleur ami. Ce rusé de Théodore avait réussi son coup.

Au moment de la guerre, je ne sais comment Joseph Reinach s'était arrangé pour que nous soyons affectés ensemble dans le même régiment – et cela rassura tout le monde de savoir qu'Adolphe était d'une certaine manière sous ma protection, que je serais pour lui une sorte d'ordonnance ou d'aide de camp. J'entends encore ces mots, dits par une amie des Reinach ; j'y ai pensé si souvent, après l'assaut.

Le vieux Joseph Reinach fut le seul des trois frères à connaître la vraie souffrance : cinq jours avant la mort de son Adolphe, était tombé au champ d'honneur, à Méhoncourt, Pierre Goujon, sous-lieutenant de réserve. Lui aussi était de 1875, il était parti avec nous. Pierre, que tous aimaient dans la famille, avait épousé sa fille Julie. Je l'ai fréquenté, il était sérieux avec sa petite moustache, ses gestes précis, son début d'embonpoint. Son père était sénateur de l'Ain, il avait voulu rajeunir un peu les choses et s'était fait élire député de l'Ain. Il était gourmand et il était courageux. Il avait plu à Julie parce qu'il tenait de sa famille la passion de la peinture, Renoir avait fait son portrait quand il était enfant. Ils imaginaient qu'ils allaient tous les deux entreprendre une collection de tableaux modernes. Julie a acheté de belles œuvres, après sa mort, en se souvenant de lui. J'ai vu chez elle un Degas magnifique, une aquarelle de Cézanne. Julie, gentiment, m'a acheté ma première nature morte cubiste. Elle l'a prêtée pour mon exposition au Jeu de Paume, quand on a commencé à parler de moi. Elle ne s'est jamais remariée. Pierre Goujon fut le premier parlementaire à mourir au combat en 14. Il aurait pu ne pas partir, il aurait eu sans peine une dérogation, il avait demandé à rejoindre un régiment, ce fut le 123e d'infanterie. Il avait d'abord été blessé. Il s'était fait un pansement de fortune pour repartir aussitôt à l'assaut, il fut tué net, d'une balle à la tête, le 25 août.

Pierre aurait peut-être accroché de l'art moderne dans les chambres de la villa, pourquoi pas ? Kérylos, sans la guerre, aurait changé de physionomie à la génération suivante. Adolphe aurait transformé sans doute lui aussi certains décors, mais dans un autre sens. Il aurait apporté des Antiquités. Qu'est-ce qu'une maison où on ne peut bouger aucun meuble, où on ne peut rien mettre d'autre sur les murs que ce que l'architecte a prévu, où les enfants se sentent en représentation dans leurs chambres, qui ne sont jamais les mêmes d'un séjour à l'autre ? Théodore, je crois bien, poursuivant sa vision, n'y avait pas songé. Adolphe n'en souffrait pas, moins en tout cas que ses petits-cousins, ce qui ne l'empêchait pas de critiquer sans ambages ce qu'avait fait Pontremoli. Il aurait préféré plus d'exactitude, il souhaitait savoir si l'on était dans une maison d'Athènes, ou à Délos, ou dans une riche villa en Asie Mineure à l'époque des successeurs d'Alexandre. Pour moi, Kérylos était simplement une villa grecque. « Regarde les terrasses : tu crois qu'il y a jamais eu une architecture semblable en Grèce ? Cette baraque ne tient pas debout ! »

13

« N'apporte rien du monde »

Ma première promenade en automobile avait été pour aller à Cambo-les-Bains, au Pays basque. Il restait une place dans la voiture, Mme Reinach m'avait fait signe au dernier moment et j'étais monté : à cette époque, pas question de ne pas partir au complet, c'était une telle attraction, un tel luxe chromé, laqué, pétaradant. J'étais content de voir le Pays basque. J'allais rencontrer le grand écrivain, lui parler peut-être, m'acheter cette curiosité appelée « espadrilles ». Pour exister dans le grand monde, il fallait se faire une demeure : Edmond Rostand, dans les années du chantier de Kérylos, à Arnaga, avait élevé le « style basque », comme on disait, à un rang palatial, et prolongeait sa rêverie par des jardins à la française qui n'avaient rien à faire là, une orangerie qui rappelait Versailles, un poulailler littéraire à la gloire de *Chantecler*, pièce qui n'avait hélas pas eu le succès de

Cyrano et de *L'Aiglon*. Durant le trajet, Fanny ne comprenait pas que je ne m'intéresse pas plus au moteur, à la mécanique. Un enfant du peuple se doit de rêver devant le cambouis.

À Cambo-les-Bains je suppose qu'il y avait eu autant de commentaires qu'à Beaulieu en voyant s'édifier en trois ans ce monstre d'architecture, peut-être en moins désobligeant… Les Reinach s'y intéressaient et avaient été invités : Rostand était une gloire nationale, tout le monde était amoureux de lui. Les visiteurs peuvent aujourd'hui lire sur une plaque, à l'entrée d'Arnaga, ces vers que j'ai recopiés et appris :

Toi qui viens partager notre lumière blonde
Et t'asseoir au festin des horizons changeants,
N'entre qu'avec ton cœur, n'apporte rien du monde
Et ne raconte pas ce que disent les gens.

Chacun voulait alors une maison de rêve : rien que dans les environs de Nice et de Monaco, on trouve une bonne dizaine de villas incroyables qui ont plus ou moins marqué l'histoire. Adolphe s'en moquait toujours. Au cap d'Ail, à côté, à partir de 1911 s'est construite la Primavera, un décor à l'antique plaqué sur les cheminées et les meubles : je l'ai vue à peine terminée, je dois avouer que c'est plutôt joli, même si on n'y retrouve pas la rigueur de « notre maison ». Certaines de ces demeures extravagantes me touchaient plus que d'autres. J'en ai visité beaucoup. Rien à voir avec les bicoques des millionnaires de la

Riviera, que des architectes produisaient à la demande sans trop réfléchir. Les Camondo avaient leur hôtel à Paris, terminé au tout début de la Grande Guerre. C'était moins délirant qu'Arnaga, et là aussi les Reinach avaient voulu tout savoir de ce chantier : un faux Louis XVI de grand confort et de grand goût, meublé de merveilles de provenances royales et ducales diverses, un cours d'histoire du meuble croisé avec l'annuaire des châteaux ou le Bottin mondain. Je suis passé bien des fois porter du courrier à l'hôtel Camondo. On n'arrive pas à se croire au temps de Marie-Antoinette, et tant mieux. Ces maisons sont des rêveries. Le banquier Cahen d'Anvers avait lancé la mode de ces fantaisies hors du temps et hors de prix. Il avait acheté le château de Champs-sur-Marne, somptueux mais à bout de souffle, et l'avait refait en l'améliorant. Son XVIIIe siècle était d'une totale vraisemblance, on y installa tout de même le téléphone et les portraits des enfants par Renoir. Les Camondo venaient d'Istanbul, comme les Reinach d'Allemagne, quant aux Cahen d'Anvers, leur nom l'indique. Les trois familles étaient liées : le vieux Moïse de Camondo, que j'ai connu, avait épousé Irène Cahen d'Anvers, une union peu heureuse, m'a-t-on dit, d'où étaient nés deux enfants, Nissim, aviateur, de ma génération, tué au combat à vingt-cinq ans en 1917, et Béatrice, née deux ans après son frère. Elle se maria avec Léon Reinach, le second fils de mon Théodore, qui était de 1893. La mère de Léon, la seconde femme de Théodore, Fanny, celle que j'ai tant appréciée à Kérylos, était une Ephrussi par sa mère. C'est comme cela qu'elle était la cousine de Béatrice Ephrussi, née Rothschild, qui fit construire la célèbre villa qui se trouve à dix minutes à pied de Kérylos, sur le cap Ferrat. Dit comme cela, c'est un peu compliqué. Ce qui était frappant c'est que Béatrice et Léon Reinach avaient ainsi reçu en héritage l'histoire de ces quatre maisons, Kérylos, Champs-sur-Marne, l'hôtel Camondo, la villa Ephrussi. Mais les grandes demeures extravagantes, cela ne les intéressait pas : ils aimaient la musique, les animaux, le tennis, les promenades à cheval. Avec leurs enfants, Fanny et Bertrand, ils ont péri à Auschwitz.

À Beaulieu on scrutait de loin, entre 1905 et 1912, le chantier lancé par la fantasque Béatrice Ephrussi. Avec les Reinach, ils se voyaient, mais n'étaient pas si proches parents qu'on le croyait chez le facteur et la crémière : l'arrière-grand-père de Fanny Reinach, Charles Joachim Ephrussi, qui était né en 1793, l'année où Louis XVI a été décapité, s'était marié deux fois. De son premier mariage descendait l'élégant Charles Ephrussi, qui servit peut-être à Proust pour inventer Charles Swann. La mère de Mme Reinach était sa sœur. Du second mariage de l'ancêtre descendait le richissime Maurice Ephrussi, qui avait épousé cette Béatrice qui n'aimait que boire du champagne rose dans son grotesque salon rose. Théodore disait qu'il n'y avait qu'une chose intéressante là-bas, c'étaient les boiseries, qui venaient d'hôtels particuliers détruits. Cette maison était un catalogue de fragments d'autres maisons. Il était capable de citer une porte du XVIIIe siècle qui venait de chez Balzac, rue Fortunée. Le grand homme avait racheté des décors anciens pour épater Mme Hanska. Théodore aimait l'idée qu'on pouvait, au beau milieu du cap Ferrat, tourner un bouton de porte qui avait été touché par l'auteur de *La Comédie humaine*.

À Kérylos nous critiquions tous à mi-voix les splendeurs de la villa Île-de-France, comme on l'appelait. Béatrice Ephrussi avait imaginé de faire porter des bonnets à pompon à ses domestiques pour avoir l'illusion d'être en perpétuelle croisière. C'est par la savante crémière que j'ai appris dès les premiers terrassements que cette villa concurrente allait être « à tout casser ». Là-bas on avait apporté du marbre bleu, du marbre noir, du marbre griotte, des marbres qui venaient de Sibérie et même de Chine, des marbres qui imitaient le bois, rendez-vous compte. Tous en discutaient, sur le port, à n'en plus finir. Le notaire disait : « C'est vraiment le nec plus ultra, un bien proprement spectaculaire. » La villa Ephrussi plaisait. C'était un macaron à la fraise, posé sur un macaron à la framboise, renforcé de meringue et enrichi de chantilly, avec des corolles de petites violettes en massepain et, tout autour, des jets d'eau en sucre filé qui imitaient Versailles. Au sujet de Kérylos, une fois qu'on avait dit qu'il n'y avait pas de cheminées mais un chauffage à air pulsé et des salles de bains de palace, on finissait par se taire, de crainte d'avouer qu'on ne savait pas grand-chose. De ma visite chez Rostand à

Arnaga, j'ai gardé le souvenir d'un boudoir de conte de fées, avec une peinture où une citrouille attelée à des chevaux conduisait la princesse au bal. À côté se trouvait la chambre de Mme Rostand, avec une vue sur des parterres où les fleurs reprenaient les couleurs des décors de la maison. D'une villa à l'autre, le même monde enchanté semblait se poursuivre. J'entends encore Théodore se demander ce que les archéologues de l'an 4000 diraient de la civilisation de 1906 si le seul témoignage qu'ils en trouvaient était la propriété des Rostand ou l'hôtel Camondo.

Ce qui intriguait les gens de Beaulieu c'était la manière dont on vivait au « château Reinach ». Ils se demandaient tous si « la grosse Mme Reinach » – elle n'était pas si grosse, mais elle avait toujours autour d'elle beaucoup de dentelles – avait des sandalettes et se promenait les seins nus et si M. Théodore se dandinait chez lui en cuirasse de carton bouilli, avec une jupette et ses besicles. Je ne dis pas qu'une fois ou deux, pour s'amuser avec les enfants, ils n'avaient pas organisé des soirées en costumes, et je pense qu'on en retrouverait encore dans les armoires. Mais ce n'était pas du tout l'esprit de la maison : la Grèce de Kérylos n'était pas une mascarade, c'était une tentative pour retrouver la beauté pure. Rien de moins. Je me vois expliquant ça à la crémière. Je ne pense pas non plus que M. de Camondo dans son hôtel particulier se mettait en perruque poudrée pour traverser le parc Monceau, ou que le marquis de Panisse-Passis, dans son château fort du côté d'Antibes, qu'il avait magnifiquement fait restaurer après le petit tremblement de terre qui avait failli lui coûter son donjon, prenait le déguisement de son ancêtre qui y avait reçu Charles Quint et François Ier. Mais cela faisait rire tout le monde à Beaulieu d'imaginer les Reinach s'embarquer sur leur petit bateau, amarré en bas de la villa, en chlamyde et en pagne de laine de brebis, pour ne pas avoir froid, en hiver. L'été, ils préféraient la Savoie, les terres électorales de Théodore, ou rester à Paris. À Kérylos, Mme Reinach disparaissait dans ses fourrures, qu'elle ne quittait plus, un peu avant sa mort en 1917. C'est vrai qu'on pouvait se poser la question des vêtements : le cousin de Napoléon III, le prince Plonplon comme on l'appelait, s'était fait construire avenue Montaigne une maison de Pompéi – il y avait un album de vieilles photos dans la bibliothèque montrant cette curiosité, il doit encore être quelque part sur les rayonnages –, on y donnait des soirées en costumes antiques pour lire des vers et autres activités néo-romaines. Pour Théodore c'étaient les Romains de la déchéance. Le Second Empire n'avait pas bonne presse, le désastre de Sedan, l'humiliation de la France étaient imputés aux fêtes de ces années-là. Le déguisement à l'antique aurait été vu comme une sorte de relâchement moral. M. et Mme Reinach se tenaient bien. Pour écrire, Théodore était toujours debout, comme Victor Hugo – l'illustre proscrit, qui était rentré avec la liberté – à Guernesey, devant la mer. Comme s'il avait derrière lui les livres qu'il avait lus et devant lui ceux qu'il allait écrire.

14

Mes premières peintures

Théodore ne veut aucune tricherie. Il le répète sans cesse à Pontremoli. Tout doit être vrai dans le péristyle : de grosses pierres, d'énormes poutres, du bronze, pas question de crépir des briquettes en se disant qu'au coup d'œil personne ne verra la différence. Si tout est authentique, cela rendra crédible tout ce qui sera inventé.

Cette cour intérieure est l'endroit de la maison qu'Adolphe aime le mieux, le plus pur. Il sort souvent une petite table pour s'installer là et mettre au net les notes qui doivent servir à son premier grand livre. Il regarde les peintres travailler. Il aime parler avec eux. Les antéfixes, ces palmettes qui ponctuent de manière très élégante le rebord du toit de tuiles, ont été copiées sur un modèle retrouvé à Athènes, sur l'Acropole. Les gargouilles qui servent à évacuer l'eau sont des mufles de lion de marbre. En dessous d'eux, on voit des triglyphes et les grands carrés de pierre qui les séparent, selon les règles, les métopes, qui n'ont pas été sculptées de sujets mythologiques. On les a laissées blanches, et les trois traits en creux de chaque triglyphe ressortent avec beaucoup de pureté. La faute de goût aurait été de sculpter tout, pour montrer qu'on est savant et qu'on a de l'argent. Théodore a fait remarquer un jour à Pontremoli que si cette maison avait été bâtie de l'autre côté du Rhin, les rustres auraient évidemment sculpté les métopes et mis les triglyphes en couleur, on n'aurait vu que cela. Alors que cette ligne du toit du péristyle, chez lui, on la remarque à peine – elle apparaît seulement quand, après une journée de lecture dans l'ombre des colonnes, le regard se porte sur le haut des murs en s'élevant vers le ciel – et le regard de celui qui lit, rien ne doit l'arrêter.

Depuis que je suis revenu, je retrouve peu à peu tous ces raffinements qui me plaisaient tant dans ma jeunesse. Trois des murs donnent sur les pièces voisines et les laissent deviner, le quatrième côté, lui, n'est que le revers de la façade d'entrée. Personne ne s'en rend compte. Cela a laissé plus de place pour le jardin, du côté de l'arrivée, et pour profiter de la vue sur l'anse de Beaulieu. Les grosses colonnes sans base sont doriques. Mais du côté du vestibule, ce sont des fûts ioniques, plus minces, avec les chapiteaux qui s'enroulent comme des bobines de fil à coudre. C'est un des lieux communs de l'apprentissage de l'architecture, j'entends Grégoire expliquer cela à Ariane attentive : le dorique, avec ses chapiteaux simples, est l'ordre viril, le ionique, plus gracieux, est féminin. Comme elle sourit avec ironie, il ajoute qu'il ne sait pas trop si cela est vrai, mais on le lit partout. Les Anciens le croyaient, le répétaient, mais au fond, dit Ariane, pourquoi une femme ne ressemblerait-elle pas à une colonne dorique ? Elle lui parle d'un tableau de Cézanne, qui représente une cuisinière en tablier bleu, dorique. Et le style ionique, pourquoi ne décrirait-il pas l'élégance d'un jeune zouave en veste bleue brodée de volutes rouges ? Ariane m'a montré ce jour-là ses albums à elle : les panthères et les lions qu'elle dessinait le dimanche au Jardin des Plantes, les animaux en mouvement, avec leurs regards lancés de l'autre côté des cages.

Pour les décors, Pontremoli a donné quelques esquisses, que Théodore a refusées. Elles ressemblaient trop à la villa pompéienne du prince Napoléon. De grandes scènes se déroulaient sur fond rouge, avec des tons soutenus. Il préfère que les peintures se fondent avec délicatesse entre les marbres de Carrare. Les enduits teintés, les couleurs très diluées appliquées au pinceau doivent suggérer les « lécythes », ces hauts vases grecs aux tonalités blanches qu'il aime plus que tout. Cela formera un portique, pas bien long, pas très grand, mais un cloître où il pourra se promener doucement en philosophant à voix basse. Théodore sait qu'on pense mieux en marchant, qu'on écrit mieux debout, et qu'il ne faut pas avoir honte de manger couché si l'envie vous en prend.

Il ne veut pas non plus, après avoir refusé les dessins de Pontremoli, faire appel à un grand peintre, qui vexerait l'architecte. Ariane et Grégoire suggéreront les noms de deux artistes. Il y aura Gustave-Louis Jaulmes, un jeune élève de Victor Laloux – le premier professeur de Pontremoli, à qui on doit cette lourde gare d'Orsay qui ressemble à un musée presque autant que les musées de ce temps-là ressemblaient à des gares. Il excelle dans les motifs ornementaux, les vagues tracées d'une main sûre, les palmes frémissantes parce qu'il abandonnait le pochoir pour leur donner du style, de la vie. À ses côtés, Adrien Karbowsky, élève de Puvis de Chavannes, un homme qui rappelle sans cesse qu'il est né l'année de la grande exposition, en 1855, où se sont opposés Ingres et Delacroix. Adolphe sympathise tout de suite avec lui, ils regardent ensemble des volumes de vases grecs, et se demandent ce que les textes antiques disent de la préparation des couleurs. Adolphe m'appelle pour regarder. Souvent Ariane et Grégoire participent aux discussions : tous ensemble, comme des musiciens dans un petit orchestre, ils sont en train de ressusciter la peinture de la Grèce. Les auteurs grecs ont laissé des descriptions de tableaux, parlé de centaines d'artistes, de maîtres et d'élèves, d'écoles successives, on n'a jamais rien retrouvé. Alors on peut imaginer.

Théodore veut garder le style des vases, les agrandir comme si on les déroulait sur les parois. Les sujets seront simples, mais originaux – on évitera la guerre de Troie. Dans une niche, sur le côté, il y aura un moulage du buste d'Homère, avec sa barbe et ses yeux clos. Le plus étrange, dans ce décor, c'est la scène de la mort de Talos, après la découverte de la Toison d'or. Le héros ressemble à ceux des monuments qu'on édifiera quelques années plus tard dans chaque village de France, un grand cadavre au centre – c'est ce qui frappe, alors que tout le monde a oublié l'histoire de Talos, et ne sait même plus qui la raconte. Sur le côté, Apollon et Hermès – ou est-ce plutôt Dionysos ? – se disputent. Le dieu barbu prend le bras du dieu des arts, pour lui faire lâcher la lyre qu'il tient à la main.

Dans la partie basse du mur, les fresques représentent des vagues stylisées et une collection de coquillages de Méditerranée. On m'a laissé tenir le pinceau. Ce sont mes premiers essais. C'est cela le plus beau.

15

Le dernier des peintres de la Grèce ancienne

Quand Adolphe s'est marié, à vingt-cinq ans, cela a pris l'allure d'une évidence. Depuis des années, Mathieu Dreyfus venait chez son père, il lisait à ses amis Reinach les lettres que son frère captif envoyait de l'île du Diable. La petite Magui Dreyfus, sa fille, et Adolphe avaient vécu ensemble tous les rebondissements de l'Affaire. J'ai retrouvé un poème qu'il avait écrit à onze ans pour l'offrir à Magui, racontant l'histoire à sa façon, faisant rimer « Zola » et « Calas » et « Dreyfus » avec « Jésus ». Magui était très jolie, visage rond, cheveux noirs, un sourire d'enfant. Son répétiteur était un blagueur, c'était le célèbre Christophe, pseudonyme d'un savant chimiste qui s'appelait Colomb : l'auteur fameux du sapeur Camember et des aventures de la famille Fenouillard. Cela lui donnait, parmi les enfants de son âge, un considérable prestige. Chez les Reinach, elle jouait, devant Théodore qui en redemandait, à la modeste et volubile servante du professeur Cosinus : « Le bain de pieds que vous aviez commandé pour réfléchir n'attend plus que vous, monsieur… » Elle m'a donné, bien plus tard, un des volumes de Cosinus qui avait appartenu à Adolphe, avec son nom écrit sur la première page à l'encre violette et une dédicace de Christophe en personne.

Dans le clan Reinach, tout le monde soutenait Mathieu Dreyfus dans son combat pour son frère. Ils savaient que le capitaine Dreyfus avait contre lui d'être trop riche, trop bien marié, d'avoir l'air froid et peu sympathique. Dans l'armée, cela se savait aussi, et il a fallu longtemps pour que tous, au village, finissent par dire, du notaire à la crémière, qu'on avait eu raison de le réhabiliter ; le curé a été un des derniers à l'admettre, ce que les Reinach savaient, même s'ils n'en parlaient pas. « Celui-là, disait Adolphe, il est d'une mauvaise foi punique ! » Mathieu Dreyfus était plus chaleureux que son frère, Magui tenait de lui. Magui et Adolphe passaient des heures ensemble sous le péristyle. Ils savaient depuis toujours qu'ils allaient vivre ensemble. Voici ce que me dit le vent quand il passe le soir entre les colonnes de marbre en glissant devant les fresques : mon ami, qui était le dernier des peintres de la Grèce, n'est pas revenu de la guerre.

Grâce à lui, et à elle, je me mis à critiquer Kérylos. Ils osaient dire que les matelas n'étaient pas assez confortables, que ça manquait de pendules, qu'on avait envie de faire des trous dans les murs, de repeindre, qu'il n'y avait même pas de piscine, si au moins c'était sérieux du point de vue de l'archéologie, passe encore… Les critiques de Magui n'étaient pas exactement les miennes. Je sentais que je n'allais pas passer ma vie avec eux tous. Je ne savais pas encore ce que je voulais. Je vivais sur la pointe des Fourmis comme dans une principauté indépendante, mon Monaco à moi, qui ne me suffisait plus. Au village, j'avais fini par ne plus voir grand monde, j'en avais eu assez de leurs commérages. Mais il y avait de longues périodes durant lesquelles les Reinach n'étaient pas là et où je me retrouvais entre les gens de la maisonnée Eiffel, ma mère qui me sommait de prendre un vrai métier, et le personnel de la villa. Je n'en pouvais plus de leurs histoires. À Beaulieu, ceux qui m'avaient connu petit devaient me trouver hautain, le cafetier m'avait demandé si on avait encore le droit de me parler, et je me repliais dans la société du facteur, de l'érudite crémière et du notaire, qui m'aimaient bien et avec lesquels on pouvait discuter – à ceci près que je ne supportais plus leurs discours sur les juifs, qui s'étaient beaucoup perfectionnés en cruauté. Le notaire avait dit devant moi : « Ce Reinach, c'est l'exemple même d'une de ces grandes intelligences juives, très brillantes, et qui finalement ne donnent rien. » Il voulait dire que Théodore, Salomon ou surtout Joseph auraient pu être aussi célèbres que nos grands hommes de la Troisième, mais qu'ils n'y arriveraient jamais. Kérylos, ce n'était donc rien ? Les quelque trois cents livres et les milliers d'articles écrits par les trois frères, ce n'était rien non plus ?

Et Adolphe, mort à vingt-sept ans, auteur de cent quatre-vingts publications ? Mes jolis vestons à carreaux et mes pantalons de toile me donnaient l'air d'un étudiant aisé, ma mère disait que mon père ne m'aurait pas reconnu, je ne suis pas certain que cela lui faisait plaisir. Je prenais maintenant le train pour aller à Nice, j'avais déjà accompagné Fanny Reinach à l'opéra, à Monaco, je découvrais une vie dont personne ne pouvait avoir idée dans la cuisine des Eiffel.

Depuis des siècles, pour trouver et comprendre le passé, les archéologues creusaient. Le génie de Théodore avait été de construire pour comprendre. Il m'avait appris, sans rien me dire, à faire toujours l'inverse de ce que les gens attendent. Adolphe me disait qu'il fallait avoir les pinceaux à la main pour se faire une idée de la peinture dans la Grèce antique. Quand le peintre Jaulmes mélangeait ses pigments devant nous, les plaçait sur le mortier, il était archéologue, il créait, il inventait, c'était une manière géniale de faire des fouilles à l'envers. Voilà ce qui intéressait Adolphe. Magui s'émerveillait avec lui. Il eut l'idée de rassembler tout ce que les textes anciens nous disent de la peinture. Son travail est une somme qui fait encore autorité, je crois. Il eut l'idée très nouvelle de s'intéresser non seulement aux vies des artistes, mais de récolter toutes les informations techniques. Il avait hérité d'un érudit qui n'avait jamais terminé un fatras de fiches éparses et s'était lancé dans la révision des textes, il les avait commentés. Son oncle lui-même, le sage Salomon, qui entreprenait pourtant des besognes érudites qui pouvaient l'occuper un an ou deux, avait tenté de l'éloigner de cette tâche si ingrate ; Adolphe vérifiait tout avec ardeur, me parlait des dernières découvertes : on avait mis au jour dans les ruines de l'antique Démétrias des stèles, ensevelies dans un rempart de briques, qui étaient peintes et dataient de l'époque hellénistique, c'était une piste pour imaginer la peinture des Grecs. On avait trouvé des tombeaux ornés à Sidon, et des morceaux de peinture dans des tombes antiques du sud de la Russie. Adolphe voulait aller voir, mais au seul mot de Crimée, son oncle faisait la grimace et Théodore se taisait – je ne comprenais pas encore pour quelle raison. Ils ne m'avaient pas tout dit de leurs vies.

À la différence de son oncle, qui mettait les textes au-dessus de tout, Adolphe voulait travailler avec des photographies de sites, lancer des chantiers de fouilles. De la Macédoine à l'Égypte, il rêvait d'aller chercher des peintures, il était certain d'en trouver. Il m'avait dit qu'il m'emmènerait, qu'on ferait le tour de la Méditerranée, ce serait une razzia d'images qu'aucun de ces vieux savants n'avait jamais vues. Il avait prévu un volume sur les mosaïstes, un autre sur les peintres de vases, il aurait écrit dix ou vingt volumes sur l'art grec en dix ans. Il avait son programme.

Son grand monument est resté inachevé et seul son livre sur la peinture a pu être terminé. Il avait commencé, quand la guerre avait éclaté, de corriger, sur ces grandes feuilles qu'on appelle des placards, les épreuves que l'imprimerie lui avait envoyées. Il y avait plein de fautes, des coquilles partout, parce que les typographes ne savaient pas le grec. Le livre a été publié sept ans après sa mort au front, à l'aide des centaines de fiches qu'il avait rassemblées.

J'ai été ému de voir le nom de mon ami ressusciter sur la couverture d'un livre, il aurait aimé cela. C'est Théodore qui a fini le travail, il y a passé beaucoup trop de temps, il n'arrivait pas à terminer, comme s'il construisait une tombe pour Adolphe, ici, sous le péristyle. Avec Adolphe, tout partait d'un enthousiasme. Il empruntait la palette de M. Jaulmes, l'aidait à broyer ses cristaux, à doser les teintes. Je voyais ses yeux briller. Il filait à l'office réclamer des rascasses et remontait avec une bouteille de vin blanc.

Je fis quelques voyages à Paris, avec lui, rue Hamelin, pour aller porter des plis, faire signer des factures, mais la maison Reinach de ce beau quartier m'était très étrangère. Comme toute cette ville, bien sûr : lors de mon premier voyage « dans la capitale » j'étais tellement perdu que je suis monté dans un taxi et j'ai dit au chauffeur : « À la gare ! »

Ma première visite de courtoisie avait été pour la tour Eiffel, l'ascenseur m'avait émerveillé – je savais depuis des années comment il fonctionnait, j'avais envie de crier au petit groupe d'Italiens qui y étaient avec moi que j'étais un ami du prodigieux inventeur de cette machinerie – et au sommet j'avais passé des heures à essayer de reconnaître les monuments, les flèches, les coupoles, je rêvais d'un voyage en ballon, j'étais heureux près du ciel. Je suis redescendu vers le Louvre, pour me perdre dans les vases grecs, il y en avait des milliers dans de hautes étagères en bois sombre. Je me suis affalé sur une des grosses bornes, au centre de la salle, et j'ai regardé tous les gens qui ne regardaient rien. Les mères expliquaient à leurs filles que Zeus était le mari de Vénus, elles repartaient du Louvre enchantées de n'avoir rien vu. Devant les vases grecs, les matrones accéléraient et les vieux amateurs essuyaient leur pince-nez. Je suis passé dans la galerie d'Apollon, où sont les trésors, je ne voyais pas grand-chose moi non plus. Quand j'ai parlé à Théodore de la peinture de Delacroix, où le serpent, qui a l'air d'un monstre de la préhistoire, est terrassé par le dieu des arts, je n'ai pas compris pourquoi son visage s'est assombri. J'ai cru qu'il n'aimait pas Delacroix, ou qu'il trouvait que cette image fougueuse ne ressemblait pas à ce qu'il aimait de l'élégance grecque.

C'est le mot « galerie d'Apollon » qui semblait lui avoir déplu, il changea de sujet et me parla des fouilles de Milet, dont le résultat serait pour le musée, et que les Rothschild finançaient entièrement. Il me demanda si j'avais vu les Ergastines, je balbutiai. Adolphe m'expliqua qu'on appelait ainsi le plus beau de tous les fragments de marbre de la frise du Parthénon, qui a échappé aux Anglais qui ont volé presque tous les autres. Celui-là, il a été offert à un Français, et il a sa place chez nous : une cohorte de jeunes filles, avec des robes qui tombent à leurs pieds, qui marchent lentement, l'une derrière l'autre, pour aller rendre hommage à la déesse d'Athènes. Je n'y suis retourné que bien plus tard, et j'ai regardé cette sculpture comme si je la voyais par les yeux de mon ami Adolphe, sans arriver à me souvenir de ce qu'il m'avait dit. C'est ainsi : les phrases importantes, je les oublie, je ne retiens que les bêtises de la servante du savant Cosinus. Le Louvre, Paris, cela n'était pas pour moi : j'avais besoin de la mer et du soleil. Je ne ressentais pas pour autant le besoin de retrouver ma famille, mes oncles et mes tantes en Corse – ma mère insistait pour que j'y aille plus souvent, je la laissais dire. J'avais envie de voyages. Je me sentais enfermé dans le dédale de Kérylos. Théodore le comprit. Lui aussi voulait partir. Un soir de tempête sur la mer, sans rien dire à personne, je le vis ouvrir lui-même, une à une, toutes les fenêtres.

SECONDE PARTIE

L'hymne à Apollon

« Par moi, par mon amour, le Labyrinthe ouvert… »

Thomas CORNEILLE, *Ariane*

16

L'ancre en mosaïque

Mon premier voyage avec Théodore et Adolphe fut une croisière en Grèce, avant même la fin des travaux, en 1904. Cela nous permit de sortir des conversations avec les entrepreneurs et les maçons, qui passionnaient moins Théodore que ses longues discussions avec Pontremoli – il voulait tout savoir de la construction de sa maison, c'était son œuvre. J'allais découvrir enfin la Grèce. Je commençais à bien la connaître sans y être jamais allé. En mer, lui ne parlait que du chantier. Les souvenirs que je garde de cette expédition sont remplis d'images fixes, des vues des chambres en train d'être peintes après la pose des lavabos de marbre, des projets pour tel porte-serviettes en bois ou pour le meuble qui dissimulerait le bidet. Il lui arrivait de dessiner lui-même, pour me montrer, sur le petit gaillard d'arrière du bateau, où nous avions installé nos quartiers. La villa s'attachait à nous.

Les Reinach voyageaient et donnaient l'impression de ne jamais bouger. Dans une armoire de la bibliothèque, de gros albums de photographies montraient leurs séjours en Turquie, au Levant, en Égypte. Que sont-ils devenus ? Dans de lourdes reliures de cuir noir, le tourisme de Salomon finissait par se mélanger à celui de Théodore ou aux visites – moins nombreuses – entreprises par Joseph. Tout cela s'empilait dans la maison. Même quand il partait, Théodore semblait ne jamais abandonner Kérylos. Les souvenirs des périples étaient tous rangés ici, dans son navire. Un de ses cris favoris était « Levons l'ancre ! », il clamait à haute voix ce vers d'André Chénier : « Partons, la voile est prête et Byzance m'appelle ! », et retombait dans son fauteuil.

Aujourd'hui, je me rends compte que ce premier voyage vers la Grèce véritable a été ma grande aventure et que je ne m'en souviens plus. Je n'ai retrouvé dans ma mémoire des plages, des ruines et les angoisses des premiers départs que ce matin, devant les mosaïques de l'entrée. Comme si je n'étais pas sorti de Kérylos, comme si cette croisière avait été un de mes rêves, un de ces récits que je me faisais pour moi seul, quand je me disais que j'étais avec Dreyfus à l'île du Diable ou enfermé dans une fusée qui allait crever l'œil de la déesse Lune. Toute la réalité de ma jeunesse s'est déposée sur les vitres et sur les murs de cette maison, tout ce que j'avais vu ailleurs était resté pour moi comme une suite d'images entraperçues de l'autre côté des fenêtres. La villa est un sphinx et elle a des griffes. J'étais immobile moi aussi, même dans mes voyages – et puis ces tours en Grèce, ces détours, je les ai faits avec les Reinach, je n'avais jamais été seul, jamais libre. Je n'ai commencé à quitter Kérylos qu'en décidant de les fuir.

Avec leur père, les trois Reinach avaient visité l'Allemagne, la Suisse, l'Italie je crois aussi, ils avaient vu les châteaux d'Angleterre et les frères avaient envie de poursuivre cette tradition. Une première croisière avait été programmée, en 1902, à bord d'un bateau qui s'appelait *Le Niger*. Il n'était pas prévu que je sois de l'expédition, j'arrivais à peine, mais j'en entendais beaucoup parler. M. Eiffel lui-même avait dit qu'il viendrait. Il était question, en cuisine, de Beyrouth, Damas, Jérusalem, la Crète… Seulement, une épidémie de peste s'était déclarée à bord. M. Reinach était partisan de partir quand même : tout avait été désinfecté, il croyait aux vertus hygiénistes. Faute de combattants, il se résigna – avant d'apprendre que le navire avait fait naufrage sur les côtes de Thessalie. Je m'imaginais, capitaine de quinze ans, sauvant tout le monde et décoré par le président de la République. Quand nous fîmes la croisière, deux ans plus tard, c'était mieux : j'étais en âge d'apprécier.

Sur le bateau, M. Reinach redevenait Théodore, il aimait jouer comme un enfant. Je m'en étais déjà aperçu. Il m'avait emmené au cinéma avec toute la famille, c'était lui qui riait le plus fort. Une projection avait été organisée à Cannes, ville qui semblait alors complètement étrangère à ce nouveau divertissement.

Chez nous, à Beaulieu, on connaissait l'invention des frères Lumière. Leur père avait fait construire au cap d'Ail trois villas énormes, une pour lui et une pour chacun de ses deux enfants, tout le monde s'en moquait. Le « père Lumière » avait cru qu'il était architecte et il avait mis des colonnettes et des guirlandes partout. En sortant de la séance, Théodore avait expliqué d'un air docte que les cartons sur fond noir qui nous disaient ce qui arrivait aux personnages étaient comme les inscriptions dans l'Antiquité. Nous n'avions même pas remarqué, nous avions juste vu les images bouger. Nous nous sommes fichus de lui – et cela lui faisait plaisir.

Nous embarquâmes à bord de *L'Île-de-France*, un bon bateau qui n'était pas le palace flottant qui porta ce nom entre les deux guerres, durant un mois d'avril qui se révéla très éolien. Je partageais la cabine d'Adolphe, nous faisions des exercices le matin sur le pont. Entre deux escales, on écrivait et on jouait des pièces de théâtre, ou plutôt des revues de cabaret. Je me souviendrai toujours de Théodore sur le pont principal transformé en scène, devant des spectateurs installés sur des transats, dans son propre rôle, l'archéologue. Il n'avait pas eu besoin de se grimer. Tous les gens qu'il avait entraînés avec lui étaient des plus sérieux, je revois M. et Mme Louis Merle ingénieur des mines, le grand patron de l'aluminium français, qui avait épousé la fille d'un autre baron de l'industrie, Albert Massé. Autant de noms, célèbres alors… Ils figurent tous dans la brochure publiée à bord, qui rend nos exploits immortels. Le titre avait été trouvé par Théodore, et je pense que les autres membres de l'Institut n'en ont jamais eu vent : *Cérigo-lo,* publié « par une société de savants et d'ignorants ». Cérigo était le nom antique de l'île de Cythère, celle des amoureux. Nous y étions allés, après l'escale de Malte. Pour le spectacle, Maurice Feuillet, celui de *L'Assiette au beurre* et du *Figaro artistique*, avait dessiné des costumes à la mode crétoise : qui pouvait penser que ce meneur de revues qui chantait à tue-tête deviendrait, deux ans plus tard, administrateur de la *Gazette des beaux-arts* ? L'histoire était d'une simplicité homérique : un archéologue débarquait à Cérigo et trouvait une publicité pour le chocolat Lombart et une autre pour la moutarde de Dijon. Théodore mettait son lorgnon, fronçait le sourcil, et déchiffrait. Puis il découvrait une partition antique, dont les premières notes donnaient l'air de « Viens, poupoule ! ». Il se plaignait beaucoup de ce M. Jason qui insistait pour qu'on lui réserve toutes les cabines du navire *Argo*. Ce fat prétendait partir avec des amis à lui à la recherche d'une indécente toison d'or. Adolphe, les yeux maquillés comme ceux d'une danseuse khmère, déhanché et en justaucorps, jouait « le Vasophore », un serviteur grec qui apportait un immense cratère de punch dans lequel les convives à demi allongés se servaient à la louche. Maurice Feuillet ne cessait de le rappeler en criant : « Par ici, échanson des dieux ! » Moi on m'avait badigeonné en vert et je devais rester debout sur un socle : j'étais la statue d'Hercule offert à l'admiration de toutes et de tous. Alice Fougères apparut en charmeuse de serpent, et ne dansa pas que pour son mari. Charles de Galland, qui n'était pas encore maire d'Alger, et dont tout le monde respectait l'érudition classique, trônait en roi Minos qui ne comprenait rien à rien. Ils partaient ensemble, à la fin, sur « l'arche à pétrole », comme saisis de transe, entonnant à qui mieux mieux « Bon voyage, monsieur Dumollet », qu'Adolphe avait traduit en hébreu biblique en mon honneur, puisque Héraklès Dumollet, c'était moi.

Quatre ans après, le même Adolphe devenait membre libre de l'École française d'Athènes et je me suis toujours demandé s'il aurait eu cette passion sans la croisière de *Cérigo-lo.* Il aurait pu envoyer promener toutes les lubies de son père. Sur les sites archéologiques, je le découvrais, le plus sérieux de tous, prenant des notes sur des bristols d'invitation à des réceptions où il ne s'était pas rendu et qu'il fourrait dans ses poches, et moi je l'imitais, comme je pouvais, en dessinant ce qui me plaisait et en photographiant.

Quelques jours plus tard, nous dûmes renoncer à la visite de Délos à cause de vents contraires. Cela perturba Théodore, parce qu'il savait qu'on venait de trouver autour du temple d'Apollon des maisons qui pouvaient l'intéresser pour Kérylos – j'ajoute cela pour modérer un peu ceux qui répètent que la villa de Beaulieu est issue de celles de Délos, exhumées à la même époque. Tous ceux qui n'y connaissent rien, les demi-savants, « les pires », ajoutait toujours Fanny Reinach, qui affectait avec esprit d'être perpétuellement dans l'admiration de son mari, disent que Kérylos est la reproduction à l'identique d'une maison de l'Antiquité grecque. Pour faire les malins, ils ajoutent d'un air fin : « du type de celles découvertes à Délos, où il y en a des quartiers entiers ». Ces maisons de Délos sont plus petites, moins bien conçues, et on ne les a publiées et fait connaître qu'à la toute fin de notre chantier. Certes, celui qui les fouillait était Joseph Chamonard, un ami de Pontremoli, de Grégoire et d'Ariane – qui n'étaient pas de la croisière –, mais de là à conclure qu'elles sont la source unique de la maison, c'est simplifier tout. A-t-on jamais vu un salon de musique dans les maisons de Délos ? On n'a trouvé là-bas, sur la colline, les maisons à étages qu'en 1904 : Pontremoli avait déjà dessiné ses plans. Il fut heureux de voir que les Grecs et lui étaient parvenus aux mêmes conclusions quant à la disposition des pièces, en particulier pour les vestibules dans lesquels s'insèrent les escaliers. Délos confirmait ce que Théodore avait trouvé à Kérylos, pas l'inverse. La villa est ouverte de tous les côtés, on voit la mer entrer dans chaque pièce, c'est le contraire des ruelles de Délos. L'électricité est installée partout. En a-t-on vu beaucoup, des interrupteurs en porcelaine, à Délos ? Et en plus il y a le ballon d'eau chaude, merveille du génie humain !

La première fois que je me suis exprimé en grec, devant Adolphe et Théodore, ça a été un éclat de rire : les Crétois ne comprenaient que la moitié de ce que j'essayais de dire. Le grec de Cargèse était tellement mâtiné de corse qu'il était comme une langue étrangère.

« Je crois que nul ne parvient à interpréter notre interprète, dit Théodore.

— Articule plus, moins de *iou*, plus de *os*, fais des phrases simples, on a besoin de toi ! »

Adolphe se moquait aussi. J'étais mortifié. Ma mère m'avait enseigné son patois en me laissant croire que c'était la langue des dieux.

Après La Valette nous étions arrivés à La Canée, nous vîmes les débuts du musée où se concentraient les pièces exhumées lors des fouilles des palais de Crète. Je ne savais pas que Cnossos était une folie digne de Kérylos. Le célèbre Arthur Evans, qui allait devenir très peu de temps après « sir Arthur », nous accueillit dans les vestiges de ce palais qu'il disait être celui de Minos, avec le fameux Labyrinthe, des portiques, des salles immenses et de hautes cornes de taureau. Il traita Théodore d'égal à égal. C'était un savant moins guindé que les Reinach : chemise ouverte, sans cravate mais avec une épingle de cravate en perle dans l'échancrure, costume de lin beige avec gilet, fleur rose à la boutonnière, une autre école archéologique. Il nous montra les chambres, décrivant des salles de bains somptueuses qu'il était en train de reconstituer – ses bétonnières tournaient à plein régime et une armée de peintres venus d'Athènes, dont certains nous parlaient avec émotion de l'École des beaux-arts de Paris, des musées de Bâle et de Munich, finissaient les morceaux de fresques à peine retrouvés. À partir d'une bouclette ils fabriquaient un visage, deux sabots donnaient une grande scène de tauromachie, un bras, un pied, une nuque assemblés devenaient *Le Prince aux lys*, c'était superbe. Théodore n'était pas dupe, il s'amusait, en prenant le thé avec eux, de voir comment ils évitaient le style classique pour revenir à des formes simples, primitives et belles. Personne ne se posait la question du vrai et du faux. C'était sous nos yeux l'invention de la civilisation minoenne. Peu après, à Paris, les femmes porteraient des robes inspirées par la mode crétoise, sans se demander si ce n'était pas plutôt les fresques crétoises qui avaient été inspirées par leurs élégances. Dans la salle du trône, Théodore s'assit et posa pour une photographie que j'ai toujours, encadrée chez moi, et qui a survécu à tous mes déménagements et à toutes mes colères contre lui. Il est olympien, il est ridicule.

Pendant les quelques jours passés à Chypre, c'était touchant, il sembla presque se justifier auprès de moi : « Tu sais, Achille, quand j'avais ton âge, à l'école, où mon père avait fini par nous inscrire après toutes ces années de répétitions à la maison, je détestais le sport. Je haïssais le professeur de gymnastique qui venait une fois par semaine à Condorcet – on disait encore le lycée de Fontanes – avec son sifflet autour du cou dans la cour de récréation, un ancien cloître de couvent. Un vrai sergent de ville. On l'appelait le tortionnaire. Et il avait comme comparse le surveillant qui me disait toujours : “Allez, va courir, va jouer au ballon avec les autres.” Jamais on ne dit à un jeune homme qui tape dans un ballon : “Allez, prends un livre, va lire avec les autres, regarde Théodore comme il est heureux avec son livre, ça ne te fait pas envie ?” Je trouvais ça très injuste. Je crois au fond que je n’ai pas changé d’avis. Sauf pour toi, tu es fait pour le sport, nous n’y pouvons rien… Nous allons te garder quand même ! Tiens, attrape, c’est un livre ! »

Nous vîmes Famagouste et la tour d’Othello, monument à la gloire de la jalousie. Adolphe et moi étions peu sensibles à ce sentiment qui entraîne l’homme vers le bas et le conduit au crime, et moins séduits encore par l’insupportable idée de Théodore de nous faire traduire la pièce de Shakespeare afin de « dérouiller notre anglais ». Nous nous sommes éclipsés, pour faire en ville quelques visites qui n’étaient pas archéologiques. Puis nous avons abordé à nouveau en Crète ; à Kalami, nous nous sommes rendus à dos de mulet jusqu’à Phaistos, autre palais, plus authentique et sauvage car moins envahi d’archéologues britanniques. Le site était pris en main par des Italiens, qui s’apostrophaient d’un muret à l’autre, buvaient beaucoup, et ne restauraient pas trop, ce qui à mon avis valait mieux. À côté de Cnossos et de son grand spectacle, Phaistos était un film en noir et blanc. Au milieu de cet autre dédale à peine exhumé couraient des tortues qui passaient de mare en mare. La plage était splendide, la plus belle que j’aie vue de ma vie. J’ai nagé pendant trois heures, au coucher du soleil, heureux comme un demi-dieu.

Dans un hangar à part, on nous montra un disque

de terre qui venait d'être découvert, avec une inscription qui s'enroulait comme un escargot, dans un système d'écriture que personne ne connaissait. Théodore la regarda avec circonspection, expliquant qu'il n'est jamais très bon de trouver ce genre d'objet, dont on n'a aucun autre exemple – je n'y ai pas prêté attention à l'époque, mais il m'en a reparlé, furieux, au moment de la douloureuse affaire de Glozel qu'il faudra bien que je raconte aussi. Je me suis demandé s'il ne soupçonnait pas une mystification des Italiens.

Il était très attentif aux supercheries, je ne comprenais pas pourquoi. Il me dit, d'une voix rêveuse, que j'entends encore : « Une belle trouvaille, nous en rêvons tous… Tu verras, si tu persistes un peu dans l'étude des civilisations… La découverte peut venir… Adolphe, lui, je suis certain qu'il y songe… »

Ce « disque de Phaistos » est devenu populaire en Crète, on en a même fait des porte-clés et des breloques, mais il n'a toujours pas été déchiffré – certains pensent que c'est un jeu de l'oie. Adolphe, lui, prit le temps de copier une longue inscription, de type traditionnel, qu'il publia. Il était fier, presque autant que de nos souvenirs, gardés secrets, des mauvaises maisons de Famagouste. Un de nos compagnons acheta un fragment de profil de femme, tout à fait authentique, pour le Louvre. Il s'y trouve toujours, personne ne sait qu'on le doit au créateur des costumes de la délirante revue où les plus grands de nos savants reprenaient en chœur « Viens, poupoule ! ». Quand je raconte les croisières de cette époque, personne ne me croit.

Au retour, je faisais encore des pompes comme un adjudant et de la gymnastique suédoise, mais j'écoutais aussi la voix des dieux. Kérylos s'éclairait pour moi. Mon grec s'améliorait, même si j'avais encore du mal. Je me forçais à apprendre par cœur des pages de tragédies. Nous n'avions pas vu Athènes. J'en avais envie. Je dessinais mieux que jamais, je mettais au net mes carnets, ma technique d'aquarelliste était devenue plutôt bonne. J'avais appris des choses qui allaient m'être utiles, des années après.

L'ancre en mosaïque, sur le sol de la villa, avait été prévue avant notre départ, elle prenait son sens. Aujourd'hui, je la regarde, enserrée dans les lignes géométriques tracées en rouge sombre par les tesselles qui cassent le sol en mille morceaux, en me rappelant nos voyages, je la dessine dans ce volume de mes souvenirs, et je fredonne les airs de *Cérigo-lo* – je ne pensais pas que je les avais gardés quelque part dans ma mémoire. Théodore m'avait expliqué qu'il avait fait copier cette ancre d'après le relevé d'un pavement grec, trouvé à Délos dans la « maison du trident » et publié dans une revue érudite, mais il avait insisté sur le fait que la mosaïque originale était au bord d'une cour intérieure, « un peu bêtement installée », dans l'axe principal, alors qu'ici, elle était mieux, entre le vestibule et le grand péristyle : le mouvement du dauphin qui s'enroule autour de l'ancre incitait les invités à tourner vers la droite, comme si elle mettait en mouvement la maison – et elle signifiait que c'était là qu'il avait amarré sa famille. Dans son esprit, c'était clair : il avait mieux réussi que les Grecs, en posant comme cela des morceaux choisis dans des endroits où ils sonnaient juste, mieux que les originaux. Selon Adolphe, l'ancre de Kérylos avait un emplacement « qui ne faisait pas grec du tout ». Selon Théodore au contraire, son ancre aurait suscité l'admiration des mosaïstes de Délos, et rien ne lui faisait plus plaisir. Aucun milliardaire de cette époque n'aurait été capable de ce mélange de bon goût, de jeu historique – avec une citation rarissime exhumée depuis peu, qui survenait à propos, comme dans une conversation de bon ton – et de plaisanterie. Il ajoutait, rien que pour moi : « Tu verras que dans cent ans on osera dire que le néo-gothique est mieux que le gothique, que le néo-Renaissance de la villa Eiffel est mieux que le Renaissance, que les femmes de Renoir sont encore mieux que celles de Fragonard, et que notre maison grecque est plus belle que les maisons de Grèce, et ce sera vrai. N'oublie jamais mes amis les archéologues de l'an 4000, c'est pour eux que nous travaillons ! »

17

Comment on rêve aux thermes de Kérylos quand on vient de passer quelques jours dans un monastère à vivre comme au Moyen Âge

Fanny Reinach dissimulait des flacons portant les étiquettes de Coty ou de Guerlain dans des coffrets de santal. Elle prononçait avec douceur le nom de « Naiadès », que Pontremoli avait donné à cette pièce si luxueuse, bâtie autour d'un bassin octogonal, avec l'arrivée d'eau chaude et la vapeur, les derniers bains antiques construits dans tout l'Occident pour honorer les naïades, ces jeunes femmes qui aimaient tant nager au milieu des tritons barbus et des dieux couronnés d'algues fraîches. Pontremoli était allé chercher ses modèles à Budapest et à Istanbul, il y avait ajouté une technologie digne de la plus rapide des locomotives. Aujourd'hui, rien ne fonctionne plus, j'ai vu, en passant vite, des fissures dans le sol, je ne suis même pas certain que l'eau y arrive encore. Au village, les gens ont longtemps raconté que Théodore s'y baignait nu avec Sarah Bernhardt, je laissais dire… La comédienne avait depuis longtemps passé l'âge de barboter avec les membres de l'Institut.

Dans les premiers temps, je n'utilisais pas ces installations, je me contentais de régler la température, de veiller à ce que la pression ne soit pas trop forte, et je m'effaçais tandis que Mme Reinach s'y installait pour bavarder des heures durant avec ses amies. Je n'étais pas digne d'un tel luxe – ma mère ne trouvait pas très convenable d'installer ainsi un hammam chez soi. Une jeune fille venait du nouvel hôtel Negresco, pour les massages. La petite piscine permettait de s'asseoir, comme dans un baptistère en mosaïque découvert à Ravenne, sauf qu'ici le décor n'avait rien de chrétien, c'étaient des dauphins, des animaux marins imaginaires, une frise de vaguelettes. Quand tout était prêt, je laissais une serviette à la porte, cela voulait dire que nul ne devait y entrer. C'est Adolphe qui a osé le premier me pousser dans cette caverne sybaritique – Sybaris n'était-elle pas la ville grecque la plus célèbre au monde pour ses baignoires qui avaient ramolli ses habitants ?

C'était une fin d'après-midi, toute la maisonnée était partie en excursion, nous avions fait deux heures de gymnastique et une heure de natation, il lança la vapeur, et nous nous sommes retrouvés comme deux athlètes d'Olympie à barboter dans la grande cuve en faisant des plaisanteries salaces. Le rituel s'instaura, nous nous accordâmes le droit à la vapeur une fois par semaine, Théodore approuva, Fanny se contenta de nous interdire en riant de toucher à ses onguents et de convoquer la masseuse du Negresco.

Après la guerre, le médecin m'avait conseillé de faire des mouvements dans l'eau, pour rééduquer mes jambes. « Naiadès » était au bout du petit couloir qui se terminait par « Philémon », ma chambre. Dans les premiers temps de ma liaison avec Ariane – quel mot horrible –, alors qu'elle venait me voir tous les jours, je lui ai fait la surprise. C'est un de mes plus beaux souvenirs d'amour. La maison était vide, elle était entrée avec les clés de son mari, sans se signaler au gardien, elle ne m'avait pas trouvé dans mes quartiers. J'avais laissé entrouverte la porte des thermes, et la vapeur parfumée se répandait au-dehors. Elle comprit l'invitation, elle se déshabilla, laissa ses sandales devant la statue de l'entrée, je la vis apparaître nue, dans l'encadrement de la porte de bois.

Je crois que le projet de Théodore de voir renaître l'Antiquité n'a jamais été plus réussi qu'à cet instant. J'étais assis dans l'eau, face à elle, je l'ai regardée descendre dans le bassin. Les marbres blancs à veines sombres, éclairées par les bougies que j'avais allumées, projetaient des reflets chauds sur sa peau. Elle s'est élancée contre moi, j'ai fermé les yeux, j'ai senti son corps s'allonger sur le mien. Nous nous sommes aimés sans penser à la Grèce, et j'ai réussi à ne plus penser du tout à la guerre. Nous sommes restés au moins trois heures dans la chaleur, allongés au bord du bassin, main dans la main, à nous masser avec douceur, en écoutant le bruit de l'eau. Je lui ai raconté ce jour-là ce que je n'avais jamais dit : les détails du voyage que nous avions accompli, Adolphe, Théodore et moi, dans le sanctuaire le plus secret de la Grèce, la montagne sainte qui perpétuait les rites de Byzance, sur l'Athos.

Au fond de la pièce, une demi-coupole avec des mosaïques créait étrangement une atmosphère religieuse, un côté Saint-Marc de Venise équipé de porte-savons en bronze. Elle me posa beaucoup de questions, elle osa me faire parler d'Adolphe, dont je ne pouvais plus rien dire, depuis sa mort. C'est la première fois, dans ce décor où lui et moi nous nous étions amusés comme des enfants, que j'arrivais à parler. Ariane était intriguée par ce séjour secret, dans ce lieu interdit, où nous avions pu passer quelques jours. Je lui racontai : ce qui nous manqua le plus, au mont Athos, plus que les femmes, qui n'ont pas le droit d'y venir, c'étaient les huiles de bain de Kérylos avec leur parfum d'iris. Là-bas, on nous avait traités comme des pauvres du XIIIe siècle. On nous avait nourris de haricots bouillis et de lentilles. On nous avait fait dormir sur des paillasses dans des dortoirs avec trente miséreux. On nous avait réveillés pour aller entendre d'interminables offices auxquels nous ne comprenions rien. Même moi, formé au rituel par ma mère, j'étais perdu. Au bout de quelques jours de ce régime, nous étions sales, imprégnés de crasse et d'odeur d'encens, puant le vieux pope – horriblement sanctifiés. Nous rêvions à voix haute, tous les trois, sous les voûtes du monastère de Dionysiou, des thermes de la villa. J'entends encore Adolphe : « Si on s'arrangeait pour faire venir la masseuse du Negresco ? Avec une fausse stachmou ? Les moines nous feraient décapiter ? Ils seraient peut-être contents, les vieux zigoumènes. »

Nous avions tenu secret le but de l'expédition. Avec Adolphe, nous nous étions laissé pousser la barbe. Avant 14, les « gens du monde » portaient barbe et moustache, les glabres étaient les serviteurs – ce détour par l'orthodoxie me permit ainsi de progresser dans la société : pendant deux ans ensuite, je gardai ma barbe, en la taillant comme celle d'Édouard VII. Adolphe conserva la moustache, celle de sa dernière photographie en uniforme. Il était convenu que ce serait moi qui parlerais aux moines, et à leurs chefs, les fameux higoumènes. Je ne devais dire à personne que les deux autres étaient de savants hellénistes – qu'on ne nous prenne pas pour des trafiquants d'antiquités. Cette idée terrifiait Théodore : être pris pour un marchand. Adolphe me lançait un regard – et souriait dans sa barbe fraîche. Depuis peu de temps, j'avais compris un des secrets de cette famille – la crémière, le notaire, le facteur n'avaient pas tout à fait tort –, je savais qu'ils avaient été la cause d'un grand scandale qui avait eu le Louvre pour toile de fond, mais je continuais à faire comme si l'« affaire Reinach » n'avait jamais existé. Ariane me posait des questions sur les monastères secrets. J'aimais qu'elle aime ainsi ce que j'aimais. Je pouvais lui apprendre quelque chose. Je pouvais surtout la regarder quand elle m'interrogeait.

J'avais plaisir à faire ce récit pour Ariane, je voulais qu'elle voie l'Athos à travers mes souvenirs. Elle me caressait les cheveux pendant qu'allongé sur le dos, paupières closes, je lui parlais. Il n'était pas facile d'accéder à cette péninsule sauvage, où vingt monastères et une infinité de sanctuaires, sans compter les grottes des saints ermites, perpétuent un idéal de vie rustique et monastique. Ce n'est pas la Grèce, ce n'est pas l'Empire ottoman, mais une république de moines, dont on avait l'habitude de se moquer à Athènes en disant qu'il valait mieux éviter d'aller se baigner nu, là-bas, dans les torrents. Ariane s'amusait, voulait des détails. Je n'y ai vu pour ma part que de saintes gens – aucun satyre poursuivant les jeunes athlètes. Ils avaient le faciès du professeur Barbenfouillis dans les films de Méliès. Ils étaient mal aimables, parfois agressifs, persuadés d'être dans la seule vraie foi. L'Athos n'avait pas encore, avant la Première Guerre, la célébrité qu'il a acquise de nos jours, et il y avait sans doute bien des monastères en Russie ou dans les vallées de Roumanie où l'on vivait ainsi, proche de la nature et conservant les saintes doctrines. Il se trouvait que j'en avais entendu parler depuis toujours, à Cargèse. Tous les popes savent que, dans ce lieu « interdit à toutes femmes et à toutes femelles », la foi est restée aussi pure qu'au temps où la Vierge Marie, qui y avait abordé dans un passage de l'Évangile qui n'a pas été retenu par les gens sérieux, y avait dessiné son jardin. Ce « à toutes femelles » était source de perplexité : l'absence de bêtes pondant des œufs ou donnant du lait contraignait les bons pères à se nourrir de soupes de légumes, et les plongeait dans l'angoisse à chaque fois qu'un moustique, au sexe toujours incertain, se posait sur le rebord du chaudron. Ce qui était drôle, c'était de parler de tout cela après avoir fait l'amour. Ariane sentait que j'avais envie de raconter. Elle se taisait. Elle comprenait : ce que j'allais lui dire était presque aussi important que nos caresses. Elle aimait me voir revenir parmi les vivants, sans cherche à m'aider, de moi-même – pour elle. Elle avait cette voix douce et claire qui me plaisait tellement, cette netteté dans le choix des mots. Elle ne trébuchait jamais, contrairement à moi, qui bafouille quand je suis ému. Je sentais qu'elle m'aimait, et que si tout était si compliqué autour de nous, ces quelques heures étaient simples, dans une pénombre amie qui nous enveloppait tous deux. Je me suis bien gardé de lui dire que mon grec moderne continuait à faire rire, les popes goûtant peu l'accent d'Ajaccio.

Dès notre retour à Salonique, après le séjour dans l'Athos, nous nous étions précipités aux bains publics. Nous nous étions fait masser, parfumer, pour revenir peu à peu à notre civilisation. Adolphe ne cessait de me demander si nous empestions encore, et envisageait des promenades nocturnes dans les mauvais lieux, tandis que son oncle visiterait la synagogue et le vieux cimetière, sans oublier la grande porte romaine et la basilique du temps des empereurs du Bas-Empire. La communauté juive de Salonique était célèbre, et la renommée de « M. Reinach » lui valut d'être bien accueilli. Il m'avait dit, me prenant à part : « Faites très attention dans vos visites en ville, je ne voudrais pas qu'Adolphe se prenne de passion pour le Bas-Empire, il ne manquerait plus que ça ! L'arc de l'empereur Galère peut exercer un très dangereux attrait. » Inutile de dire que je suivis ses recommandations à la lettre, et que nous ne consacrâmes pas plus d'une heure aux curiosités, romaines ou judaïques. D'ailleurs, pour ce qui était de l'Antiquité, une seule chose occupait nos esprits : la découverte que nous avions faite dans les jours précédents, dans un monastère de l'Athos, et dont nous étions tellement fiers et tellement stupéfaits que nous osions à peine en parler entre nous. Ce jour-là, j'ai dit à Ariane mon plus grand secret, celui que Théodore ne révélerait jamais, celui qu'Adolphe avait emporté avec lui.

J'avais pris en main l'organisation : pour pénétrer sur le territoire de l'Athos, il faut un « diamonitirion », un passeport ecclésiastique, signé par trois éminences orthodoxes. J'avais écrit une belle lettre à mon métropolite de Cargèse – je me méfiais des prélats mondains de la cathédrale russe de Nice – et nous reçûmes sa réponse écrite à la plume d'oie disant que trois laissez-passer nous attendraient dans un village nommé Ouranopolis – c'est-à-dire « la porte du Ciel », sur la côte de la Chalcidique. La frontière de la péninsule sacrée était fermée par un mur, on accédait en bateau. Nous partîmes de Marseille.

Le territoire de la Macédoine venait de s'enflammer. À notre arrivée au Pirée, la population était en émoi. Inquiet de ne pouvoir parvenir jusqu'au mont Athos, j'achetai et je traduisis à voix haute un journal local : l'armée grecque s'était portée à l'assaut des provinces du Nord, encore sous le joug turc. La Bulgarie, la Grèce, la Serbie avaient décidé de liquider « la Turquie d'Europe » et de se la partager. La Grèce avait hâte de récupérer le premier royaume d'Alexandre, sous l'œil bienveillant de la Russie orthodoxe. La population s'était révoltée pour soutenir les soldats. Les Turcs qui avaient commencé par faire des moulinets et agiter leurs cimeterres avaient plié à la surprise générale. La Grèce venait d'effectuer une conquête que plus personne n'espérait, sans mettre le feu à la poudrière balkanique – Adolphe imitait la voix de son père, l'immense Joseph Reinach : « La redoutable poudrière des Balkans sur laquelle les puissances sont assises comme des étudiants fumant des cigarillos. »

Je ne m'étais pas rendu compte que j'avais, pour la première fois, imité Adolphe. Ariane éclatait de rire. Elle avait oublié qu'il n'était plus là. Je la pris dans mes bras pour continuer. Je ruisselais sous le bronze qui crachait de l'eau, elle n'a pas vu que je pleurais. J'ai mis du temps avant de continuer. Je serrais ses deux mains dans les miennes.

Le premier jour de ce second voyage en Grèce, nous montâmes à l'Acropole. Enfin. Je voulais tout voir. J'avais envie d'embrasser les passants. J'en avais tellement rêvé. Le site était encombré de maisons modestes et de débris de toutes les époques. Au premier regard, je fus déçu. Adolphe imaginait d'inventorier les pierres et de rebâtir. Théodore, à la poupe de ce grand vaisseau, là où des années plus tard de jeunes Grecs ont dépendu le drapeau nazi – j'avais découpé la photo, je l'ai toujours –, récita une page de Chateaubriand que son père lui avait fait apprendre par cœur quand il avait dix ans : « J'ai vu du haut de l'Acropolis le soleil se lever entre les deux cimes du mont Hymette : les corneilles qui nichent autour de la citadelle, mais qui ne franchissent jamais son sommet, planaient au-dessus de nous : leurs ailes noires et lustrées étaient glacées de rose par les premiers reflets du jour ; des colonnes de fumée bleue et légère montaient dans l'ombre, le long des flancs de l'Hymette. Athènes, l'Acropolis et les débris du Parthénon se coloraient des plus belles teintes de la fleur du pêcher. »

Je ne peux pas m'empêcher de penser, en recopiant cette jolie dictée, à Elsie de Wolfe, la décoratrice, qui en découvrant le Parthénon s'était écriée : « *Oh ! It's my beige !* » Elle ne citait pas Chateaubriand, mais elle était aussi ridicule que Théodore. À l'époque, je n'en avais pas conscience, je le trouvais admirable, j'étais plein de reconnaissance et d'orgueil. Je fis des dessins des cariatides et des jolies maisons construites au XIXe siècle, enrichies de palmettes, garnies de sphinx sur les toits et d'ornements antiques : tout ce que Théodore refusait à Kérylos, le « carton-pâte », qui continua d'exister ensuite au cinéma. Des feux d'artifice saluèrent notre première soirée. Adolphe dit à son oncle qu'il faisait toujours les choses trop bien et qu'il ne fallait pas. Athènes fêtait sa victoire sur les Turcs. Commença ensuite un long voyage en chariot attelé, sur des routes qui n'en étaient pas, parmi des soldats en toques d'astrakan qui auraient fait envie aux bigotes de Beaulieu et des gendarmes en jupes plissées blanches comme celles que portait Suzanne Lenglen sur les courts. Toute la population affluait pour s'assurer le contrôle des villages, nous étions emportés par une marche triomphale. Restait à savoir ce qu'il allait advenir des monastères de l'Athos. Les Ottomans avaient respecté le culte orthodoxe et l'autonomie de la péninsule, que feraient les soldats du roi de Grèce ?

Depuis plusieurs années, Adolphe, seul, avec désormais l'École française d'Athènes comme lieu de résidence, voyageait. Je ne l'avais pas revu depuis longtemps. Kérylos restait pour lui une base de repli et de travail. Il m'avait envoyé ses premiers articles, puis il s'était mis à en écrire tellement – il adoptait les habitudes graphomaniaques de sa famille – qu'il cessa de tout m'adresser. Il accumulait les notules dans des revues savantes, et dispersait à tous les vents de quoi remplir un ou deux livres – c'est tout ce que j'avais trouvé à lui en dire, et je crois qu'il se moquait de mon opinion au sujet de ses recherches. Théodore m'avait raconté qu'Adolphe, nouvellement arrivé à l'École d'Athènes, où son oncle Salomon avait été autrefois pensionnaire, était aussitôt reparti, fuyant la discipline scolaire et les conseils de ses maîtres – on savait qu'il avait de l'argent, il était mal vu, il s'autorisait des voyages sans demander d'autorisation de mission, à ses propres frais. L'École d'Athènes, c'est unique, Ariane y était allée avec les équipes de Pontremoli, elle y fit une brève allusion, évitant de citer Grégoire. Elle eut une jolie formule : une bibliothèque au milieu d'un jardin. On avait programmé là, dans l'enthousiasme, la « Grande Fouille », à Delphes, pour retrouver le sanctuaire d'Apollon. Il avait fallu déplacer un village, le Parlement avait voté, à Paris, un financement exceptionnel – qui imaginerait ça aujourd'hui ? – et un accord commercial avait été conclu avec le gouvernement grec, prévoyant entre autres que la France importerait je ne sais combien de tonnes de raisins de Corinthe chaque année. Si ma mère avait su la raison de ces raisins en si grande quantité que prévoyaient toutes les recettes de ce temps-là, dans les semoules, les entremets, et jusque dans le far breton ! Il fallait faire ingurgiter pour le goûter à tous les petits Français les excédents de raisins grecs afin qu'on puisse redécouvrir le plus beau sanctuaire du monde. C'était l'honneur de notre nation. On commença à servir dans toutes les bonnes maisons des cakes aux olives. Pendant ce temps, les Allemands grattaient à Olympie. Tout le monde parlait avec un respect immense de « l'École française d'Athènes ».

J'y suis retourné en vacances, il y a quelques années, pour montrer ce jardin à mes enfants. Le gardien m'a ouvert quand j'ai dit le nom de Reinach. Il nous a conduits au monument aux morts. Sur celui de l'église de Beaulieu, je retrouve tous ceux que j'ai connus. Mais pas lui, mon pauvre Adolphe. Il y a pourtant écrit « Dieu », « Patrie » sur le marbre, comme si ce n'était pas pour tous même patrie et même Dieu. Mais son nom est gravé à l'entrée de l'École d'Athènes. J'ai vu aussi la bibliothèque : elle ne ferme jamais. Des jeunes gens y travaillent jour et nuit sur des inscriptions nouvelles.

Durant cette période, Adolphe écrivait à son père de magnifiques lettres d'Égypte, où il lui parlait de sa mission mais aussi d'autres recherches, secrètes celles-là, que tous les deux voulaient mener. Pour son livre sur la peinture des Anciens, il analysait les portraits retrouvés dans la région du Fayoum et continuait à réunir toutes les citations qu'on pouvait tirer des auteurs antiques à propos de l'art de peindre, jusqu'aux recettes de vernis. Il avait l'idée géniale, qui dépassait les fulgurances de son père et les recherches de ses oncles, que pour comprendre l'hellénisme il faut aller à ses frontières. À Alexandrie, au Caire, il commençait des explorations qui auraient dû l'occuper toute sa vie !

Le bibliothécaire m'a montré un carton d'archives sur lequel est écrit « Cahiers laissés par Adolphe-Joseph Reinach ». Je n'ai pas eu le temps de tout regarder. J'ai recopié, pour en emporter un peu avec moi, la première feuille, d'une écriture hâtive, qui m'est tombée sous les yeux, en me disant que je reviendrais pour prendre le reste en note : « Thasos. 21 mai 1911. Le matin en barque à *Thassopoula*. Îlot rocheux à trois pointes : végétation de ronces dominée par quelques oliviers et, surtout, figuiers sauvages. Beaucoup de volatiles et de lapins. On va y chasser et des légendes courent sur les trésors qu'on y trouverait. Au fond de la baie une source d'eau chaude jaillit au bord même de la mer. Elle est protégée par une petite maison qui n'ouvre que sur la mer. Elle aurait été construite par un gouverneur de Thasos qui faisait une cure… »

Dans ses lettres – où sont-elles aujourd'hui ? les nazis ont tout emporté quand ils sont venus à Kérylos – il parlait surtout d'un sujet qui était resté un secret entre eux deux, jusqu'à ce que Théodore m'en révèle une part, dans ce chariot qui nous mena d'Athènes à Salonique. La vraie raison de ce voyage dans ce pays sans femmes. Ce matin-là, dans les thermes, j'ai osé raconter. Ariane n'arrivait pas à me croire.

La vérité est que Théodore avait envoyé Adolphe en Égypte pour qu'il réalise le rêve des Reinach. Ce serait lui qui ferait la découverte capitale, qui reléguerait les prodigieuses trouvailles de Schliemann à Troie et à Mycènes au rang des prouesses du passé, qui dirait à tous, et pour des siècles, la grandeur de la science française, et un peu aussi, bien sûr, la part que notre école archéologique devait à la famille. Il s'agissait de trouver non plus les cités chantées par Homère ou les bras de cette Aphrodite que les guides du Louvre continuent d'appeler la *Vénus de Milo* – et qui d'après Salomon devait plutôt être une Amphitrite, déesse de la mer. Adolphe Reinach en Égypte cherchait mieux que les vestiges de l'*Iliade* et que les trésors d'Agamemnon, mieux que le Labyrinthe des Crétois et que les temples de Delphes ou même peut-être que les vestiges de cette Atlantide dont a parlé Platon. Il voulait retrouver le tombeau d'Alexandre le Grand.

J'aimais cela au fond, dans cette famille, ce mélange de sérieux et de folie, cette manière de s'enthousiasmer, sans retenue, pour les projets les plus insensés, à l'abri dans « une petite maison qui n'ouvre que sur la mer ». M. Eiffel leur ressemblait, quand je le voyais brandir ses relevés météorologiques en hurlant de joie, ou les plans d'un nouveau viaduc qu'on lui avait commandé pour je ne sais quelle Cochinchine. Chez ces grands hommes, une part d'enfance était intacte, et c'est pour cela qu'ils avaient plaisir, je pense, à bavarder avec moi : j'étais un enfant aussi, et je le suis toujours, j'espère, à soixante-dix ans. J'étais enfant, soldat blessé, elle était enfant dans mes bras, mon Ariane. Kérylos était devenu notre jouet.

Ariane, qui s'était drapée dans un peignoir de lin oublié par la femme de chambre derrière un petit rideau au fond de la pièce, s'était assise pour m'écouter dans la pénombre dorée de l'absidiole, elle avait l'air d'une statuette fragile, et je la regardais, depuis le bassin où je venais de replonger, en continuant à tout dire. Depuis l'Antiquité, personne ne savait où était la sépulture du Conquérant, ni même à quoi elle ressemblait – mais, disait Adolphe avec exaltation, s'il reste quelque part des peintures d'Apelle, le plus grand artiste de la Grèce, le favori du maître du monde, ce ne pouvait être que dans ce tombeau. Apelle avait fait le portrait de Campaspe, la favorite d'Alexandre, et avait eu le malheur de s'éprendre de son modèle. Le Conquérant, ravi du tableau, lui avait donné la jeune femme en échange, c'était noble et beau, mais cela donnait aussi bien des choses à penser au sujet des goûts d'Alexandre. Adolphe a écrit dans la marge de l'anecdote : « La nudité de Campaspe n'a rien de singulier pour l'époque. Anaxarchos, un des courtisans d'Alexandre, se faisait servir par une belle fille nue. » Et il avait coché un peu plus loin un autre passage, rapporté par Pline l'Ancien : « Alexandre parlait beaucoup de peinture sans s'y connaître, l'artiste l'engagea doucement à se taire, lui disant qu'il prêtait à rire aux jeunes garçons qui broyaient les couleurs. »

Le Conquérant était mort à Babylone. Un cortège immense avait ramené son corps vers la Méditerranée. Son cadavre avait été disputé par ses généraux qui se partageaient le manteau de son empire. Ils avaient escamoté le héros, pour que chacun puisse penser qu'il était retourné avec son père et ses ancêtres à Pella, en Macédoine, qu'il avait été inhumé à Athènes ou à Delphes, qu'il avait été mis dans un grand sarcophage sculpté comme ceux que Théodore avait étudiés au nouveau musée d'Istanbul ; le plus probable était qu'il reposait en Égypte, près de cette oasis de Siloé où l'oracle du dieu Amon lui avait parlé et lui avait dit qu'il serait désormais à l'égal des dieux.

Trouver le tombeau d'Alexandre c'était le graal de l'archéologie. Seulement, comme c'était un graal, le cher Adolphe ne le trouvait pas. En tout cas pas en Égypte. Ses lettres en parlaient de moins en moins, et détaillaient de plus en plus ce qu'il en était des pigments et de l'utilisation des pinceaux. Il ne rêvait plus, il était sérieux et méthodique, ce qui n'est pas la meilleure des méthodes. Théodore rêvait toujours ; impatient, agité, il cherchait à distance. Il pensait que la réponse avait autant de chances d'être dans les textes que dans les sables du désert. Il avait le plus moderne des atlas allemands, un grand volume ouvert sur son bureau, dans sa chambre, il vivait les expéditions d'Adolphe.

Une fin d'après-midi d'automne, il trouva. Dans sa salle de bains, au premier étage, émergeant de la vasque de marbre sculptée sur un modèle romain qui, selon ma mère, ressemblait à la saucière qu'elle avait toujours vue chez sa belle-mère, Théodore poussa un cri et clama mon nom. Je me trouvais dans la galerie qui longeait les chambres des maîtres de maison, en train de ranger des serviettes, j'accourus. Il s'était levé, tout nu, couvert de mousse, éclaboussant les peintures rouge et ocre, éclatant de rire et s'exclamant en latin « *Proh ! Pudor !* » avant de repasser au grec – « *Eurêka !* » – et de retomber dans l'eau, pour continuer : « Je sais où il est. Le tombeau. Nous allons partir, sans prévenir personne, sans dire où nous allons. Devine qui m'a donné la solution ! C'est un génie. D'ailleurs il veut venir avec nous, il dit qu'il est encore assez vaillant.

— Qui ? Pour aller où ? On retourne en Grèce ?

— Celui qui a tout compris c'est notre homme moderne de voisin, ton ami M. Eiffel.

— Il a quatre-vingts ans !

— C'est un génie.

— Il n'est plus en état, sur les routes de Grèce…

— C'est son idée. C'est lui qui a trouvé. Un trait de lumière, le paratonnerre du sommet de sa tour.

— Il ne peut pas partir avec nous. Ce serait de la folie.

— Il m'a dit l'autre jour en fumant son cigare Pour-la-noblesse que les Grecs avaient dû enterrer Alexandre au sommet d'une haute montagne.

— L'Olympe, impossible, c'est réservé aux dieux.

— L'autre sommet se trouve en Macédoine, chez lui, au cœur du royaume de Philippe II son père et de tous ses ancêtres. Le mont Athos, Achille, ça te dit ? »

Voilà pourquoi nous nous retrouvions sur un petit bateau, à Ouranopolis, pour débarquer à Khariès, d'où partent des routes muletières et des barques qui permettent de rejoindre les monastères. Heureusement que le père Eiffel m'avait entendu, et ne nous accompagnait pas : il serait mort en route. Théodore avait un peu de mal à marcher sous le soleil. Adolphe ne savait pas trop par où commencer notre quête. Il me chargea de demander à un des moines qui se trouvaient sur le port – qui ressemblait à un des popes de Nice que je haïssais le plus – s'il y avait un lieu où, dans l'Athos, on pouvait honorer saint Sisoès. Qu'avait-il en tête ? Le moine, qui était très vieux, réfléchit et dit « Dionysiou ». Cela tombait bien, une sorte de felouque y allait. Les autres moines étaient en émoi : notre rafiot avait apporté les journaux et on en donnait lecture. À notre bord, deux gendarmes grecs avaient pris place, ils parlaient aux autorités de Khariès, assurant qu'un régiment entier allait venir pour que l'Athos soit désormais libre. Adolphe nous expliqua la situation : les Turcs fichaient la paix aux moines, les Grecs leur faisaient peur. Ces vingt monastères sont le Vatican caché de l'orthodoxie. Les Russes voulaient mettre la main sur ces popes en prétendant les protéger, les Bulgares aussi. Des querelles théologiques avaient été attisées pour diviser les vingt communautés – le débat, cette année-là, portait sur le nom de Dieu, était-il divin, ne l'était-il pas ? Tout le monde s'y perdait, les partisans des Bulgares s'occupaient à chasser les partisans des Russes, au moment, où, par surprise, arrivaient les troupes du gouvernement grec. Nous avons pensé qu'aucun bateau ne partirait, et que les Grecs bloqueraient le navire que nous avions repéré, qui contenait le ravitaillement caché de ces moines arriérés sous la forme diabolique de cartons d'œufs frais pondus. Mais les Reinach, oncle et neveu, avaient chacun des armes secrètes : Adolphe raconta dans un grec moderne passable qu'il avait une dévotion ardente pour saint Sisoès, ermite d'Égypte, à notre nouvel ami le pope qui du coup se fit un devoir de nous accompagner, et Théodore donna plusieurs billets au batelier. Je me croyais chez Jules Verne, devant le capitaine Hatteras ou le professeur Barbicane.

Le soir même, après avoir signé un registre, bu du raki, et admiré les premières fresques, nous étions logés tous les trois dans un grand dortoir, au cœur de ce monastère de Dionysiou si sacré et si sale. Surplombant la mer, il avait l'air d'un dessin de Gustave Doré, une citadelle fantastique, avec des blocs de pierre immenses, un empilement d'étages qui semblaient prêts à tomber dans les rochers, une porte en bois cloutée qui n'avait pas dû changer depuis quatre siècles. Ariane fermait les yeux.

Je ressentirai toute ma vie la paix du premier jour. La vue était celle d'une nature qui n'avait pas changé depuis le Moyen Âge, qui n'avait jamais connu les routes modernes, les plantations venues des Amériques, les constructions désordonnées. Ariane m'écoutait avec passion. Elle m'aimait. Il avait été question, après la mort d'Alexandre, de transformer ce mont déjà sacré en une colossale statue couchée, à son image. N'était-ce pas la preuve que c'était là que devait être son tombeau, nul ne l'y avait jamais cherché, c'était le plus inexplicable. La troisième pointe de ce trident qui s'enfonce dans la mer, la péninsule de Chalcidique, était devenue le paradis sur terre pour quelques moines qui y avaient établi des monastères ressemblant à ceux d'Égypte. C'était inaccessible, nous y étions arrivés.

Au cœur de la nuit, un bruit mat se fit entendre : on appelait les moines à l'office. Je crois que je les ai détestés aussi fort que lorsque j'avais douze ans. C'était tout de même un comble : me faire faire tant de kilomètres pour endurer encore, des années après, une de ces messes que je ne supportais pas quand j'étais enfant. Nous y allâmes, en nous installant dans l'obscurité, pour regarder. J'ai failli me trouver mal dans ces tornades d'encens, devant ces peintures qui ondulaient à la clarté des cierges, au moment où l'higoumène, abbé de ces lieux, apparut, vêtu de blanc, tenant son énorme canne. Je compris que c'était comme cela que les souverains de Byzance, et les empereurs romains avant eux, devaient se montrer à leur peuple. Adolphe prétendait que certains rituels de Delphes et des mystères sacrés d'Éleusis étaient passés à Rome, qu'on les célébrait dans les entrailles du mont Palatin, et que de là ils avaient survécu à Byzance – et qu'après le sac de Constantinople les traditions saintes, les reliques, les précieuses images et la vraie foi venue du fond des âges s'étaient repliées ici, dans cette caillasse, à l'abri du monde, face à la mer grecque, rien que pour nous.

À côté de l'église où priaient les moines – je les trouvais hideux, bossus, obèses, je trouvais que certains avaient le regard mauvais, Adolphe répondait que j'exagérais beaucoup –, une salle ornée de fresques donnait sur un atrium pavé de galets. Après avoir regardé, avec Adolphe, les peintures les unes après les autres, nous en avons trouvé une dans un angle qui montrait un ermite à la longue barbe, penché sur un squelette, qui sortait de sa tombe. Devant lui, une couronne d'or. C'était la sépulture d'un roi. Deux noms étaient écrits. Pour le moine, on lisait « Sisoès », pour le squelette, « Alexandros ».

Vers l'oasis de Siloé, un de ces reclus qui construisaient sans doute des églises comme celle de Baouit, que les missions françaises en Égypte fouillaient, avait bel et bien trouvé par hasard le tombeau du Conquérant. Mieux que cela : il l'avait exhumé. Ces affreux orthodoxes qui étaient malgré tout mes frères, ou au moins de lointains cousins, avaient osé profaner ce qu'il y avait de plus sacré sur terre, la sépulture du plus noble de tous les hommes. Toute la haine de mon enfance me revenait. Adolphe me disait que j'avais une réaction ridicule, que les ermites d'Égypte n'avaient pas à payer pour les popes de Nice. Je lui disais que c'était une bande de pillards, de voleurs, de charognards.

De là à imaginer que le corps avait été apporté sur l'Athos, nous en avons rêvé durant cette nuit. Deux heures plus tard, le même tambour de bois nous avertissait qu'un nouvel office commençait. Adolphe regretta de ne pas avoir emporté les œuvres de Voltaire, bougonna à son tour, et nous convainquit de descendre : c'était la vénération des reliques. Parmi celles dont Dionysiou se glorifiait, dans un coffre d'argent, se trouve la plus sacrée, car elle vient directement de la Sainte Vierge. Après la visite des Rois mages à la crèche, la mère de Dieu, prévoyante et avisée, avait conservé un peu d'or, un peu d'encens, un peu de myrrhe, et ces « présents des Mages » étaient toujours là, puisqu'elle les avait avec elle quand elle décida de finir ses jours au mont Athos. On nous admit à la contemplation de ces premiers cadeaux de Noël de l'histoire, que nous présenta en marmonnant un des adjoints de l'higoumène, sur une petite table au centre de l'église – le catholicon.

À cet instant, grand fracas : la police grecque arrivait dans la cour. Tous les moines sortirent, nous laissant seuls.

Je fus pris d'un mouvement de folie. J'ouvris l'armoire qui contenait les reliques, pas pour voler, mais pour voir. Adolphe se saisit de celle qui était au centre : une couronne d'or. Il dit : « C'est antique, ça ! » En nous penchant sur ces délicates feuilles d'olivier tressées et ciselées, nous vîmes, à l'intérieur, une inscription tout à fait nette : « Alexandros. »

La soldatesque entra dans le catholicon, nous dûmes montrer nos passeports, expliquer que nous venions d'une puissance alliée. On nous traita avec égards, mais le soir même nous étions à Ouranopolis, reconduits par une vedette militaire.

Je mis un peu de temps à oser ouvrir mon manteau et à montrer à mes deux compagnons, partagés entre l'extase et l'effroi, que j'avais emporté avec moi la couronne funéraire d'Alexandre le Grand. Je méprisais ces moines qui dissimulaient cet objet insigne pour le soustraire au monde, je le leur avais repris, c'était justice. J'avais détroussé les orthodoxes, je m'étais vengé de tout ce que ma mère m'avait fait subir. J'étais comblé.

Nous détenions un indice stupéfiant pour localiser le tombeau, qui peut-être avait été sous nos pieds, devant la fresque. Il nous faudrait revenir. Cette nuit-là je voyais, en rêve, la carte de l'Athos se superposer à celle de la pointe des Fourmis : c'était presque la même forme. La couronne passa les formalités de l'embarquement sous une pile de chemises dans la malle-cabine de Théodore, que le douanier n'ouvrit pas.

Ariane était fascinée par cette aventure. Je sentais que je grandissais à ses yeux. Je me demandais ce qui arriverait si elle décidait de quitter Grégoire. Jamais elle ne vivrait avec moi. Ce jour-là, je me suis dit : « Pourquoi pas ? Une vie nouvelle. »

Théodore et moi laissâmes Adolphe revenir à Athènes pour se montrer un peu à ses professeurs, qui se plaignaient à nouveau de ne pas le voir.

Sur le bateau jusqu'à Marseille, Théodore resta enfermé. Je me demandais ce à quoi il pouvait penser. Je n'ai jamais revu la couronne. Elle me revient pourtant, elle m'appartient. Je l'ai trouvée. Je l'ai découverte. Je l'ai emportée.

Dans « Naiadès », Ariane, ma naïade, battait des mains et retirait son peignoir pour me rejoindre dans l'eau, pour m'embrasser, me faire une couronne avec ses mains, pour ouvrir de grands yeux en face des miens, pour me dire que je serais toujours son héros, son Achille, à elle, rien qu'à elle.

18

La bibliothèque

« Ne dérangez pas votre père, vous irez plus tard à la bibliothèque. Faites le tour, les enfants, si vous voulez descendre nager avec Achille. » La belle Fanny veillait au silence qui entourait son mari quand, chaque matin, très tôt, il allait écrire devant la mer, après avoir étalé sur la table les gravures qui l'intéressaient. Sur des lutrins étaient ouverts les in-folios avec les vases grecs du musée de Naples ou les répertoires anglais des sculptures du Parthénon. La bibliothèque était la pièce du labyrinthe dont il était le plus difficile de sortir.

Dans les premiers temps, alors que je l'avais vu construire, meubler, garnir de reliures, alors que tout le monde ne cessait de me dire que je pouvais y venir autant que je voulais, je ne m'y sentais pas à l'aise. Toutes les pièces portaient des noms, des mots grecs inscrits parfois sur le linteau des portes en l'honneur de figures mythologiques ou qui traduisaient leurs fonctions : ici, pas de dénomination spécifique, le mot grec continuait d'être utilisé en français, bibliothèque, terme immuable, qui prouvait que nous étions restés des Grecs. J'ai mis longtemps à faire cette constatation si simple. Dans cette salle, j'ai passé des heures à souffrir, des heures d'étude qui me désespéraient. C'était si compliqué. Je pensais souvent : « On s'étonne qu'une telle langue soit morte… » Et puis, au bout d'une semaine d'exercices atroces, Théodore me disait : « Voilà, tu y es, tu vois… » Aujourd'hui, j'ai failli ne pas entrer. À peine à l'intérieur, je me suis précipité vers les fenêtres, pour regarder le paysage.

J'ai presque couru, je n'aurais pas dû. Je me suis effondré dans un des fauteuils. Je suis en morceaux. Je n'en peux plus. Je le cache, mais je n'ai plus aucune endurance. Je fais trois brasses dans la mer et je ne peux pas continuer. C'est moi qui suis une antiquité : je n'ai plus de bras, je n'ai plus de jambes, je n'ai plus de couleurs, je pourrais être exposé dans un musée, comme mes toiles. Depuis longtemps je n'ai plus jamais envie de lire. J'ai pris le temps de respirer lentement, de me remettre un peu, et de regarder autour de moi. J'ai fermé les yeux, je les ai rouverts juste avant de commencer à rêver. J'ai pris dans ma sacoche, à côté de ma caméra, le *Paris Match* du mariage princier : je l'ai feuilleté, dans un état d'abrutissement total, ensuite j'ai dormi un peu. J'ai avec moi cette étrange carte postale anonyme, qui a provoqué mon retour à Kérylos. Cette couronne stylisée est-elle une allusion à celle d'Alexandre ? Est-ce simplement une couronne de vainqueur, comme aux Jeux olympiques ? Cette année c'est à Melbourne, et les emblèmes ressemblent un peu à cela… Je me dis que l'un des petits-fils Reinach a peut-être voulu me faire une plaisanterie, ou une des nièces de la crémière ou la fille de la pâtissière. Elles ont été des amies pour moi, elles se moquaient de mes airs de grandeur, elles continuent peut-être à me faire marcher, ou alors elles ont envie de me revoir. Je vais aller dîner devant la mer, bien en vue, si jamais quelqu'un veut m'adresser la parole… Je placerai la carte postale devant moi.

Avec ma caméra, j'aurais voulu prendre quelques images, je n'ai pas pu. À quoi bon ? Je n'ai pas réussi à faire plus que pousser la porte des bains pour y jeter un regard. J'aurais voulu filmer, revoir la cuve octogonale et la petite coupole, je n'en ai pas eu le courage.

Fanny Reinach n'entrait pas souvent dans la bibliothèque, elle avait ses livres à elle, dans le grand coffre de sa chambre. Elle aimait surtout le théâtre. C'est elle qui m'a fait aimer Rostand. Elle lisait à haute voix. Pour elle les vers étaient de la musique. Elle prétendait que les pièces de Thomas Corneille étaient bien plus belles que celles de son frère Pierre – elle voulait dire par ricochet que le « grand Corneille » n'était pas le plus grand, et que le « grand Reinach » n'était pas Joseph. Elle taquinait son mari en lui demandant ce qui serait arrivé si les Corneille avaient été trois, s'il y avait eu un Théodore Corneille. Elle avait de belles éditions, avec des reliures du XVIIIe siècle, une des tragédies de son cher Thomas s'intitulait *Ariane* et l'action se situait « dans l'île de Naxe », Naxos, où Thésée l'abandonna. J'en avais appris des tirades, pour une représentation dans le jardin, que nous ne sommes jamais arrivés à monter – personne ne partageait l'amour de Fanny pour Corneille le Petit. Elle prétendait même qu'il avait écrit toutes les pièces qu'on prêtait à Molière : « Il y a des faux aussi en littérature, et des faussaires très talentueux, il y aurait un livre à écrire pour révéler les noms de ceux qui sont les vrais auteurs des ouvrages très connus. Les Reinach ne soupçonnent pas cela. Ils sont très mal organisés. Pour mon malheur, mon mari écrit ses livres lui-même, construit sa maison lui-même, fait ses enfants lui-même… »

Au début de 1913, à notre retour de l'Athos, Théodore prétendit préparer le récit de notre découverte. Il imaginait une publication pour la fin de l'année 1914, qui bien sûr ne sortit jamais. Fanny – malade, elle s'était reposée durant des semaines au soleil de Beaulieu – mourut trois ans après et il ne quitta plus le deuil. La fresque de saint Sisoès, avec cette tombe ouverte, il n'en parla plus. Adolphe, un soir, dans notre campement, moins de dix jours avant sa mort, m'a dit : « Notre couronne, tu sais, il nous l'a prise, l'oncle Théodore ! Il ne la rendra pas. Je ne l'ai pas revue. Tout ce que je sais c'est qu'elle est à Kérylos. Il la cache. On la sortira pour fêter la victoire. Elle ira au Louvre, ce sera une revanche en or, tu verras, une revanche sur la calomnie… »

La couronne d'Alexandre le Grand, je ne sais pas ce qu'il en a fait. Je pense qu'elle est toujours ici, dans ces murs. Pourquoi Théodore ne voulut-il jamais rendre publique cette révélation ? Avait-il douté ? Se réservait-il pour d'autres recherches dans l'Athos qui auraient permis que, nouveau Sisoès, il sortît de terre à son tour la dépouille du roi ? Ou bien peut-être se disait-il que ce livre aurait dû être écrit par Adolphe... J'ai imaginé aussi qu'il avait posé ces lauriers sacrés sur la tête de sa femme, avant de refermer son cercueil.

Théodore était un solitaire qui s'obligeait à voir du monde, à tenir son rang, à faire la conversation avec les amies de sa chère Fanny. Il savait aussi se taire mieux que personne. Si on l'avait laissé travailler, il n'aurait eu besoin de rien d'autre. Il se moquait de la vraie vie – sauf qu'un jour il avait voulu une maison, et pas n'importe laquelle, pour que sa famille, peut-être, pût voir dans quel monde il vivait véritablement depuis toujours. Il devait se dire que des pierres ça pouvait se toucher, que des chambres on y entrait, des lits on y dormait, des assiettes on s'en servait et que tout cet univers, sorti de son cerveau, aiderait sa femme, ses enfants, à vivre comme leur père, ou du moins à le comprendre. La maison l'avait diverti, mais elle servait aussi à cela : elle rendait extérieur et tangible tout ce qui se trouvait enfoui dans les escaliers, les salles pavées de tesselles, les galeries peintes et la bibliothèque immense de son cerveau.

S'il se forçait à jouer le chef de famille, à s'occuper

du bien-être de ses invités, c'était bien sûr aussi une manifestation toute simple du fond de gentillesse de son caractère. Il disait que la plus grande des vertus est l'attention. C'était peut-être, cela aussi, un traitement qu'il avait inventé pour résister à la vie. Je ne l'ai compris que bien plus tard, en y repensant loin de Kérylos, quand j'ai vu mes propres enfants « bien réussir » à l'école. Un cancre comme moi, devenu plutôt bon à force de labeur, n'avait pas tout de suite l'idée de ces choses-là. Moi, ce n'est pas que j'étais mauvais ou médiocre, à la communale j'étais nul. En chimie je me trompais à chaque fois, le latin, j'avais vite abandonné, l'anglais, c'était imprononçable pour un Corse, les mathématiques je ne voyais pas du tout à quoi cela correspondait au-delà de problèmes de robinets qui coulent. Les premiers de classe sont souvent un peu seuls, c'est connu, on ne les aime pas, on les laisse dans un coin, ils dérangent les autres. Théodore avait été le premier de classe de toute la France. Chaque lycée avait sa distribution de prix, ses couronnes d'or, ses piles de livres rouges nouées avec de gros rubans ; pour lui cela avait été cent fois plus insupportable et glorieux : Théodore demeurait celui qui, à dix-sept ans, avait sidéré tout le monde en obtenant le plus grand nombre de prix jamais remportés au Concours général. S'il avait nourri l'espoir qui doit être celui du premier en latin de Condorcet, d'avoir un jour pour meilleur ami le premier en latin d'Henri IV ou de Louis-le-Grand, il avait été obligé de déchanter. Il était le seul de son espèce, le canard blanc, ou pire, le canard bleu ou jaune qui, même au milieu des cygnes, continuera d'être regardé comme une bête curieuse. Il faut faire un effort immense pour avoir une autre vie que celle de la famille, d'autres amis que ses frères, pour aimer, pour vivre, pour s'engager dans une existence où l'on sait d'avance qu'on n'aura pas beaucoup de monde avec qui parler. Un grand chantier, c'est un bon sujet de conversation.

Ce concours existe depuis Louis XV, il a couronné Victor Hugo – en physique, il était tombé sur un sujet invraisemblable, « théorie de la rosée » –, Baudelaire, Évariste Galois, mais avant eux, Lavoisier et Robespierre, Turgot et Calonne, mais aussi Rimbaud, trop bon élève, trop fort en thème. La première année, en classe de rhétorique, Théodore avait eu le premier prix de discours français, de vers latins – Baudelaire n'avait eu qu'un second prix –, de version latine, de version grecque, de géographie et d'anglais, le second prix de discours latin et de géométrie, et un simple accessit en histoire, petite gifle stimulante. L'année d'après, en classe de philosophie, il avait reçu le premier prix de dissertation française – l'épreuve reine, ajoutait-il toujours, celle des écrivains, le prix qu'avait eu Michelet –, de chimie et d'anglais, le second prix de dissertation latine, d'histoire et de mathématiques. Il avait battu Salomon, qui n'en avait pas glané autant.

Quand Théodore racontait cela en famille, c'était insupportable, et en particulier pour ses enfants. Son père avait dit : « Mes fils sont les meilleurs lycéens de toute la France », en insistant sur le *t*, avec son accent qui était resté un peu fort. Le Concours général existe toujours : j'avais découpé une photo, dans les journaux, avant la dernière guerre, d'une jeune fille dans sa cuisine qui avait eu tous les prix de latin et de grec, la première femme à avoir passé ce permis de conduire des savants. Les Reinach l'auraient aimée, j'en suis sûr, comme la petite sœur qui leur avait toujours manqué ! Ils lui auraient mis des rubans dans les cheveux.

Théodore aimait Eiffel, il aimait Fauré, ses amis : il reconnaissait en eux l'enfant seul qui dessinait des ponts dans les marges de ses cahiers, le prodige du conservatoire qui a compris qu'il a l'oreille absolue, une mémoire hors du commun, et une foule d'idées que les autres n'ont pas – et qui, pour exister, voit vite qu'il doit commencer par se taire.

Sur les murs, dans la lumière du soleil levant – selon les recommandations de l'architecte romain Vitruve, on doit orienter ainsi les bibliothèques –, on lit simplement des noms, la liste de ses seuls amis d'enfance, et c'est à la fois beau et triste : Euripide, Aristophane, Archiloque, Sapho, Pindare, Eschyle, Sophocle, Hérodote, Homère, Hésiode, Thucydide, Platon, Aristote, Démosthène, Ménandre, Archimède. À chaque fois, pour Théodore, c'était le souvenir de moments de bonheur – et de solitude. La haute inscription sur le mur le proclame : « Ici, avec les orateurs, les savants et les poètes, j'ai conçu un refuge paisible, dans la contemplation de la beauté, qui est immortelle. » Pas d'éditions originales, de livres rares, rien que des ouvrages de travail et ces hauts volumes illustrés qui coûtaient des fortunes.

Dans cette pièce, il m'a donné le premier exemplaire qu'il venait de recevoir d'un dictionnaire, écrit par un professeur du lycée d'Orléans, très modeste et très savant, qu'il connaissait un peu, Anatole Bailly, membre correspondant de l'Académie des inscriptions et belles-lettres – formule qui me semblait digne d'une charge à la cour de l'empereur de Chine. Il ne m'était pas venu non plus à l'idée qu'on pût connaître dans la vraie vie des auteurs de dictionnaires. Il m'expliqua que ce pavé serait très pratique pour moi, il était très bien fait – même s'il y avait trouvé quelques imprécisions –, puisque je ne parlais ni l'allemand ni l'anglais. Adolphe avait appris le grec avec le dictionnaire de Liddell-Scott et celui de Wilhelm Pape. M. Reinach insista beaucoup sur le fait qu'on allait pouvoir bientôt se passer complètement des Rosbifs et des Fridolins.

Je me suis beaucoup rebellé. C'est facile, ces discours, brillants, fascinants, séduisants, quand on est riche. Je lui en ai voulu de s'être accaparé les lauriers d'Alexandre. Ma mère avait inculqué à mon frère et à moi qu'il fallait apprendre ce qui pouvait nous servir dans la vie. J'ai mis du temps à saisir ce que cette phrase voulait dire. C'est un peu comme les assureurs qui vous disent « s'il vous arrivait quelque chose… » au lieu de « lorsque vous serez mort… ». La formule « Apprenez des choses utiles » ne veut dire que « Apprenez ce qui pourra vous donner de l'argent », et c'est aussi obscène que la litote des assureurs. Théodore me disait, citant *Cyrano* : « Non ! Non ! C'est bien plus beau lorsque c'est inutile… » C'est lui que j'ai écouté, et cela a bien failli me conduire au désastre… À trente ans, je n'avais toujours pas de métier. Il m'avait pris ma jeunesse. J'étais un bon à rien. Je n'avais récolté que des livres.

Un ami des Reinach, passionné de langues celtiques et de vieil irlandais, leur avait raconté comment, au moment de partir dans les tranchées, il avait voulu avoir avec lui un exemplaire d'Homère – et s'était rendu compte que les seules bonnes éditions avec le texte grec bien retranscrit et bien présenté étaient allemandes. Les Reinach étaient des combattants. Ce genre de chose leur était insupportable. À la suite de cette histoire, en 1917, à ce qu'on m'a raconté, ont paru les célèbres séries de volumes bilingues qu'utilisent les étudiants. Théodore regarda tout cela avec bienveillance, mais il n'avait pas besoin de traduction, et au fond préférait les petits volumes anglais, qu'il emportait dans la poche de ses vestes anglaises. Pour moi, ces traductions françaises, avec la chouette d'Athéna sur les couvertures, ont été d'un grand secours. J'ai pu enfin avoir accès à ce monde merveilleux qui était au cœur de la vie de la maison : j'ai compris Aristophane, j'ai lu les tragédies, j'ai vibré avec Antigone et récité à voix haute les malheurs d'Œdipe.

Il ne m'en reste presque plus rien. Ces volumes, je ne les ouvre plus. De temps en temps, pour amuser les enfants, je parle comme eux, je leur dis : « C'est chouette. » Ce qui m'attire des sourires consternés.

Un soir, quelques mois après notre retour de Grèce, dans cette bibliothèque, j'ai osé poser une question au sujet de la couronne d'Alexandre. J'avais envie de la revoir. Je demandai à Théodore, brutalement, s'il comptait enfin écrire ce livre. Je citai Baudelaire, pour qu'il comprenne que je m'intéressais surtout comme un poète « À ce beau diadème éblouissant et clair ».

J'avais trop parlé. Il me modéra d'un geste. Je vis sur son visage que je l'avais blessé. Ses petits yeux me semblèrent encore plus enfoncés et cernés que d'habitude. Il posa ses nouvelles lunettes à côté d'un des candélabres de bronze en forme d'arbre où étaient suspendues des opalines qui imitaient la douce clarté des lampes à huile. Il dit simplement, sur un ton de roi en exil, comme quand il jouait Offenbach : « Une couronne, personne ne me croira, tu sais… »

19

Une discussion savante dans l'avant-cour

Un matin, dans l'avant-cour qui prolonge le vestibule, le « Proauleion », on apporte une statue. Un grand homme de l'Antiquité s'élève d'un bond, sorti d'une caisse en bois bourrée de paille et de chiffons, barbu, drapé, majestueux, en sandalettes. Personne n'ose faire de commentaires. Fanny Reinach regarde ce géant tout blanc avec stupeur, en disant qu'il allait falloir s'y habituer : « Quand on épouse un Reinach, il faut s'attendre à voir arriver des statues. Celle-là je l'aurais plutôt mise dans le jardin, on l'aurait arrosée l'été. J'aurais préféré pour l'entrée un sujet moins austère... Tu te souviens au moins que c'est une maison de vacances ? Je ne suis jamais consultée. Mon avis ne compte pas. Je lui mettrai des colliers de fleurs autour du cou. » Dans l'axe de la porte rouge, ce sera ce que les visiteurs apercevront en premier.

Théodore, avec l'air d'un mage qui fait une prédiction, baissant la voix et retenant ses mots, explique à Fanny comment cet homme serein, aux traits purs, avec le bras drapé, est d'abord un de ses combats. C'est pour cette raison qu'il y tient. Une bataille gagnée.

Ils se disent *tu*, ce qui arrive rarement, ils se disputent un peu. Souvent, j'écoute aux portes : quand ils ont des choses aimables à se dire, ils se disent *vous*, même en tête à tête. Ils n'ont pas vu que je suis assis en tailleur dans la galerie haute de la bibliothèque, comme le scribe accroupi du Louvre – qui n'est pas du tout accroupi. Je note tout à la volée. Je suis au théâtre. J'aime bien quand ils parlent tous les deux, ils m'amusent. Du haut de ma cachette, par la large baie, je vois le calme de la mer étale autour de nous.

« Tu comprends, l'original de cette statue – c'est un moulage bien sûr, c'est moi qui l'ai fait faire –, dans le palais du Latran à Rome, est considéré par ces messieurs de Berlin et de Munich comme un Sophocle. Ils croient voir dans son attitude la pose d'un auteur de tragédie, avec ses pièces de théâtre, *Antigone*, *Œdipe roi*, *Œdipe à Colone*, *Ajax*, qui seraient les rouleaux que tu vois là, à ses pieds.

— Quelles sandales extravagantes !

— Scandale, oui ! Un savant allemand a osé écrire que ces sandales caractérisent un auteur de tragédie, comme si on savait quelles sandales portait le vieux Sophocle ! Comme s'il y avait des sandales pour les tragédiens et des sandales pour les comiques ! Figure-toi qu'au moment où on a sorti ce marbre des ruines de Terracina, l'ancienne cité des Volsques…

— Ne me donne pas tous les détails.

— … et que le comte Antonelli offrit la statue au pape Grégoire XVI, c'était en 1839, il y a moins de cent ans, elle n'avait pas de pieds.

— On lui avait cassé les pieds à ton Sophocle ? Juste retour des choses. »

Théodore explique comment un sculpteur italien qu'on connaît par ailleurs, un certain Tenerani, avait restauré cela. « C'est à lui qu'on doit ces sandales élégantes, dont personne ne connaît d'équivalent dans toute la statuaire. Une création pure, qui aurait du succès dans les magasins de Menton. Nul ne laisserait aujourd'hui un artiste aussi inventif s'emparer d'une statue et la mettre à son goût, mais on a agi ainsi durant des siècles. Il faudra bien un jour enlever tous ces bras, ces pieds, ces oreilles qui sont partout dans les musées… On les mettra dans des petites boîtes dans les réserves. Les morceaux antiques sont vénérables, il ne faut pas y toucher. Imagine qu'on remette des bras à la Vénus de Milo !

— Ça plairait à ton frère. Tu as vu cette créature que Salomon a encore cherché à nous présenter ? Elle joue les orphelines sur la scène du Châtelet. C'est la Vénus de mélo !

— Sois sérieuse deux minutes.

— Entendu : pour dire que c'est Sophocle, il faut qu'on sache à quoi Sophocle ressemblait. On a des portraits ? Tes grands savants allemands ont dû y penser… »

Théodore, ravi, se dit sans doute qu'il a bien fait d'épouser une femme aussi vive. Il reprend son ton de conteur pour évoquer un buste conservé au Vatican qui porte une inscription mutilée : on lit *oklès*, même pas *phoklès*, mais certainement pas *Sophoklès*. L'inscription a elle aussi été complétée par un restaurateur un peu lourd, pour donner une identité illustre à ce morceau, mais c'est encore une fois une forgerie. Ne sont lisibles que les dernières lettres, le début manque. La ressemblance est plutôt vague, c'est le même genre de barbe. L'archéologie est une science exacte, il faut sans cesse tout mettre en doute, confronter, comparer, avoir tous les livres et les répertoires, comme ceux que publie son bien-aimé frère Salomon, c'est très utile, c'est la base du travail. Cela ressemble à une enquête de police. Identifier les suspects, ce n'est pas facile, ils sont morts il y a deux mille quatre cents ans. Les Allemands ont un intérêt à dire que c'est Sophocle. Une figure de la grande littérature, ça plaît toujours à ces cuistres pompeux ; Hölderlin a traduit Sophocle, ils l'ont annexé. Voilà comment le crime profite à l'Allemagne. Théodore est fier de les avoir ridiculisés avec l'histoire des fausses sandales. Mais comme les chers docteurs de Berlin ont dit les premiers que c'était Sophocle, les pauvres spécialistes français, méprisés, balbutiants, qui ont un tel respect pour l'érudition de ces butors l'ont répété de livres en livres. Cela peut tout aussi bien être Dioklès, ou Empédoklès… Et

Théodore conclut sa démonstration en riant : « Un barbu dont le nom se finit en *oklès*, ça ne manque pas sur l'agora…

— Son bras est comme emprisonné dans son manteau.

— La pose classique de l'orateur du Ve siècle, cela veut dire qu'il ne doit pas faire d'effets de manche. »

Selon Théodore, la force de la parole et du regard devait suffire à convaincre. Les moulinets ne commençaient qu'au IVe siècle. Quelques années plus tard, les statues des orateurs font des gestes et ont les mains libres. Eschine, qui maintenait les traditions du Ve siècle, a laissé un discours, intitulé *Contre Timarque*, où il donne en exemple une statue de Solon, le législateur d'Athènes, qui se trouvait à Salamine, « avec le bras à l'intérieur » du vêtement.

« Quand j'ai retrouvé cette référence, j'ai bondi, tu penses bien, j'ai aussitôt fait le rapprochement avec la statue.

— Elle vient de Salamine ? Ce serait l'original ? Tu disais qu'on l'avait sortie de terre en Italie…

— Celle de Salamine devait être en bronze, pour des personnages historiques aussi célèbres que le sage Solon, il est facile d'imaginer que beaucoup de copies avaient circulé, jusqu'à l'époque romaine, et en marbre.

— On sait à quoi ressemblait Solon ?

— Oui, on possède son portrait. Regarde ce livre. Toutes les pièces du puzzle s'emboîtent. Une tête conservée à Florence, avec cette fois une inscription sans équivoque : “Solon législateur.” Regarde, ça lui ressemble…

— C’est un autre barbu, un barbu qui s’avance, mais pour savoir si c’est le même…

— J’ai employé les principes de M. Bertillon : regarder ce qui ne change jamais dans un visage, à travers les années, l’écartement des yeux et le rapport entre la base du nez, la bouche et le bout du menton. Observe, c’est exactement cela. J’ai mesuré. Le Sophocle de nos amis allemands est Solon d’Athènes, un des sept sages de la Grèce.

— Ne me demande pas de te réciter les autres, je t’en supplie.

— J’ai triomphé sans trop de peine de tous ces rustres en casque à pointe. Mais ils ne nous ont pas rendu l’Alsace et la Lorraine pour autant. Ils persistent, multiplient les articles contre moi, je tiens bon. Tous les jours je vais pouvoir regarder en arrivant chez moi, chez nous, l’image de celui à qui nous devons la démocratie, le plus grand homme d’Athènes. »

Théodore n’a jamais voulu avoir « une collection » – où la couronne du Conquérant aurait trouvé place. Ce n’est pas son genre. Sa femme le regrette, il y a tant de jolies collections éclectiques dans sa famille et chez ses amies. Les Bischoffsheim achètent des Rembrandt et des Goya. Les Rothschild sont imbattables, les belles choses viennent à eux. La villa aurait pu être remplie d’antiquités authentiques, de hautes vitrines de vases et de bronzes à la queue leu leu, ils en auraient les moyens, comme le comte de Camondo avec son mobilier et ses services de table du XVIIIe siècle. Théodore regarde en souriant les Cahen d'Anvers ou la cousine Ephrussi, qui accumulent les jolis objets. Il n'aime pas vivre au milieu des bibelots, qui le rendent mal à l'aise ; il aime les musées. Il a grandi à Saint-Germain-en-Laye, son frère est devenu conservateur du musée des Antiquités et il a l'idée que les trésors du passé doivent être accessibles. Il n'est pas collectionneur parce qu'il aime pouvoir se jeter dans son fauteuil sans avoir peur de le déboîter, mais aussi parce qu'il est avant tout républicain. Le marquis Campana a collectionné les vases grecs et il a fini condamné aux galères, convaincu d'escroquerie. Le duc d'Aumale a bâti pour ses trésors un château à Chantilly, et il était clair dès la construction que ce serait un musée ouvert aux visiteurs. Le temps des princes et des grands amateurs va sur sa fin : on doit pouvoir emmener au musée les enfants de toute la France, ouvrir les salles du Louvre pour des cours devant les œuvres, pour que chacun ait la chance de progresser, de découvrir l'histoire, pour apprendre à aimer la beauté. Le musée, c'est l'avenir, le ciment d'une grande nation éclairée par la connaissance et la droiture morale. Kérylos n'est ni une galerie d'œuvres grecques authentiques ni un musée. Mais c'est sa maison. C'est le pur divertissement d'un amateur passionné, c'est aussi un outil pour comprendre encore mieux cette Grèce au sujet de laquelle il a accumulé tant de documents mais qu'il a envie de saisir de l'intérieur. Il explique cela à sa belle Fanny, devant les sandales de Solon : « À force de travailler je finirai par entrer dans la tête des Anciens, par les comprendre en faisant mienne l'architecture de leur langage. Kérylos est mon cheval de Troie, qui m'aidera à pénétrer à l'intérieur de leur citadelle. »

Du coup, Théodore a fait venir peu d'œuvres à Beaulieu : il a bien acheté un morceau de peinture de Pompéi, mais c'était pour pouvoir l'étudier de près. Il a laissé le Louvre se porter acquéreur du plus beau fragment lors de la vente. Les statues, il n'a pas envie d'en faire sculpter. Les fausses déesses grecques, cela se reconnaît tout de suite, elles ressemblent à des nymphes de jardin. C'est une question de patine. Il possède des moulages, mais en petit nombre.

Quand on découvrit l'*Aurige de Delphes*, sous la voie sacrée qui traverse le sanctuaire d'Apollon, il voulut en posséder la reproduction, pour bien juger de ce drapé sec, de ces traits purs, de ce visage paisible du conducteur de char qui tient les guides entre ses mains. Il a fait placer dans la bibliothèque ce qui est à ses yeux la plus précieuse des statues. Chez Platon, l'homme est un cocher qui mène deux chevaux, l'un est beau et noble, l'autre est rebelle.

20

Le soleil sur les meubles

Les meubles de la bibliothèque, pour mes yeux de garçon de vingt ans, sont les plus beaux du monde.

Pontremoli les dessine au fur et à mesure. Il m'offre un jour deux croquis pour les tables, des merveilles. Ce n'est pas facile de meubler une villa de l'Antiquité. En Grèce, à part les coffres, les chaises et les lits, il n'y avait pas grand-chose… Fanny Reinach dresse des listes de ce dont elle aura besoin. Théodore réfléchit, s'amuse : une coiffeuse ? Une chiffonnière ? Un petit bureau pour la correspondance courante, où sa femme le matin pourrait s'asseoir et répondre aux invitations ? Une clochette sur la table ? Il note tout. Il invente au fur et à mesure.

Il m'arrive d'aller à Paris, faubourg Saint-Antoine, pour voir où en est ce mobilier dans les ateliers de Louis-François Bettenfeld. Il construit ses meubles solidement, avec des essences choisies : citronnier de

Ceylan, olivier sauvage du Mékong, prunier d'Australie, tamarinier des Indes… Pontremoli veut des incrustations de nacre, de houx, d'ivoire, de petites touches d'acajou, sans en abuser. Je crois voir la palette d'aquarelliste d'Ariane, qui superposait ses couleurs, attendait que sèchent ses grands aplats pour placer, au bon endroit, une petite teinte de pourpre ou d'émeraude. Quand le soleil passe sur les meubles, traverse les rideaux, dessine d'autres lignes, imprévues, je pense à elle, à sa délicatesse, à tout ce qu'elle m'a expliqué pour que je dessine de manière moins sèche et moins précise.

Avoir du style, c'est assez facile, créer un style, c'est plus rare. Théodore a été simple dans sa commande. Cela demande du talent. Il sait ce dont il ne veut pas. Il faut éviter toutes les variantes du néoclassicisme, le retour à la Grèce tel qu'on le pratique depuis des siècles. Les meubles Biedermeier autrichiens, on peut en garder les teintes claires et la chaleur des bois, il importe d'oublier surtout le style Empire, malgré les lignes droites, et le gracieux style Charles X. Il faut des formes pures, parfois brisées par des pieds tournés, des volutes de bronze ou de gros clous, pour donner une impression de rudesse et de raffinement. Le mobilier de Kérylos ne ressemble à aucun autre. Il correspond à ce qu'on cherchait avant la Première Guerre, sans le trouver : des meubles imposants, solides, pratiques, mais confortables, d'une exécution raffinée. Comme la maison, tout fut calculé en coudées et en pieds athéniens, à la mesure de l'homme grec, pas question de mètres et de centimètres. Le plus incroyable, à mes yeux, ce sont les chaises longues où Théodore aimait tant s'enfoncer pour lire, fruit des amours coupables entre une méridienne de jardin d'Angleterre et une chaise romaine aux lignes viriles peinte par David dans ses tableaux d'avant la Révolution. Quand j'ai vu, des années plus tard, les meubles de style Art déco, j'ai pensé qu'ils avaient un air de famille avec ceux-là : en réinventant le passé, il est courant qu'on voie l'avenir.

Cerbère était mort de vieillesse. Théodore, qui tenait à ses promenades quotidiennes, le remplaça par un molosse, Basileus. La villa serait enfin gardée – comme si, à notre retour de l'Athos, Théodore avait voulu dissuader rôdeurs et cambrioleurs. Il n'osa pas demander à Pontremoli de dessiner une niche, l'architecte avait pourtant pensé aux objets les plus triviaux pour les cabinets de toilette, mais c'était destiné aux êtres humains, il n'aurait pas été digne de le faire travailler pour le chien. Le gardien s'amusa : il assembla quelques planches en forme de temple avec un fronton, aux dimensions de la bête, pour qu'elle puisse y avoir ses aises. Théodore prit lui-même un pinceau et écrivit *Basiléôs*, qu'on pouvait traduire par « la demeure du roi » autant que par « la niche du chien ». Cette plaisanterie, agrémentée de colonnettes, trôna sous le péristyle, à l'entrée de la bibliothèque.

Les livres sont cachés. Théodore en a rangé dans les placards contre les murs, dans les coffres, et derrière les rideaux de la galerie haute de la bibliothèque.

Impossible de montrer des reliures modernes, on doit imaginer des rouleaux, aussi nombreux que ceux qu'on a trouvés brûlés par le volcan, à Pompéi, dans la villa des Papyrus. Théodore est un génie : il n'étale pas ses citations comme son frère Joseph. Il n'assomme pas les autres avec sa science. Joseph, quand il lisait le récit d'une découverte dans le *Journal des savants*, s'écriait : « Mais c'est passionnant ! Il faut que j'écrive là-dessus ! » Fanny Reinach avait éclaté de rire, lors d'un déjeuner, en entendant cette phrase, Joseph n'avait pas compris, et s'était tu.

Théodore devant moi, plutôt que de me répondre au sujet de la couronne d'or, prend dans la bibliothèque un volume de chez Hachette, la traduction d'un dialogue attribué à Lucien de Samosate, celui qui a écrit des dialogues des morts et des voyages dans la lune, en faisant croire que c'étaient des histoires véritables. Il me dit tout de suite que cet ouvrage n'est pas du grand poète, mais probablement d'un certain Léon, philosophe de l'Antiquité, dont on ne sait rien : « Cela s'appelle *Alcyon ou la Métamorphose*. Regarde. »

Je l'ai retrouvé depuis, je me revois le lui lisant : « Quelle voix, Socrate, est arrivée jusqu'à nous, de ces rivages et de ce promontoire ? Qu'elle est douce à l'oreille ! Quel est donc l'animal qui peut la produire ? Car on dit que les habitants des eaux sont muets.

— C'est un oiseau marin ; on le nomme Kérylos, il a la voix pleine de larmes. Il n'est pas grand, mais il a reçu des dieux une récompense de sa tendresse : durant le temps qu'il couve ses petits, le monde passe des jours nommés alcyoniens, remarquables par le calme qui règne au milieu même de la mauvaise saison ; c'est aujourd'hui l'un de ces jours. Vois, le temps est serein, la mer est calme, sans vagues, et ressemble à un miroir. »

Les alcyons ont la folie de bâtir leur nid sur l'eau. Les sept jours qui précèdent et les sept jours qui suivent le solstice d'hiver sont ces temps où les eaux sont étales, tout est quiétude, les œufs selon la légende tiennent en équilibre sur les vagues. Entre deux orages, ces jours-là, il faut se taire, ne rien faire, ne pas penser, les yeux dans la lumière du jour.

21

Le matin où la plus ancienne musique du monde s'est fait entendre dans l'« Oikos »

Le temps tourne autour de la maison : le soleil passe d'un cadran solaire à l'autre. Le premier domine le péristyle, l'autre ne se voit que des jardins – mais la même inscription se poursuit, c'est une seule phrase, composée par Théodore. Du côté du soleil levant, il est écrit : « J'ai conçu ce monument pour le soleil, en douze parties, six vers le levant, six vers le zéphyr… » et du côté du couchant : « … afin que chacun, sur ce mur qu'on voit de loin, sache quelle est pour lui l'heure du travail et quelle est l'heure du repos ».

Les rideaux couleur de rose, les teintes de l'aurore chez Homère, disait Fanny, que j'ai vu poser sur ces murs – ils étaient arrivés de chez le brodeur Écochard, de Lyon, dans de grandes boîtes en carton –, se sont décolorés. Ils ont pris une teinte ocre, qui se fond avec celle des parois couvertes d'un léger badigeon, comme une photographie sépia laissée trop longtemps au soleil.

À Kérylos, j'aimais écouter. Le soir, quand la maison était vide, elle craquait comme un vieux gréement : les portes de bois que l'humidité faisait gonfler, les anneaux de bronze agités par le vent, les poutres qui jouaient, j'arrivais même à entendre, par-dessus le bruit de la mer, les cris des oiseaux qui venaient se percher sur les tuiles.

Du haut de la terrasse, au contraire, l'anse de Beaulieu est comme une maquette animée, mais sans aucun son : les bateaux rentrent au port, les nageurs et les promeneurs sont loin, le petit train passe en sourdine entre les palmiers avec un panache de coton.

Tous ces bruits de Kérylos composaient une sorte de silence. Aujourd'hui, ils sont là, à nouveau, parce que la maison est vide, ce sont les bruissements des fantômes quand ils se croisent. Des sons qui restent quand il n'y a plus personne – et la voix claire d'Ariane, qui me manquera toujours.

Au centre de ce silence se trouve un piano. C'est le meuble le plus célèbre de Kérylos, celui dont parlent même ceux qui n'ont jamais été invités chez les Reinach et qui veulent avoir l'air d'être des familiers, le seul piano droit de la Grèce antique.

Comme tout le mobilier de la maison se devait d'être de pur style hellène, Fanny Reinach s'était désespérée durant les premiers hivers en pensant qu'elle n'aurait jamais de piano. Sa cousine Ephrussi, dans la villa voisine, dont elle enviait toujours le confort à voix haute pour taquiner son mari, avait tous les pianos qu'elle voulait ! Elle reprochait à son mari de la priver d'un grand plaisir, d'étouffer ce qu'elle aimait, de la sacrifier à son délire archéologique – elle menaçait de ne plus venir à Beaulieu. Elle avait besoin de ces heures de piano, sans doute, qui lui permettaient de s'évader. Théodore comprit qu'elle ne plaisantait plus, elle devenait sévère, s'enfermait pour écrire des lettres. Un beau jour de 1912 elle a vu arriver son instrument, avec, en caractères grecs, *Pleielos Epoiesen*, « Pleyel l'a fait », une idée de son mari pour faire rire tous les lettrés qui verraient cette inscription de bois foncé dans le citronnier. Replié, cela avait l'air d'un coffre un peu haut, on l'ouvrait le soir pour découvrir l'invisible clavier, en sortant les partitions. Elle aurait évidemment aimé pouvoir disposer sur son piano des photos de famille dans des cadres en argent, mais il ne fallait pas exagérer.

Fanny jouait la fenêtre ouverte : dans le jardin, où j'aimais l'écouter sans me montrer, j'ai entendu *La Valse* de Maurice Ravel, et les *Six épigraphes antiques* de Claude Debussy, avec ce morceau en particulier « Pour invoquer Pan, dieu du vent d'été », et cet autre, le plus mystérieux, intitulé « Pour un tombeau sans nom ». Quand je l'entends, je pense à Adolphe. Je ne fais aucune différence entre penser à lui et prier pour lui. Je pense aussi à Léon, fils de Fanny et de Théodore, devenu musicien et qui aurait dû être un grand compositeur – ce sont des noms sans tombeaux.

Je chantais assez bien, mais je n'ai jamais su jouer que de l'harmonica, et encore plutôt mal. J'avais tellement de choses à apprendre, je n'ai pas pris le temps qu'il fallait pour la musique. Mme Reinach aimait les morceaux de Bach, des sarabandes et des fugues. Elle avait de belles idées, poétiques et inattendues, elle prenait l'air rêveur pour dire : « Comme j'aimerais aller au Congo, jouer cela dans un village, pour les petits enfants africains... » ; son mari la regardait en souriant, il l'aimait.

Quand Théodore en personne se mettait à son « Pleielos », il faisait exploser le cancan de *La Grande Duchesse de Gerolstein*. Offenbach mettait en émoi les baigneurs sur les rochers. *Orphée aux Enfers*, bien sûr, avait ses faveurs. Il affectionnait le grand air de l'Opinion publique, et le « galop infernal ». Je l'entendais chanter dans sa baignoire : « Quand j'étais roi de Béotie... » Il aimait aussi, dans *La Grande Duchesse de Gerolstein* : « Et nous, quelle chance, nous sommes trois ! Nous sommes trois ! », qu'il chantait souvent après avoir rappelé à la compagnie que les frères Montgolfier, les frères Goncourt, hélas pour eux, n'étaient que deux. Il aurait pu être pianiste, virtuose même, il savait résoudre toutes les difficultés techniques, comme il aurait pu devenir chimiste ou mathématicien : c'est pour cela qu'il choisissait toujours des pièces comiques, pour se moquer de lui-même et de tous ses talents. Ses petits doigts couraient, il marquait le rythme avec ses pieds. Au mur, parmi les motifs en léger relief qui contrastent avec les ornements peints, se trouve une représentation des noces d'Ariane, que Thésée a abandonnée à Naxos, séduite et sauvée par Dionysos, qui la console avec le vin, la fête, la folie, les centaures, la musique. Un Éros verse du parfum sur la tête de la jeune femme. C'est inspiré par un vase très connu du musée d'Orvieto. Le stucateur l'a transposé à même le mur en moins d'une journée. Je tourne la tête : voici Ariane, et Grégoire, debout sur la terrasse, applaudissant, et mon Ariane aux anges, si belle, les cheveux dénoués, qui me donnait l'impression de me regarder à la dérobée.

Un matin de plein soleil, Théodore m'a fait venir dans ce joli salon, aux bonnes proportions, à peine assez grand pour la famille, où on ne pouvait surtout pas organiser de ces « petits concerts » qu'il avait en horreur : « Écoute bien, Achille, je vais te faire entendre la première musique de l'humanité. On n'en a trouvé aucune qui soit plus ancienne. C'est l'hymne à Apollon de Delphes que j'ai déchiffré. Je ne suis pas fier de grand-chose, mais de cela, oui : j'ai pu faire écouter aux hommes les sons de la Grèce. Gabriel Fauré, il est un de nos amis, tu sais, a joué l'hymne, qu'il a arrangé, sur ce piano, tu n'étais pas là, tu devais avoir tes cours à Nice. Depuis j'en ai traduit un autre, mais il est moins beau, plus lent. Il y avait des erreurs dans l'inscription, j'ai eu tort de les corriger, c'était peut-être, après tout, les fantaisies de ce musicien de l'Antiquité dont on ne connaît pas le nom. »

J'étais encore un jeune garçon sans culture, mais je trouvais incroyable ce M. Reinach qui prétendait, avec un aplomb de merveilleux mandarin, qu'il arrivait à corriger les fautes d'orthographe des Grecs anciens.

« Écoute les deux, tu me diras celui que tu préfères. Le premier, on l'a joué dans le grand amphithéâtre de la Sorbonne, pour le premier Congrès international olympique, quand on a ressuscité les Jeux. Tu connais la frise de M. Puvis de Chavannes, *Le Bois sacré*, avec toutes ces jolies dames en chemise de nuit, je te l'ai montrée en reproduction dans un de ces livres que mon bien-aimé frère Salomon écrit pour les demoiselles – et les vieilles demoiselles – de l'École du Louvre. Tu as entendu parler des Jeux olympiques ? C'est nouveau et c'est très ancien. Toi qui es un parfait athlète, tu devrais concourir, tu aurais peut-être une médaille en chocolat. J'ai vu le baron de Coubertin pleurer, les larmes gouttaient dans ses moustaches, assis au premier rang, quand il a entendu ça… »

Cette histoire m'intéressait, je lui demandai comment il avait fait pour lire une musique si ancienne. Il m'expliqua qu'on ne savait pas pourquoi, dans l'inscription gravée, des lettres apparaissaient au-dessus de certaines lettres. Il avait compris que c'était la manière grecque de noter la musique, avant l'invention des partitions. On avait beaucoup écrit déjà sur le sujet, il avait abordé le problème avec un regard neuf et simple. J'étais fasciné.

J'écoutais s'élever chaque note, comme si on reconstruisait un temple devant moi : cette musique est belle, grave, pleine de mystère. Je la jouais à l'harmonica, la nuit, devant la mer. Je voulais lui faire écouter ce chant qu'elle entendait déjà voici plus de deux millénaires, et qu'elle me réponde avec sa cacophonie de vagues et de vaguelettes, qui elle non plus n'avait pas changé. Je trouvais une parenté entre ce rythme lent et les chants corses de mon enfance, que les montagnards entonnaient aux messes de mariage, devant la statue de la Vierge, comme quand on jouait de la harpe pour Athéna victorieuse, sur l'Acropole. La deuxième ou la troisième phrase surtout était belle, je pouvais la recommencer dix fois, je me donnais des airs de charmeur de serpent.

Cette première musique ne s'effacera jamais de ma mémoire. Je me suis approché de la fenêtre, je l'ai ouverte et j'ai regardé l'horizon en écoutant chaque seconde de l'hymne à Apollon. Quand ce fut fini, j'ai demandé à Théodore de me le jouer à nouveau. Ce qu'il a fait.

Même le second hymne, je l'ai trouvé très beau, plus répétitif, plus lancinant, comme une danse rituelle, peut-être plus vrai. Fauré ne l'avait pas retouché. J'ai été un lecteur fervent de l'ouvrage de Théodore *La Musique grecque*, qu'il estimait utile, disait-il avec un sourire malicieux, à deux sortes de gens : « Les musiciens qui savent un peu de grec et les hellénistes qui savent un peu de musique, deux catégories qui ne sont pas bien nombreuses. »

J'ai vu ici ce fameux Gabriel Fauré, en 1919. Il était venu pour jouer *Masques et bergamasques* à Monaco, dans la jolie boîte carrée en forme d'Opéra qu'avait bâtie Garnier – et il rejoua ses pièces dans l'« Oikos », au milieu des masques en stuc rappelant ceux du théâtre de Pergame. Fauré était un vieil homme charmant, qui aimait l'art et en particulier la sculpture – il avait épousé la fille d'Emmanuel Frémiet, l'homme à qui on doit la Jeanne d'Arc qui cavalcade rue de Rivoli et, en réduction, sur de nombreuses cheminées catholiques. Fauré, fils d'un instituteur de Pamiers, avait bien réussi. La comtesse Greffulhe, qui se prenait pour Louis II de Bavière, en avait fait son Wagner domestique, bien qu'il ne fût pas du tout wagnérien malgré sa pièce intitulée *Souvenirs de Bayreuth*. Comme beaucoup de grands compositeurs, il était dur d'oreille. Il faisait répéter tous les compliments. Théodore vantait la musique de son opéra *Pénélope*, dont il lui réclama plusieurs morceaux réduits pour le piano. Fanny était morte depuis deux ans, la musique l'aidait sans doute à retrouver son souvenir.

Je ne sais plus si Pierre de Coubertin vint voir les Reinach à Beaulieu, ou si c'est dans l'hôtel particulier de Paris que je pus apercevoir ce pontifiant personnage. Je n'ai jamais compris l'indulgence que tout le monde, le beau monde en particulier, avait pour lui, avec ses idées de boy-scout qui aboutissaient à l'éloge du plus fort, l'humiliation du pauvre raté pour qui « l'essentiel c'est de participer » et l'exaltation de la puissance physique. Dans l'Antiquité, les Jeux olympiques étaient aussi l'occasion de compétitions de poésie, de chant, de théâtre… Ces jeux en toc, cela aurait dû faire horreur aux Reinach, s'ils avaient lu de près ce qu'écrivait le prophète des « Olympiades de l'ère moderne », mais ils étaient si naïfs, parfois, mes grands hommes. Hitler ne s'y est pas trompé, il a vu tout de suite ce qu'il pouvait faire avec le prétendu « idéal olympique » et ces surhommes incultes en maillot de corps à bretelles de soutien-gorge.

22

Ce qui reste de Périclès dans la grande cuisine (où l'on ose enfin parler de la tiare d'or de Saïtapharnès, roi d'Olbia)

Qu'était devenue Ariane ? Longtemps je l'avais cherchée. Après mes blessures, la mort d'Adolphe, ma permission forcée, ma convalescence à Kérylos, j'étais retourné me battre, jusqu'au 11 novembre. J'ai entendu en uniforme le clairon du cessez-le-feu, trois jours après avoir été touché à nouveau par un éclat d'obus.

En 1918, pas tout de suite après le défilé de l'armistice, quelques semaines plus tard, j'étais encore à Paris, j'avais le bras gauche en bandoulière et des médailles sur le poitrail, je n'arrivais pas à oublier Verdun. On disait à l'époque « tout le monde est passé à Verdun », je pensais : sauf ceux qui sont morts avant. Ce que j'avais vu ne me semblait pas réel. J'y pensais sans arrêt, je donnais une forme racontable à ce que j'avais vécu, je lisais ce qu'en disaient les journaux, je me forçais à me dire que c'était comme la bataille de Marathon, que ce serait de l'histoire, pour m'en faire un récit que je puisse supporter. La nuit, les vraies images revenaient.

Je marchais dans les rues, sans savoir où aller, je me dirigeais du côté du Louvre. Je me suis assis dans le square, au pied de la statue de La Fayette. Sur une des portes de la cour était écrit à la peinture blanche: *Victoire*. Je suis entré. J'avais envie de voir, en haut de son escalier, débarrassée des protections anti-bombardements, ma statue aux ailes ouvertes.

Avant d'arriver devant la *Samothrace*, j'avais trouvé à la poste du Louvre – ce glorieux Parthénon de la Troisième République où défilent plus de jolies filles que sur les frises de Phidias – un annuaire attaché à une ficelle, où j'avais pris l'adresse du cabinet d'architecte de M. Grégoire Verdeuil. Il avait même le téléphone, il ne se refusait rien.

J'ai tout recopié, pour me placer de l'autre côté de sa rue, essayer d'apercevoir Ariane, lui parler, comprendre pourquoi elle avait décidé, d'un coup, de me fuir. Nous avions été heureux, cela lui avait fait peur. Je voulais lui dire qu'elle n'avait rien à craindre, je serais un amant discret, je voulais lui parler sans trop savoir ce que je voulais lui dire, je ne voulais pas qu'elle m'oublie, je voulais qu'elle sache que moi, quoi qu'il advienne, je n'oublierais jamais. J'ai mis ensuite des semaines à oser. C'est toujours comme cela: je laisse passer du temps, avant d'aimer, avant de trouver, avant de détester… J'ai peur d'aller trop vite vers ce que je veux, peur de me faire mal, d'arriver en avance, d'être déçu, d'avoir du chagrin.

Pour l'affaire de la « tiare Reinach », que j'aurais pu reconstituer assez vite, il m'a fallu des années pour tout savoir. Cette histoire était l'envers du décor de Kérylos, je l'ai compris dans cette pièce que l'on ne montrait jamais aux invités, la cuisine, avec ses carreaux modernes et ses « pianos » dignes du Ritz, les brûleurs indestructibles et les tournebroches qui ressemblaient à des horloges à complications. Il y avait un frigorifique, comme on disait, de grandes dessertes, des éviers en métal, c'était un monde nouveau. Ma mère y passait souvent, admirant tout, pour bavarder avec la brave Justine, qui me nourrissait toujours plus que de raison.

En cuisine, Périclès avait abdiqué. Et Aspasie aussi, sa servante maîtresse, qui devait lui faire de bons petits plats. Pas question de se contenter, comme au pied du Parthénon, d'olives, de pain aillé, d'agneau grillé et de fromage de brebis au miel ni du traditionnel brouet spartiate. Le chef de M. et Mme Reinach venait de Paris. Justine se pliait à ses ordres. Quand Mme Reinach avait nagé, elle remontait dans les rochers et on lui servait quatre côtelettes grillées : c'était le régime de sportif que lui avait conseillé l'omniscient Coubertin.

Le secret de la tiare a été comme un gros rôti qu'on tira du four devant moi, sans penser qu'il allait me bouleverser. À l'époque, je me suis fait un petit carnet, que j'ai toujours, où j'avais raconté l'affaire, avec une précision digne d'Adolphe, incapable de ne pas donner tous les détails.

Il m'expliqua ce scandale, un matin, où, suivi de Basileus, il était descendu dans la cuisine en robe de chambre de flanelle, avec une pile de livres, en fredonnant « Il était un roi de Thulé », la ballade du *Faust* de Gounod. Je l'entends encore détacher chaque syllabe du refrain : « Une coupe en or ciselée. » Moi j'étais en espadrilles et pantalon de toile beige, j'avais déjà passé une heure dans l'eau, j'ai repris du café avec lui.

Le drame, tel qu'il me le raconta, avait eu lieu en 1896, l'année des premières olympiades, bon millésime pour la famille, Salomon venait d'être élu à l'Académie des inscriptions et belles-lettres. Il avait conseillé l'acquisition par le Louvre d'un bonnet d'or unique. La somme était importante, 200 000 francs. Il s'agissait de la tiare de Saïtapharnès, la plus belle pièce d'orfèvrerie de la Grèce antique, datant du IIIe siècle avant Jésus-Christ, une découverte majeure. Cette histoire, tragique et triste, venait de se terminer à peu près au moment de mon arrivée, et à bien y réfléchir je me suis demandé depuis s'ils n'en avaient pas parlé à mi-voix, chez les Eiffel, ce fameux jour où Théodore m'avait « recruté ». Je lui avais peut-être apporté un peu d'air frais, à un des pires moments de sa vie. Souvent, certaines scènes lointaines ne trouvent leur sens que des années plus tard. Il est certain que, durant cette période, l'affaire de « la tiare » devait être au cœur des conversations de la famille. Je me suis même demandé si le grand chantier n'avait pas été lancé pour oublier ce satané Saïtapharnès. Adolphe parlait dans la cuisine déserte, sachant que nul ne pourrait nous entendre.

Il me décrivait la tiare trônant au Louvre sur un coussin de soie écarlate parmi les trésors de la galerie d'Apollon, cette Tour de Londres de la France. Entre la vitrine où éclataient les carats du Régent et quelques autres gros diamants hérités des rois, sur laquelle étaient sculptées les grandes lettres RF, pour « République Française », et les hautes armoires où s'alignent les aiguières de sardoine qui se trouvaient dans la chambre de Louis XIV et les tabatières de Louis XV, on avait dressé une petite vitrine à part. Tout Paris voulait la voir. Elle devint en quelques jours plus célèbre que celle du pape. Tous les journaux la montrèrent, avec des photos de détails. Marcel Proust lui-même était sorti de chez lui, sans doute vêtu de sa légendaire pelisse et donnant le bras à un de ses amis, pour aller la contempler.

Au sommet, un serpent stylisé ouvrait la gueule ; entre une frise végétale et un bandeau orné de petites scènes de chasse, se détachaient en léger relief des scènes de l'*Iliade*. Achille y était représenté sur un fauteuil, avec des aiguières et des vases à ses pieds. Ulysse conduisait à lui la belle captive Briséis, la tête voilée, suivie de servantes et d'oiseaux. Un athlète barbu tenait par la bride les chevaux du défunt Patrocle et, sur l'autre face, était dressé le bûcher du compagnon d'Achille, avec de gros troncs d'arbres, au bord de la mer ; on voyait nager un dauphin, au milieu des vents. Borée soufflait dans sa conque, Zéphyr tenait une torche abaissée. Une urne était prête à recevoir les cendres du héros. Achille, inconsolable d'avoir vu tomber Patrocle, tendait le bras en signe d'adieu. Sur les photographies, c'était splendide, l'objet me plaisait autant que les petits soldats de mon enfance – premier indice qui pouvait m'alerter. Adolphe se penchait vers moi pour me montrer tous les détails sur la grande photographie qu'il était allé chercher dans sa chambre.

Les deux coudes appuyés sur la table de chêne, il s'enflammait presque autant, en me montrant cette image, que lorsqu'il me parlait du procès Dreyfus. Au début, beaucoup n'arrivaient pas à retenir ce nom, Saïtapharnès, et l'appelaient la « tiare d'Olbia », du nom d'un site des rives de la mer Noire. Sur ce sublime objet d'or pur repoussé, martelé et sculpté figurait, sous les scènes principales, cette inscription : « Le conseil et les citoyens d'Olbia honorent le grand et invincible roi Saïtapharnès. » Périclès, Démosthène, Platon, ça va, ça se retient, mais ce nom, Saïtapharnès ! Certains comprenaient : « C'était aux Farnèse » et pensaient que la tiare venait du palais Farnèse de Rome. On parlait de la tiare antique du pape Paul III Farnèse. Tout le monde ne peut pas connaître le nom de tous les rois scythes.

Le Figaro commanda à Salomon Reinach un feuilleton où il raconterait les aventures de ce « satrape » d'Olbia et où il décrirait sa parure souveraine, qui démontrait chez ce chef barbare un bel amour des épopées d'Homère. Ces articles, Adolphe les avait gardés. La tiare avait été fabriquée durant une période de l'Antiquité qui ressemblait un peu à nos années 1900 : les Grecs d'alors savaient que la gloire était derrière eux, que le Parthénon était vieux. D'autres peuples existaient, aux confins de leur monde, qui aimaient les belles montures, les fourrures et les bijoux. Les Grecs avaient appris à admirer les Perses, leurs ennemis. Ils savaient, au fond d'eux-mêmes, quand les paysans et les orfèvres de la mer Noire leur empruntaient des motifs et des poèmes pour orner leurs casques et leurs boucliers, qu'ils seraient bientôt vaincus, mais que par avance ils avaient conquis leurs farouches vainqueurs. C'était l'interprétation d'Adolphe. Elle rendait la tiare encore plus séduisante. La tiare de Saïtapharnès était un objet venu de la frontière, entre deux temps, entre deux mondes, et il resurgissait à point nommé. Pour Joseph, Salomon et Théodore, qui l'avaient tenue entre leurs mains, cette coiffe fragile, un peu souple, bosselée et parsemée de légères griffures, c'était ce que l'Antiquité nous avait légué de plus beau.

23

Un faux venu d'Odessa ?

Dans la salle du Conseil des musées nationaux, au Louvre, pavillon Mollien, toute la France érudite se donna rendez-vous pour la première apparition publique de l'objet.

Adolphe m'expliqua : « La plupart du temps, les membres de la commission ne viennent pas, et tout se règle en petit comité avec le spécialiste du mobilier du XVIIIe siècle ou de la peinture de la Renaissance venu plaider la cause de son acquisition. Ce jour-là, la rumeur d'un trésor avait circulé, tous étaient là, dans la salle aux boiseries blanches. Il y eut une foule de questions. Ce Saïtapharnès, qui est-il ? On le connaît déjà, répondait oncle Salomon. Son nom est attesté. Oncle Théodore avait exposé avec netteté qu'une inscription, publiée en 1885 à Saint-Pétersbourg, évoquait ce roi scythe. Et cette forme ? Un genre de bonnet pointu ? Elle est très proche de la coiffe d'Ak-Bouroun, trouvée près de Kertch en 1875... »

Ce jour-là, le « comité consultatif » fut unanime et emballé. On disait le British Museum intéressé. C'était cher. Le 1er avril 1896 – « ton anniversaire, Achille ! » – se tint une séance mémorable dans le palais de l'Institut. Héron de Villefosse présenta le chef-d'œuvre à ses confrères de l'Académie des inscriptions. Un peu sceptique au début – c'était si beau –, il avait vite compris l'importance de l'objet, la nécessité qu'il n'échappe pas à la France. Deux académiciens, l'un et l'autre nouvellement élus, et qui souhaitaient peut-être se rendre populaires parmi leurs nouveaux confrères, avancèrent la somme, une moitié chacun. Le premier fut Salomon. Le second un architecte, membre de l'Académie des beaux-arts, Édouard Corroyer, très en vue. C'était l'homme qui reconstruisait le Mont-Saint-Michel, qui lui donnait une flèche et l'archange d'or brandissant son épée au-dessus des grèves. Il inventait un Moyen Âge qui n'était peut-être pas la vérité historique, mais qui plaît toujours aujourd'hui, au point qu'on a fini par le croire vrai. Son génie était d'avoir donné une silhouette au Mont, qui n'avait pas vraiment de forme. Il y avait même eu un bulbe, au XVIIIe siècle, au-dessus du clocher médiéval ! Les Reinach connaissaient bien ce grand historien et l'appréciaient. Corroyer avait aussi une bonne, toujours ravie, la mère Poulard, Adolphe s'en souvenait. Il adorait cette femme qui lui faisait la conversation en battant ses omelettes. Il me disait : « Elle ne fera jamais fortune avec ses galettes, mais elle aime son métier, ses poules, et aussi un peu les récits et légendes du Moyen Âge. Elle a servi Clemenceau et le roi des Belges, tu n'imagines pas comme elle est mondaine. Il faudra que je t'emmène au Mont-Saint-Michel, ça te plaira, c'est le grand style authentoc, pire qu'ici. » Tous les amis de son oncle Théodore avaient l'air, comme cela, de vivre à d'autres époques, d'être échappés des songes des siècles disparus, sauf Eiffel qui arrivait du futur et louait « le progrès ». La mère Poulard aurait été surprise et flattée qu'on parle d'elle dans une villa grecque de la belle Riviera française.

Toute la région d'Olbia, me raconta Adolphe, est un gisement de trésors. Depuis les années 1830, on fouille là-bas. La découverte de la tombe de Koul-Oba avait frappé de stupeur l'Occident. En Russie, ces découvertes suscitaient une grande fierté. On croyait que ces barbares, dont Hérodote avait parlé au livre IV de ses *Histoires*, n'avaient rien inventé, qu'ils étaient frustes et sans art, qu'ils ignoraient les poètes, vivaient dans des huttes de branchages ; voilà que surgissaient des trophées, des armes, des boucles en or, un raffinement qui méritait le nom de civilisation…

Le musée de l'Ermitage s'était paré de ces trésors venus de Crimée. Sous Napoléon III, la guerre avait rendu familiers aux Français ces noms chantants, Sébastopol, Odessa, Alma, Malakoff, le conflit avait interrompu les fouilles. D'où les pillages, les entreprises clandestines, un commerce des Antiquités qui échappait aux conservateurs. Théodore possédait les volumes où ces merveilles de l'Ermitage étaient reproduites, des pages nouvelles de l'histoire grecque, ignorées jusque-là par les historiens. Il n'y avait donc rien d'étonnant à ce que deux antiquaires, nommés Vogel et Szymanski, se fussent retrouvés en possession de cette tiare, d'un collier avec de gros cabochons et des pendeloques, de deux boucles d'oreilles, provenant – disaient-ils – du même tombeau. Ils avaient fait faire un coffre d'acajou. Ils détenaient même un fragment de tissu, provenant du bonnet intérieur de la tiare, découvert avec elle, dans la sépulture. Ils sonnaient à toutes les portes de l'Europe cultivée. À Paris, ils étaient allés rencontrer un homme un peu bourru, mais dont la réputation était considérable, M. Héron de Villefosse, fin connaisseur de l'art antique. Théodore avait aussitôt été averti.

Le premier qui émit des doutes fut le grand professeur d'histoire de l'art antique de l'université de Saint-Pétersbourg, Wesselowsky. Le conservateur du musée d'Odessa avait surenchéri. Il avait annoncé qu'il s'agissait d'un faux, et déclaré, comme s'il en savait long, et avec un mépris évident, que l'auteur de cet objet était « un juif de Lituanie ».

Le grand Furtwängler parla après eux. C'était le plus célèbre des archéologues allemands. Son musée, à Munich, était le plus beau, son autorité considérable. Il fit tout pour réduire à néant la prétention de ces naïfs qui ne travaillent pas et pensent tout savoir sur tout, ces amateurs : les archéologues de Paris.

L'ingéniosité des faussaires était devenue

extraordinaire, ils étaient parfois plus forts que des conservateurs. Il y avait en Europe, de l'Angleterre à la Russie, une surenchère de faux, et un marché de la supercherie. Tout le monde savait que la Crimée était non seulement un terrain de fouilles sauvages, mais une région où ces falsifications abondaient. Les officines d'Odessa étaient connues de tous. La famille Reinach, qui avait des cousins là-bas, ne pouvait pas ne pas en avoir eu vent. Parmi les savants français, ils étaient les mieux placés pour tout savoir. Dans la grande cuisine, debout sur la table, mon Adolphe entonnait l'air de la Calomnie.

24

La nuit dans le péristyle

«J'ai parlé avec un des assistants de Furtwängler, me dit Adolphe. Il m'a raconté à quel point on se moquait de nous. À Munich, ils étaient bougrement bien informés.

— Ils ont des espions partout, tu sais, ces Alboches.

— Les faussaires en réalité travaillaient tous au même endroit, à Otchakov, petite ville de la mer Noire, pas très loin d'Odessa. La filière était connue : les frères Hochmann, des marchands de grains devenus antiquaires, faisaient fabriquer par des orfèvres qui travaillaient très bien des objets pour les collectionneurs, copiés sur les trouvailles sorties des tombeaux. Le pire c'est que mon pauvre oncle savait tout cela, il l'avait même mentionné, en 1893, dans la *Revue archéologique* ! J'ai l'article !

— Cela n'empêche pas que cette tiare est magnifique !

— Belle comme la villa, tu veux dire ? Rien n'est vrai dans ce gros bijou, sauf peut-être les rivets de bronze, sur les côtés, qui laissent croire qu'il y avait une jugulaire. Le reste, c'est un centon de formes antiques, bien exécutées, mais toutes calquées sur des modèles, en s'inspirant de planches que nous connaissions nous aussi. Elles sont toutes ici à la bibliothèque, je te montrerai. L'horrible Furtwängler a ciselé son attaque, tu penses, cette tiare prétendument antique était, selon lui, "*ein wüstes Sammelsurium*", un pot-pourri, une farcissure, une chimère, un mouton à dix pattes… »

Comment Théodore et son frère Salomon avaient-ils pu ne rien voir ? Ces gravures qui avaient servi de modèles et qu'ils avaient chez eux leur étaient apparues comme des preuves supplémentaires de l'authenticité. Furtwängler souligna un détail, qui n'avait frappé personne jusque-là : la famille de la femme de Reinach ne viendrait-elle pas, elle aussi, des bords de la mer Noire, et précisément d'Odessa ? Ne connaissait-elle pas – elle ou tel ou tel de ses parents – tous ces petits orfèvres juifs qui travaillent en cachette ? Ou du moins les marchands internationaux qui ont conclu des pactes secrets avec eux… N'est-ce pas en vendant du grain glané dans les plaines d'Ukraine que ces Ephrussi avaient accumulé cette fortune qu'ils dépensaient à Paris, avec tous ces gens chics, leurs nouveaux amis ? Furtwängler avait vu tout de suite comment le piège allait fonctionner. Il n'avait eu qu'une pichenette à donner pour que tout s'effondre, ensuite ce serait l'édifice de cette juiverie internationale devenue érudite en une seule génération qui glisserait vers l'abîme, il les tiendrait tous, il leur ferait mordre la terre. Pour Théodore, les premiers ennemis n'avaient pas été des barbares, mais les érudits, les savants, ses collègues. Je n'avais pas imaginé cela.

Le supplice dura plus que de raison. Adolphe, pour me le raconter, faisait tourner à vide l'immense tournebroche, mimant la gourmandise, arrosant avec une louche vide une poularde imaginaire. Il y eut d'abord un poète du vieux Montmartre, en 1903, un semi-clochard qui fit du raffut au Louvre en criant devant la tiare : « Mais c'est moi qui l'ai faite, la fameuse couronne de Sémiramis ! » Cette histoire avait été publiée dans les journaux, et cela avait fait se froncer le sourcil de Théodore. Les rédactions reçurent bientôt des lettres. On en publia une, envoyée par un bijoutier, qui était un cataclysme. Il se disait né à Odessa, mais établi à Paris, très au fait des activités des fabricants d'objets en or de sa Crimée natale. Il évoquait le nom d'un certain faussaire, bien connu… Un artiste à sa manière, un créateur de bijoux anciens, si on peut dire ça, qui ne faisait pas trop la différence entre le vrai et le faux : Israël Rouchomovsky.

La défense des frères Reinach, appuyés par tout le monde savant français, fut précise et argumentée. Héron de Villefosse rédigea une réponse détaillée aux attaques de Furtwängler. D'autres spécialistes s'attachèrent à l'inscription. Rien ne trahit mieux un faux : celle-ci était parfaite du point de vue de la grammaire, la forme des lettres était conforme à ce qu'on sait des pratiques de cette région à cette époque. Salomon, en son nom mais on sentait qu'il parlait aussi pour son frère Théodore, crut avoir le mot de la fin : « Franchement, encore une campagne de ce genre et l'opinion de M. Furtwängler deviendra quantité négligeable. » Il avait ajouté : « Le sort naturel de la beauté est d'exciter la médisance. »

Mais déjà on avait retiré l'objet de sa vitrine. Charles Clermont-Ganneau, membre de l'Institut, professeur au Collège de France, fut chargé de mener une expertise définitive. Ce fut pire que les analyses graphologiques du « bordereau » de l'affaire Dreyfus. Ce savant ne devait rien au clan Reinach. Il connaissait bien les arts de l'Orient. Il devait pouvoir apporter une réponse objective. Théodore et Salomon n'ont pas douté un seul instant qu'il n'abonderait dans leur sens. L'affaire fut évoquée à la Chambre, la presse étrangère s'y intéressa. La tiare faisait les délices des feuilletonistes. Parmi les caricatures, il y en avait une où Théodore, le lorgnon sur le nez, portait un bonnet d'âne en or : il l'a trouvé dans un magasin de farces et satrape. On blaguait : Rachoumovski, Tripatouski, Machinovski…

Il fallut tout de même plusieurs semaines avant que ces échos ne parvinssent aux oreilles d'Israël Rouchomovsky. C'était un brave homme, qui ne s'attendait pas à cette célébrité. Quand il comprit qu'on lui avait donné 1800 roubles – il calcula que cela faisait 5000 francs – pour cet objet qui avait été acheté 200000, il se demanda s'il ne devait pas venir à Paris. Il avait peur. Peur que les autorités russes ne le mettent en prison. Dans la communauté juive d'Odessa, on savait bien qu'il valait mieux ne pas se faire remarquer. Des objets faux, il se doutait sans doute, au fond de lui, qu'il en avait fabriqué. Mais comme il était un juif pieux, respectueux des traditions, de la loi de Dieu et de la loi de l'Empire, il ne les avait jamais donnés pour autre chose que des œuvres d'art inspirées par les artisans antiques, gloire de la région et de toutes les Russies. Les visiteurs étrangers aimaient bien lui acheter des reproductions de ce qu'on trouvait dans les fouilles. Les grandes dames voulaient toutes porter les bijoux des princesses de l'Antiquité. Il aimait son travail, sa famille, ses collègues. Il tenait à son honneur. Il était passionné d'art antique, depuis son enfance, quand chez son père, à Mozir, au sud de Minsk, il avait préféré devenir graveur plutôt que rabbin. Sa femme lui avait donné de nombreux enfants. Il n'avait pas toujours de quoi les faire bien vivre. Il avait vu apparaître alors les frères Hochmann, ces hommes providentiels prêts à lui donner de l'argent. Cet artiste de Crimée eut vent par un vieux journal des déclarations farfelues du poète de Montmartre, et cela le rendit fou. Personne ne se vantera, lui vivant, d'être l'auteur de la tiare de Saïtapharnès ! L'artiste, le seul, le meilleur orfèvre de l'Antiquité grecque, c'était lui.

Théodore demeurait certain que sa tiare était « bonne ». Il allait se battre. Il ne pensait plus qu'à cela. Salomon commençait, lui, à douter. Théodore eut l'idée d'écrire à son oncle, là-bas, d'utiliser ceux qui, dans la famille de sa femme, vivaient encore à Odessa. Le réseau des Ephrussi d'Odessa restait puissant. Il leur écrivit qu'ils devaient à tout prix trouver un certain « Razoumovski ». La réponse fut négative. Les quatuors Razoumovski, voilà ce que cela leur évoquait, Beethoven, rien de plus.

La nuit, dans la cour intérieure de Kérylos, Théodore revécut longtemps, sans en parler à personne, cette tempête qui avait duré des années, et sa surprise devant cette violence surgie de partout à la fois, qu'il n'avait pas vue monter. Dans l'obscurité, le point rouge de sa cigarette brasillait. Il avait aimé le passé, il avait aimé ses contemporains, il était député de Savoie, le peuple lui avait remis une parcelle de son pouvoir souverain, il chérissait la République, celle de Platon et celle d'Athènes, il croyait en la France et en la Liberté, il aimait sa femme, ses enfants, il était heureux parmi ses livres et quand il regardait la mer, sur son rocher, des vers d'Homère venaient d'eux-mêmes sur ses lèvres. Il était ce que ce siècle avait produit de mieux, et il le savait, plus ou moins. Rien ne l'avait jamais préparé à être publiquement insulté. Pas plus que Dreyfus, il ne s'était attendu au déshonneur. Il ne pensait pas que lui, sa famille, les siens, qui se dévouaient tous aux arts, à l'étude et aux autres, pouvaient susciter ainsi de la haine. Léon Daudet parlait dans les salons du lauréat du « circoncours général ». L'ignominie l'emportait.

Théodore apprit par la presse que l'orfèvre d'Odessa avait décidé de venir à Paris. À quel moment mon cher M. Reinach commença-t-il à se dire que peut-être, depuis le début, il avait commis une erreur ?

25

« Quelquefois je me suis trompé »

Quand je me suis trouvé face à Grégoire Verdeuil, courbé, maigre, les yeux cernés et en bras de chemise dans son bureau d'architecte tapissé de dessins, il m'a dit : « Ariane ? Elle a voulu venger toutes les Ariane abandonnées de la littérature, de l'opéra, de la peinture, de la sculpture : elle a abandonné son mari. Je pensais que vous le saviez. Je me demandais même si elle ne m'avait pas quitté pour vous. »

Il se confia. Ariane voulait des enfants. Ils n'en avaient pas eu. Était-ce lui qui ne pouvait pas en avoir ? Était-ce elle ? Il se reprochait tout. Il croyait qu'elle était tombée enceinte d'un autre, qu'elle n'avait pas osé le lui dire, ou qu'elle était partie avec le père. Cela ne reposait sur rien. Il se torturait en inventant cette histoire – qui était vraisemblable.

Je n'ai plus pensé qu'à cela, il avait introduit dans le labyrinthe de ma douleur cette idée d'un enfant, conçu dans les thermes de Kérylos ou dans une des autres pièces de la villa – nous y avions tellement fait l'amour. Je croyais que c'était parce qu'elle m'aimait comme elle n'avait jamais aimé, et je me disais que la folie de ces journées passées tous les deux, c'était peut-être l'angoisse d'une femme qui veut avoir vite un enfant. Avions-nous eu un enfant ? C'était possible. Elle me l'aurait dit. Je lui aurais proposé aussitôt de l'enlever. Nous serions allés vivre ensemble à Nice, à Naxos ou ailleurs. Ou alors, et c'était moi qui me torturais, elle avait vraiment eu un enfant, mais d'un autre, qui ne s'appelait ni Grégoire ni Achille.

Elle était partie, sans laisser un mot, sans argent, sans menaces, sans colère, sans m'avoir écrit. Avec qui était-elle allée ? Qui voyait-elle à part moi – et son mari ? Je me suis dit que je ne savais rien d'elle, que je ne lui avais jamais posé de vraies questions. Petit fat que j'étais resté, je ne m'étais pas demandé si elle pouvait avoir d'autres amants, si à moi aussi elle ne mentait pas un peu, je n'avais vu que notre amour, je n'avais souffert que de son silence, mais c'était par orgueil.

Grégoire Verdeuil ajouta : « C'est pour cela aussi que je n'ai plus voulu travailler pour les Reinach. Par superstition. Il y a en eux un quelque chose qui attire les trahisons. Vous vous souvenez de la tiare… »

La dernière fois que j'avais vu Ariane, elle devait repartir pour Paris, je lui avais demandé, par provocation, si c'était pour retrouver un de ses amants. J'avais lancé cela en souriant. Elle avait répondu : « Mais je n'ai pas d'amants. » Elle avait ajouté : « Je n'en ai qu'un. » Cette phrase m'avait rendu si heureux. Mais dans ce bonheur il y avait sans doute une part trop grande de fierté, c'est-à-dire de bêtise. Une voix me disait que je pouvais avoir confiance en elle. Je ne lui avais rien demandé au sujet de sa famille, de sa sœur dont elle était proche, de ses amis qui n'étaient peut-être pas ceux de ce pauvre Grégoire. Jamais je ne m'étais soucié d'Ariane. Je n'avais pensé qu'à moi. Je n'avais regardé ses dessins que comme des cadeaux pour moi, sans jamais me dire qu'elle était artiste, qu'elle avait un talent original, qu'elle pouvait avoir envie de s'affranchir. J'ai dit à Grégoire que je ne savais rien. Il m'a serré la main en me regardant dans les yeux. J'avais pour lui de la haine et de la pitié.

Adolphe m'a raconté qu'ils avaient appris très vite la nouvelle de l'arrivée de l'orfèvre d'Odessa, impatient de clamer son orgueil d'avoir su exécuter ce chef-d'œuvre entré au Louvre de son vivant. Il s'était soumis à toutes les questions. Cinq fois de suite, on l'avait interrogé, dans une pièce fermée, avec du papier et des crayons. Il avait dû décrire l'objet, le dessiner de mémoire. Il avait apporté des photographies. On y voyait la tiare, mais sans les bosselures qui lui donnent cet incomparable aspect de « pièce de fouilles ». Il avait vu arriver dans son atelier, à ce qu'il prétendait, deux inconnus qui lui avaient apporté des livres, des modèles. Il sut décrire avec exactitude des ouvrages bien connus des spécialistes. Il s'agissait, lui avait-on dit, de faire un cadeau à un professeur de Kharkov, pas de monter une escroquerie.

Le doute persistait : et si c'était un affabulateur ? Il fallait le soumettre à une épreuve qui ne laisserait pas de doutes. On l'enferma, face au Louvre, à la Monnaie de Paris. Pendant une semaine, Rouchomovsky se retrouva dans les meilleurs ateliers d'orfèvre du monde. On veilla à ce qu'il n'ait aucun contact avec le monde extérieur. Il réalisa des fragments, sur des feuilles d'or : un motif ornemental, une petite bordure perlée, semblable à celle qui se trouve sur la tiare. Puis il se lança dans un vrai sujet – et je me suis troublé quand Adolphe, qui était minutieux comme Joseph, son cher père dans ses interminables articles, me dit : « Il a fabriqué une Ariane endormie, accompagnée par un petit Amour jouant avec ses voiles, une scène érotique, et enfin un buste casqué de Thémistocle ou de Périclès, de profil, qui ressemble presque à un poinçon d'argenterie agrandi. Son Ariane était belle. Tout cela était très bien fait, mais ne valait pas la tiare. » Adolphe avait-il vu que je regardais Ariane ? Il était capable d'avoir compris avant moi que j'étais amoureux d'elle, et qu'elle m'aimerait. Je ne le saurai jamais. Rouchomovsky demanda une plus grande feuille d'or. En quelques jours, il exécuta un fragment avec trois registres étagés, et même un morceau d'inscription.

« Une tranche de tiare, comme une côte de melon, me dit Adolphe, ça a été terrible pour la famille. C'était le 6 juin 1903. Impossible de persister, à moins de sombrer dans l'obsession. Nous avions perdu notre affaire Dreyfus : Rouchomovsky venait de prouver qu'il était, sans aucun doute possible, l'auteur de la tiare de Saïtapharnès. »

Théodore chercha à se battre encore. Si le faux ne l'était pas complètement ? Si dans l'objet du Louvre se trouvait une partie de la véritable tiare ? Y croyait-il encore lui-même ?

On publia en mars 1903 ce communiqué sans équivoque, qu'Adolphe – à seize ans – avait découpé et gardé : « De nouvelles informations ayant inspiré à M. Héron de Villefosse des doutes graves sur l'authenticité de la tiare d'Olbia, le conservateur des Antiquités grecques et romaines a demandé au ministre de l'Instruction publique et des Beaux-Arts l'autorisation de retirer jusqu'à plus ample informé cet objet des salles du musée. Cette autorisation lui a été accordée immédiatement. »

Rouchomovsky resta dans cette ville où il se trouvait bien et où sa popularité était immense. « Artiste exposé à Paris », il connut la gloire. Il avait réussi à convaincre tout le monde de son honnêteté. Ces 1 800 roubles, qu'il avait reçus, plaidaient en sa faveur : un bon prix, pour un joli travail, mais ce n'était pas plausible pour une antiquité. Ce n'était pas non plus avec une somme aussi dérisoire qu'on achète le silence dans une affaire de faux. Il commença à faire savoir qu'il avait une œuvre : il fut en mesure de montrer un rhyton pour boire le vin en grand style scythe, un pectoral, un relief en ronde bosse représentant Achille et Minerve. À l'Académie des beaux-arts, on lança le canular d'une fausse candidature de Rouchomovsky à un des fauteuils de gravure qui se trouvait libre. Au Salon des artistes français de 1903, il fut l'un des plus en vue et reçut une médaille. Il exposait son chef-d'œuvre : un squelette dans un minuscule sarcophage, aussi bien fait que ces œufs de Fabergé dont raffolait la cour de Russie.

« Cette histoire est connue de tous, sauf de toi, mon pauvre Achille. C'est incroyable qu'on t'ait maintenu dans l'ignorance à ce point-là. Tu ne t'intéresses pas assez au monde qui t'entoure. La tiare, c'est notre tare de famille, c'est héréditaire désormais ! Dans la *Revue blanche* de novembre 1909, Apollinaire a évoqué la question des faux en art. Il en parle. La même année, tu as lu en feuilleton la nouvelle aventure d'Arsène Lupin, *L'Aiguille creuse*. Tu te souviens ? Comme ça nous avait plu ! Dans son refuge secret d'Étretat, le gentleman-cambrioleur possède la véritable tiare de Saïtapharnès. C'est écrit ! La tiare, c'est Lupin qui l'a ! » Adolphe riait, debout sur la table. Le chien jappait à ses pieds, comme au spectacle.

Théodore avait été blessé. Les attaques le visaient lui, sa famille, celle de sa femme, les antisémites s'en étaient donné à cœur joie, il était horrifié et restait de plus en plus souvent seul, dans son cabinet de travail. Il évitait aussi ses amis : il lisait dans leurs yeux que les Rothschild ou Isaac de Camondo allaient laisser leur nom à la postérité parce qu'ils avaient fait des centaines de dons au Louvre : il serait, pour l'histoire, celui qui aurait coûté le plus cher au musée. Il publia sans discontinuer. Ses livres faisaient l'admiration de tous. En 1908, son honneur fut lavé : il fut élu membre libre de l'Académie des inscriptions et belles-lettres, où il put enfin rejoindre Salomon.

« Nous avions perdu contre ceux qui haïssent les juifs, nous avons perdu contre les Allemands, tu imagines ? Ils avaient tous eu raison contre nous », disait Adolphe. Comment regarder après cela, dans la bibliothèque, le recueil de ce Furtwängler, sa *Griechische Vasenmalerei*, la « Peinture des vases grecs », que Théodore pouvait feuilleter durant des heures, en faisant jouer le soleil sur les pages. Salomon Reinach avait entrepris un immense catalogue de la sculpture grecque, pour contrecarrer les travaux du Teuton : ils retrouvaient toujours Furtwängler sur leur chemin. Ils détestaient le savant allemand, parce qu'il était allemand, ils l'admiraient, aussi, parce qu'il était savant. La bibliothèque de Kérylos, ce saint des saints, conservait ses œuvres complètes. Ils avaient mis les tablettes du diable dans leur arche. Dans l'affaire Saïtapharnès, il les avait piétinés. Eux ont continué à le citer avec courtoisie dans leurs travaux, y compris après sa mort en 1907, ils étaient ainsi. Les trois frères avaient cru que la tiare était vraie, parce qu'on y trouvait des motifs que Furtwängler avait relevés, cela montre le respect qu'ils avaient pour lui. Lui n'avait aucun de ces scrupules et les traitait d'ignares et d'imbéciles, parce qu'ils avaient sous les yeux les planches dont le faussaire s'était justement inspiré… Adolphe m'a certifié qu'il avait vu, lors de son passage à l'École française d'Athènes, sur le bureau du directeur, une lettre consacrée à l'affaire, griffonnée par son oncle Théodore, qui se terminait par ces mots : « Quelquefois je me suis trompé. »

Dans mes piles de disques, à Nice, j'ai un enregistrement de la 7e *Symphonie* de Beethoven par Wilhelm Furtwängler. Je ne savais pas, quand je l'ai trouvé chez le disquaire, qu'il s'agit du fils d'Adolf Furtwängler. J'ai entendu à la radio : « Fils d'un archéologue très savant qui fouilla les temples d'Égine et d'Olympie… » Le présentateur disait que le meilleur de son art était les enregistrements faits pendant la guerre, mais qu'on ne peut plus en juger, les matrices des disques ont été emportées par les Soviétiques. On citait une 7e *Symphonie* dirigée à Berlin en novembre 1943. On rappelait aussi l'*Ode à la joie* donnée pour l'anniversaire d'Hitler devant les soldats blessés et les archontes du Reich. Cela m'a horrifié. Reinach et Furtwängler avaient chacun un fils musicien. Léon Reinach était de quelques années plus jeune que le fils de Furtwängler. Novembre 1943 : c'est le mois où Léon a été déporté. Aujourd'hui « Furt », comme l'appellent mes amis musiciens, a dû faire amende honorable – je ne suis pas sûr que le terme convienne –, il enregistre des disques avec Yehudi Menuhin. Je devrais les acheter, mais je ne sais pas si je serais capable de les écouter.

Adolphe, avant l'été 14, quand il racontait cette lutte perdue, allait plus loin : « Cette tiare était faite pour nous, c'est ce qu'il y a de pire dans cette histoire.

Elle venait des confins. Regarde les lieux où a fouillé mon oncle Salomon, ses immenses chantiers sur lesquels il a écrit tant d'articles : Myrina, c'est près de Smyrne, c'est là qu'on a trouvé toutes ces statuettes, fais le compte de toutes ces îles, que ce soit Thasos, ma préférée, Imbros, ou Lesbos qui est en face de la côte turque, de l'autre côté c'est Assos, la ville natale d'Aristote… Il est allé à Carthage, à Djerba, à Odessa ensuite. Il tourne autour d'Athènes et de Sparte on dirait, c'est-à-dire qu'il n'y va jamais. Tu avais remarqué ça ? Pendant notre première croisière, Achille, on n'avait pas vu le Parthénon. Tu en étais malade. Tu sais pourquoi ? Parce que nous, les Reinach, nous sommes des bohémiens en voyage. Nous venons des marges du Grand Livre. C'est ce qui nous plaît, la cité d'Olbia l'inconnue, les steppes où courent les cavaliers scythes, les royaumes du Soudan, les monastères du mont Athos, plus qu'Athènes. »

Il suffisait à Adolphe d'écouter les flamboyants et interminables discours de son père : il passait son temps à parler de la démocratie, de la patrie, à invoquer les grands hommes de la Révolution, qui avaient apporté l'égalité, la France laïque, la fraternité. Au fond, de 1789 à 1889, de la Révolution à la tour Eiffel, on avait vécu un nouveau siècle de Périclès – et eux étaient les peuplades barbares qui, venues des forêts de l'autre côté du Rhin, étaient arrivées dans les métropoles françaises pour être enfin plus athéniens que les Athéniens, pour se sentir « romains dans Rome » ; mais qui continuaient à aimer les frontières.

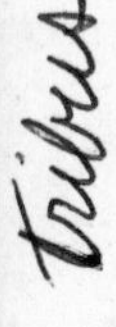

Les Reinach admiraient Alexandre, ils rêvaient de lui, parce qu'il était un Macédonien, un paysan éleveur de chevaux, et qu'il avait été éduqué par Aristote pour devenir le plus grand de tous les Grecs avant d'aller mourir aux confins du monde. Ils aimaient les successeurs d'Alexandre, ce glacis de héros et de tyrans, Démétrios Poliorcète, Eumène de Cardia, Séleucos Nicator, Antigonos le Borgne, tous ces noms qui faisaient rêver, et Ptolémée Sôter qui avait voulu mêler en Égypte l'héritage des pharaons et les idées grecques. C'est pour cela qu'ils s'étaient fourvoyés dans l'affaire de la tiare : elle était exactement ce qui leur plaisait, originale, unique en son genre, et composée de citations. Ils aimaient que l'hellénisme se soit frotté à l'Orient, à la Bible, à Carthage, aux barbares, aux bergers qui apportaient du lait de jument à Ovide en exil sur les rives du Pont-Euxin – et Adolphe m'apprenait qu'il y avait je ne sais plus où un tableau de Delacroix qui montrait cela, que Baudelaire avait porté aux nues.

« Voilà mon héritage. C'est ce que je veux faire, Achille, étudier la manière dont la Grèce s'est répandue dans toute la Méditerranée, comment ce n'est pas seulement un miracle, mais un phénomène long, qui n'a pas donné que l'Acropole, mais aussi et surtout des temples oubliés, des maisons dans des styles composites, comme la nôtre, la dernière en date. Tu sens bien toi ce que Kérylos a de gaulois, cette influence de la tribu des Parisii, tu sais, cette peuplade rassemblée autour d'un temple en fer pointu haut de 300 mètres avec des ascenseurs partout… Tous les archéologues sont allés dans l'Attique, dans le Péloponnèse, moi j'irai en Palestine, je ferai des fouilles à Jérusalem avec toutes les méthodes modernes, j'irai vivre là-bas, pourquoi pas, c'est ma terre, papa et mes oncles seraient horrifiés en entendant cela, ils ne voient que notre patrie la France… J'irai en Crimée, j'irai en Afrique avec ma tante Fanny et son piano, on le mettra sur des roulettes, c'est comme cela que je prolongerai leur travail et que je les vengerai. Pourquoi la beauté serait-elle toujours pure ? Je veux montrer les chefs-d'œuvre nés des mélanges, des métissages, ces croisements d'espèces qui donnent des produits rares et qu'on n'attend pas, j'irai en Afghanistan, voir ce que donne la sculpture grecque et romaine quand elle se frotte à l'art de l'Inde… »

Il croyait que toute une vie l'attendait. Il portait une moustache de plus en plus épaisse, il souriait, il était sérieux, solide, il voyait juste, il était capable de parler de son milieu et de cette famille de merveilleux illuminés avec ce regard narquois qu'il portait aussi sur lui-même.

Il passait sa vie à lire et à écrire. Un de ses cousins était comme lui, le petit Bertrand, fils de Léon et de Béatrice, passionné par l'ébénisterie – il n'était pas pour rien à demi Camondo, il s'intéressait au mécanisme d'une « table à la Bourgogne » d'Oeben qui devenait un prie-Dieu et une étagère, que j'admirais toujours chez ses parents. Il voulait devenir artisan, il avait un talent extraordinaire, il était doué de ses mains. Je le revois, jouant avec le chien qu'il avait adopté. Pauvre Bertrand Reinach, qu'ils ont massacré.

Les Allemands eux aussi étaient de « grands humanistes », ils aimaient l'art antique et, depuis plusieurs siècles, vénéraient la Grèce et traduisaient Platon : cela n'a pas empêché les nazis d'être des bourreaux. C'est pour cela aussi que je ne veux plus entendre parler de toutes ces choses que j'ai aimées et qui ont fait ma jeunesse, c'est pour cette raison aussi sans doute que je peins des carrés blancs ou jaunes sur des fonds bleus, quelques signes géométriques impossibles à interpréter, des tableaux qu'on peut aimer, j'espère, qui peuvent émouvoir, dont on peut se souvenir, devant lesquels on peut rester, avec lesquels on peut vivre tous les jours, chez soi, même si on ne sait rien.

26

Le ballon d'eau chaude est entartré

Mai 1920, je passe par Paris. Je m'arrête devant la vitrine d'une galerie. Le tableau que je regarde me redonne envie de peindre. J'ai depuis des mois cessé de dessiner, je n'y arrive plus. Je chasse de mon esprit l'idée d'une fille ou d'un fils d'Ariane, cela me fait trop souffrir, je chasse aussi l'image d'Ariane, que j'ai tant dessinée d'après mes souvenirs. J'en crève.

J'entre. Ce jour-là, je rencontre Kahnweiler, qui me parle de Picasso ; trois mois plus tard, il vend ma première toile. J'aime Picasso tout de suite, je le comprends, le cubiste autant que celui qui peint ces corps de femmes monumentales. Il me plaît parce que j'ai eu le temps de penser à ces paroles d'Adolphe, à propos de sa famille : il unit une rigueur classique – celle des maîtres académiques que Théodore avait fait venir pour le péristyle de Kérylos – et l'art des masques africains. Un peu de « barbarie », de forces primitives, voilà ce qu'il faut pour brutaliser et féconder les vieux modèles en plâtre. C'est ce que j'ai appris à Kérylos, où je n'ai jamais osé montrer une de mes toiles. J'étonne tout le monde dans ces années-là, moi paysan des montagnes à peine dégrossi par un peu de grammaire grecque. Je le dois à Adolphe – plus qu'à Théodore. Ils attirent les trahisons, tous, m'avait dit Grégoire Verdeuil, pour me conseiller de fuir comme lui-même avait fui – « Il y a en eux un quelque chose… ». Voilà, je les ai trahis.

Je décide en une semaine de devenir peintre et d'oublier l'inspiration antique. Mais je ne renie rien, ni les peintures de l'église de Cargèse, ni ce que m'a appris Eiffel, ni la pointe des Fourmis, ni les fresques du mont Athos, ni mes dessins d'Ariane nue. De tout cela, je fais mon alphabet, j'écris mes tablettes d'argile. Avec Braque, Picasso, Juan Gris, j'ai ma place dans de belles expositions. Je veux sans doute, quand j'y repense, choquer les Reinach, qui n'en ont pas grand-chose à faire. Je trouve des collectionneurs pour m'acheter des œuvres, un marchand à Nice les expose. Je ne vais pas raconter cela, tout est dans mes catalogues. Quand Picasso se met à peindre des nymphes aux cuisses roses et des joueurs de flûte de Pan, je me dis que ma révolte contre Kérylos a été un peu simplette, mais je poursuis. Le maître, le grand Pablo, à ma plus grande surprise, lorsque nous nous rencontrons, la première fois, chez Kahnweiler, me dit qu'il rêve de la Grèce. Il est toujours gentil avec moi, depuis cette époque, il possède plusieurs de mes tableaux.

Avec mes premiers succès sont venues mes années de Paris, je vais encore de temps en temps voir les Reinach. J'achète des livres. Je les trouve tous, mes amis de Kérylos, d'un seul coup, si vieux.

Pensée sacrilège, je me dis : ils sont incultes. Chez eux, on ne lisait pas de romans, c'était perdre son temps. J'aurais bien aimé m'acheter chez le libraire de Nice un Giraudoux ou un Morand, un livre d'André Gide ou de Valery Larbaud, mais je n'osais pas, j'avais peur d'être mal vu. Ils manquaient un par un tous les grands écrivains de leur époque, ils en restaient à Démosthène et à Thucydide, et quand ils voulaient se faire une frayeur, ils lisaient leur ami Rostand ou les pièces oubliées du frère de Corneille. Que se serait-il passé si Théodore Reinach avait invité Cocteau, quand il était à la plage, au Lavandou, avec Georges Auric et Radiguet, en train d'écrire *Le Bal du comte d'Orgel* ? C'était inimaginable. Cocteau aurait aimé, il serait venu avec des dessins de sphinx, et aurait peut-être eu dès les années vingt l'idée de l'Œdipe de *La Machine infernale*, ils auraient parlé de Sophocle et d'Euripide. Mais non, mon pauvre Théodore aurait pensé très vite qu'il perdait son temps en écoutant ce prestidigitateur mondain et l'aurait reconduit à la porte, avec son exquise politesse.

L'année qui suivit la mort de Théodore, j'ai acheté, sans savoir ce que c'était, un gros livre dont j'aimais bien la couverture blanche aux lettres bleues : *Ulysse*, de James Joyce. Je l'ai lu en désordre, sans bien comprendre, mais en m'amusant. Je croyais que ce serait une adaptation moderne de l'*Odyssée*, c'est un peu cela, mais cent autres choses aussi. Théodore l'aurait aimé, c'est son esprit que je reconnaissais : cet art de rire à travers les livres. J'ai cru que c'était une blague, une farce pour les croisières, je lisais certains chapitres en diagonale parce que je n'y comprenais rien, je détaillais les scènes de bordel. Et puis, j'ai coché des passages. J'ai toujours le livre, il est devenu très célèbre, mon édition originale vaut cher. Page 150, c'est un professeur à grosses lunettes qui parle, et j'imaginais la joie des frères Reinach s'ils avaient lu cela : « Pour ma part j'enseigne cette langue redondante, le latin. Je parle la langue d'un peuple dont le cerveau est régi par cette maxime : le temps c'est de l'argent. Domination temporelle. *Dominus !* Lord ! Où est le spirituel ? Lord Jesus ! Lord Salisbury. Un divan dans un club du West End. Mais le grec ! »

Plus loin, il y a une fausse pièce de théâtre, avec cette indication scénique en italique, dans un esprit potache très Reinach : « *Bloom développe pour ceux qui sont le plus près de lui ses plans de régénération sociale. Tous les approuvent. Le conservateur du musée de Kildare Street paraît, tirant un camion sur lequel branlent les statues de déesses nues, Vénus Callipyge, Vénus Pandemos, Vénus Métempsycose, et des plâtres, également des nus, qui représentent les neuf muses nouvelles. Commerce, Musique dramatique, Amour, Publicité, Industrie, Liberté de pensée, le Vote plural, la Gastronomie, l'Hygiène individuelle, Tournées d'été, Accouchements sans douleur et l'Astronomie populaire.* »

La Grèce continuait à vivre, mais les Reinach n'y étaient pour rien. Ariane et moi nous nous enfermions dans la maison pour dessiner – pour nous dessiner. Le soir du jour où j'avais ouvert les vannes d'eau chaude des thermes, elle posa pour moi, nue, dans l'attitude de la baigneuse d'Ingres, devant une des grandes plaques de marbre blanc tigré. Ce dessin ressemble déjà à un Picasso, or je ne connaissais rien de lui à cette époque. J'aimais simplement la nuque d'Ariane, son dos mouillé, l'inclinaison de sa tête. Un dessin préparatoire pour une toile que je n'ai jamais finie, et pas même esquissée, comme cette maison était faite pour qu'on y vive au grand jour des histoires d'amour qui n'y sont jamais venues, pour des écrivains qui n'y ont pas été invités, pour des artistes qui ne l'ont aimée que trop tard.

Les artistes d'alors viennent tous à la villa des Noailles, à Hyères, c'est la dernière mode en 1925. Mes tableaux me fournissent, dès ma première exposition, le passeport pour y entrer. J'ai mis longtemps à vivre les années vingt, j'avais trop été blessé, je croyais que tout allait finir, je ne vis pas tout de suite ce qui commençait. Picasso, je l'ai retrouvé dans les années récentes, après la Seconde Guerre. Quand on se croise, on s'embrasse. Personne n'ose l'approcher, il fait peur. Depuis la Libération, je suis reparti de zéro, je suis devenu le plus radical des peintres abstraits. Mon art est minimal, j'ai de plus en plus de collectionneurs qui m'achètent des toiles de cette dernière période.

En attendant, je ne trouve pas mon trésor. La couronne d'or d'Alexandre : je me suis dit qu'il fallait que j'obéisse sans réfléchir à l'injonction de la carte postale anonyme, la reprendre était la seule vraie raison de mon retour. Peut-être que je me mentais et que j'avais envie de tout revoir une dernière fois. Rien ne m'empêchait de chercher la couronne d'Alexandre dans la villa le jour où j'y suis arrivé après le pillage par les Allemands. Je n'ai pas osé. J'ai mis des années à oser. Dans mes chères aventures d'Arsène Lupin il y a toujours un moment où le héros dispose d'une heure et pas plus pour découvrir un objet. Au lieu de commencer méthodiquement, de sentir l'angoisse monter, il s'installe sur une chaise longue et fume des cigares. À la dernière seconde, il se lève, ajuste son monocle, va droit à la cachette. Je crains de ne pas être à son niveau. Je barbote. Des planques, dans la maison, il y en a autant qu'on veut, toutes les pièces ont des faux plafonds sous les poutres et les caissons. Je sais où sont les trappes. C'est un système inventé pour maintenir les salles fraîches l'été et chaudes en hiver.

Il me reste une idée : le gros ballon du chauffage, dont Théodore était fier. Il le montrait, triomphal, à Eiffel, pour lui prouver que c'était lui, le dernier des Grecs, qui était le plus « moderne ».

Je prends l'escalier de la buanderie, les sous-sols sont remplis de vieilles caisses avec des habits, des jouets, rien n'a bougé. Cette cave sert de grenier, les

Allemands n'y ont pas touché. Le calorifère est toujours là, peint en blanc, avec des manettes et de gros tuyaux d'acier. L'air chaud était pulsé depuis ce local et envoyé un peu partout, les marbres l'emprisonnaient.

Je me demande si sous le couvercle il n'y aurait pas de la place pour cacher une boîte contenant la couronne du Conquérant. Le ballon aujourd'hui ne fonctionne plus très bien, ce qui n'est pas grave puisque Kérylos est devenue un palais d'été. Je ne suis plus capable de dévisser le grand disque de métal, je pense que tout est pris par le calcaire. Je frappe sur la cuve, ça sonne plein. Je n'ai plus de force. Il faudrait tout démonter, le scier en rondelles. Si le dernier trésor du roi de Macédoine se trouve là, il doit être pris dans la masse, je me demande si on le retrouvera. Pontremoli m'avait prévenu qu'il faudrait réviser le système, vider le ballon, tous les deux ou trois ans ; cela a été fait au début, puis on a oublié.

Pontremoli, le cher homme, je le revois de temps à autre, il ne va pas bien, je crois qu'il sent qu'il va mourir. Il a reçu tous les honneurs, il s'en moque. Je ne sais pas si le prince Rainier l'a invité à son mariage, ce serait justice d'avoir dans la nef de la cathédrale l'inventeur du style monégasque en architecture. Mais personne n'a dû y penser, et il est sans doute trop faible pour se rendre à des cérémonies de ce genre. Il a une idée fixe. Il m'en a parlé pendant une heure, mordant, comme s'il était face à ses étudiants des Beaux-Arts : il dénonce Le Corbusier. Il dit que si on écoute ce prophète, ce dictateur, cet homme qui ne sait rien de l'histoire, du grand mouvement de l'architecture, des ornements et des subtilités formelles dont Kérylos était en quelque sorte l'expression la plus belle et la plus simple, et qui ne sait rien non plus de l'art de vivre dans une belle maison, on finira par dormir dans des clapiers. Pontremoli est intarissable. Il voit que les jeunes architectes vont vers Le Corbusier, qu'il est pour eux le continuateur des maîtres du Parthénon et de Chartres. Quand il entend cela, le vieux lion se réveille et entre en fureur : « Corbu », comme ils disent, un opportuniste, un intrigant, un ami de toute la clique de Vichy, une espèce de Suisse tout juste bon à construire des prisons et qui aurait dû y finir lui-même… Je n'ose jamais lui dire que je vais le voir, Le Corbusier, dans son cabanon de Roquebrune. Il y vit comme dans une cabine de bateau, un Diogène tout nu dans son tonneau, c'est un sage antique avec qui M. Reinach aurait pu avoir des controverses. Sa cellule de moine, ce sont les plus beaux quinze mètres carrés qu'on puisse imaginer, avec la mer et les arbres à la portée de sa main.

27

Échos dans le jardin et entre les rochers

Théodore et son frère Salomon étaient, aux yeux de tous, ceux qui avaient fait acheter par le Louvre le plus grand faux de toute l'histoire. Quand j'eus compris cela, l'épopée de cette famille s'éclaira de manière nouvelle. Je me suis assis dehors, sur un banc, devant la porte, je regardais Beaulieu se déployer devant moi, je me racontais tout ce qui avait dû se passer. Kérylos avait été édifiée après ces années où triomphèrent la médisance, la diffamation, les expertises, les rapports… Pour participer à l'hallali, tous leurs ennemis et des meutes de médiocres étaient sortis des taillis. Une année au carnaval de Nice, où j'avais emmené une de mes petites fiancées, bien plus tard, alors que j'avais enfin tout compris et que je croyais que ce scandale serait devenu une anecdote lointaine, comme je cherchais à m'étourdir et à oublier Ariane, sur un char où la tiare était faite avec des citrons, accostée du directeur du Louvre en pyjama, trônait un M. Reinach, avec de grosses lunettes, un boulet de bagnard au pied. Tout le monde en parlait toujours, c'était une malédiction, c'était leur crime, c'était injuste. Heureusement, le cap de Kérylos était une maquette réduite de la péninsule de l'Athos, il suffisait de fermer l'accès et la villa devenait un inaccessible cloître.

Théodore avait eu envie de calme, de Méditerranée, de musique et d'un jardin pas trop grand. Devant sa maison, il avait osé placer quelques statues, mais pas en grand nombre. Il avait évité de les installer sur des socles dominant la mer pour qu'on les voie de loin – non par crainte des commentaires, mais parce que c'est ainsi qu'il les aimait. Ses statues sont en retrait, proches de la maison et presque dissimulées dans les arbres. Ce sont des copies de bronzes découverts à Herculanum, achetées au musée archéologique de Naples. J'aime bien une jeune femme au visage régulier et aux yeux d'émail blanc qui rajuste son manteau en l'agrafant sur son épaule. Plus loin, un faune danse parmi les roses thé.

Les maisons voisines se battaient pour avoir des parterres à la française ou des parcs à l'anglaise, Béatrice Ephrussi avait mélangé les deux, le génial Rostand à Arnaga n'avait pas su choisir. Théodore s'était contenté de prendre les plantes qu'il aimait, de les semer çà et là, et de les laisser pousser. Le jardinier passait une fois par semaine et avait ordre d'en faire le moins possible. La pointe des Fourmis ressembla bientôt vraiment à une île grecque. Aujourd'hui, je ne sais qui a eu l'idée d'apporter du gravier, j'imagine qu'on tue aussi les mauvaises herbes. Pour Théodore, il n'y avait que des herbes, de toutes sortes, avec leurs couleurs, et dans un coin celles qui servent pour la cuisine.

Nous faisions du sport dans ce jardin, j'avais fixé une corde à une des poutres du portique, et nous nous exercions tous les matins, avec les enfants. Basileus aboyait comme un diable. La femme de chambre de Fanny, qui en avait un peu peur, regrettait Cerbère. Jamais je n'ai pensé que j'étais dans un musée. Cette maison était une folie, une œuvre délirante et réfléchie, mais d'abord un acte optimiste, la preuve qu'on pouvait remonter le temps comme on remonte une pendule, et résister au monde extérieur. Je n'ai pas visité toutes les villas grecques qui existent, mais je ne pense pas qu'on y avait installé de corde pour faire des étirements, ni que les plantes y poussaient en paix. J'aimerais bien découvrir la villa Stuck, à Munich, dont on me dit qu'elle est belle mais un peu sinistre. Je suis allé à Corfou, voir cette demeure qui s'appelle l'Achilleion, décor grec un peu naïf inventé pour Sissi, avec le char d'Achille peint en style de café viennois, à faire peur. La villa de l'impératrice d'Autriche – qui était capable, elle, d'y mettre des barres parallèles et des arceaux – a été ensuite habitée par le Kaiser : son fantôme semble y régner encore, entouré des jeunes soldats de sa garde qu'il costumait en hoplites du temps de Marathon. En Bavière, je connais les musées de Munich, avec la glyptothèque construite par le roi Louis Ier pour abriter les sculptures du temple d'Égine – cette île si proche d'Athènes où l'on découvre dans un champ de fleurs le plus beau de tous les temples, qui date d'avant le Parthénon. À Munich, où les frontons antiques ont été restaurés de manière un peu lourde, les salles ont des couleurs bleues et rouges qui ressemblent aux pompeuses feuilles d'études faites par les élèves de l'École des beaux-arts de Paris. Il paraît que ce Louis Ier, qui préfigurait les extravagances de Louis II avec son château du Graal, son Versailles et son sanctuaire wagnérien, avait voulu aussi une maison antique, le Pompeianum, mais je ne l'ai jamais vue. Ces bric-à-brac de luxe n'ont rien à voir avec Kérylos. Théodore aimait les teintes atténuées, les murs pâles sur lesquels jouaient les marbres, il voulait des papillons et des abeilles, des coccinelles et des scarabées sur les pierres, une symphonie subtile, contre ces agressives « polychromies » – un grand mot du XIXe siècle. Il préférait l'Antiquité selon Debussy à celle des opéras de Verdi avec trompettes et cymbales. Sa maison aurait pu exister en Inde ou au Japon.

En changeant de monde, de vie, de milieu, en voyageant et en faisant la guerre, j'ai mûri vite. Il m'a fallu être agile. Aujourd'hui, sur un des bancs rouges du jardin, quand je repense à l'âge que j'avais, à ce que j'étais, au peu de choses que je savais, je n'en reviens toujours pas. Je me récite les vers de Mallarmé, que personne ne m'a donné à lire et que j'ai trouvés tout seul :

Rien, ni les vieux jardins reflétés par les yeux,
Ne retiendra ce cœur qui dans la mer se trempe

Aujourd'hui, les arbres ont beaucoup trop poussé, la terre a été remuée pour planter de nouvelles espèces imbéciles, les abeilles et les papillons aiment moins venir, les nageurs souvent abordent dans les rochers, les promeneurs peuvent même faire le tour de notre péninsule en passant par la galerie basse qui reste ouverte jour et nuit, ce n'est vraiment pas là qu'on cacherait un trésor. Ce n'est pas là que j'ai envie de rêver.

Adolphe me faisait l'éloge de ce jardin laissé libre, dont il aimait les proportions modestes, qu'il opposait aux parterres et aux champs de La Motte-Servolex. Il n'aimait pas leur gros château de Savoie, avec ses allées cavalières en coulées de crème anglaise. C'était comme si le capitaine Fracasse avait fait fortune. Pour beaucoup, la villa Ephrussi ou La Motte-Servolex montraient mieux la réussite de la famille que ce Kérylos qui ne ressemblait à rien de connu.

Fanny Reinach avait une femme de chambre qui se plaignait en permanence : la maison ne lui plaisait pas, trop chaude l'été, trop froide l'hiver, ces sommiers de sangles n'étaient pas assez confortables, toutes ces lignes droites, c'était trop austère. Elle n'osait pas dire qu'elle ne comprenait pas qu'on ait employé tant d'argent pour en arriver là. Elle avait trouvé du chiendent devant la porte. Sa maîtresse était trop bonne de supporter ainsi les caprices de son mari, quand on pense à ce qu'a réussi Mme Ephrussi, en voilà une qui s'est fait bâtir un vrai palais, avec des grandes eaux, plus beau encore que Versailles puisque c'est au bord de la mer ! Elle risquait : « Ce qui serait bien joli, si Madame voulait, ce serait une roseraie, avec des arceaux. J'ai vu un massif de dahlias à Nice, sur la promenade des Anglais, on en ferait des jolis bouquets avec ça. » Elle n'était heureuse que quand la famille allait en Savoie, pays pour lequel Théodore s'était pris de passion. Il avait acheté une propriété dans un joli site, cette Motte-Servolex, entourée de vaches, de bergeries, d'une ronde de fromages, et dans les années où il fabriquait Kérylos il modernisait aussi son « château ». Le résultat était une horreur. La Motte-Servolex devint un moule à pâté en croûte néo-Louis XIII, une indigeste fondue, une sous-préfecture aux champs. Il y avait plus de cinquante fenêtres, des cheminées partout, des corniches et des frontons, c'était le grand genre dans ce qu'il avait de plus démesuré. L'architecte s'appelait Louis Legrand, et la plaisanterie habituelle dans la famille était qu'on ne parlerait certes pas du « siècle de Louis Legrand ». Quelques années après sa mort, la famille s'est empressée de le donner au département. Mais c'était tout ce qu'aimait la femme de chambre de Mme Reinach : l'air des montagnes, les gros édredons, les chenets immenses, les petits meubles rococo, des rideaux à franges et des fauteuils crapaud bien douillets. Un jour elle s'était évadée, la brave femme, laissant un mot où elle ne demandait même pas de recommandation pour trouver une place ailleurs : « Je ne peux plus supporter votre maison. Je ne veux plus servir ici. Que Madame ne m'en veuille pas. » On la remplaça.

Théodore était heureux à La Motte-Servolex, comme si, de temps en temps, il en avait assez de la Grèce. Je l'ai trouvé bien des fois, dans son baldaquin à colonnes, entouré de tous ces meubles de « petit goût », épanoui, lisant à haute voix le journal qu'il finançait, *Le Démocrate savoisien*, qui ne manquait jamais d'agrémenter le plateau de vermeil du petit déjeuner. Sur la cheminée était inscrit un jeu de mots en latin : *Servo lex*, « Je sers la loi », qui est la devise que tout député devrait adopter, sauf que ce n'était même pas du latin de cuisine, il aurait fallu dire *Servo legem*. Il aimait bien ces petites plaisanteries d'écolier, il en était très fier. Voulait-il impressionner les paysans des Alpes ? Il était là-bas un autre personnage, un potentat opulent, un satrape dans sa satrapie, la République en personne et pour tout cela rien n'était meilleur que le style Louis XIII. Ce démocrate se sentait aristocrate, et il était un tyran, cet amoureux du grec était agoraphobe, ce monogame était un séducteur, ce muséologue averti se faisait rouler par les faussaires, le concepteur de Kérylos aimait dormir dans ce décor atroce. Basileus courait dans les bois, heureux comme un chasseur.

« Tu crois que nous nous occupons de la noblesse ?

me disait Adolphe. J'ai toujours trouvé ridicule qu'Adolf Reinach, dont je porte le prénom, sans *f* à la fin heureusement, soit allé ramasser cette couronne de baron en Italie. Le cousin germain de mon père, le baron Jacques de Reinach, qui s'appelait Jacob et avait transformé son prénom, voulait rivaliser avec les Camondo et les Cahen d'Anvers, c'est le côté snob de la famille. Les Cahen étaient devenus comtes Cahen d'Anvers parce qu'ils arrosaient d'argent frais le roi d'Italie, les Camondo ont été comtifiés en 1860, l'année de la naissance de Théodore, il y a un décalage de génération, même si le comte Moïse de Camondo adore mon oncle. Et je ne te parle pas du cousin Viktor von Ephrussi ! Ils avaient tous envie de ressembler aux Rothschild, je crois bien. Le "baron de Reinach" est mon grand-père puisque papa a épousé sa fille, on est comme les dynasties royales, on s'entre-marie, tu savais que j'étais à moitié noble, je suis Reinach y Reinach, Reinach au carré. C'est archi-ridicule tout ça ! »

La noblesse, pour lui, c'était le droit de ne rien faire tout à fait comme les autres. Dans la famille, ils y arrivaient assez bien, sans parler du plaisir de déplaire et du mépris pour les bavardages. Le « château Reinach » de Beaulieu était un manoir sans jeux de cartes, sans broderies au coin du feu, sans ennui dissipé dans les charades et les jeux de société, sans suicide au retour du casino – cette invention qui a mis les souffrances et les excitations de l'aristocratie à la portée de tous les riches.

Je me suis demandé à quoi pouvaient ressembler

les parents des trois frères. J'ai fini par savoir, mais là encore, le passé de la lignée, sans être un secret, n'était pas un sujet de conversation. Hermann Reinach venait d'une famille d'origine suisse – de la ville de Reinach – devenue allemande au XVIIIe siècle. Il était né à Francfort. Son grand-père, arrivé de Mayence, avait servi Napoléon et son frère Jérôme, roi de Westphalie. Ces souvenirs de l'Empire plaisaient à Adolphe, cela sentait la poudre, l'aventure, et l'élégance des vestes de hussard. Hermann Reinach était venu à Paris sous la monarchie de Juillet, de courtier qu'il était il avait fini par se mettre à son compte et se lancer dans l'aventure bancaire, il s'était approché des milieux politiques. Théodore racontait que son père connaissait bien M. Thiers, et Joseph a d'ailleurs fait figurer le petit homme à lunettes en très bonne place dans son anthologie de l'éloquence française, un de ses livres qui a eu le plus de succès. Je crois qu'ils l'admiraient, et que leur famille lui devait beaucoup – alors que pour bien des gens, Thiers c'est le fusilleur de la Commune de Paris.

Peu à peu, les pièces du puzzle trouvaient leur place, j'avais mis du temps, mais je pouvais tout reconstituer. Les Reinach à cette époque firent de bons placements, dans les chemins de fer espagnols et autres nouveautés, et devinrent riches et discrets, dans leur grosse maison de Saint-Germain-en-Laye. Le jumeau d'Hermann était Adolf, père du baron Jacques de Reinach, suicidé au moment du scandale de Panama. Hermann avait une belle maison, qui disait sa richesse, à deux pas du lieu de naissance de Louis XIV : à Saint-Germain, sur l'esplanade royale, elle existe encore, on ne peut pas la manquer. Il y a même une plaque, aujourd'hui, je crois bien.

À sa mort en 1899, j'ai relevé dans un journal que Théodore avait gardé dans sa chambre, que sa fortune était de quatorze millions de francs-or. Une somme énorme, abstraite, surtout pour moi le berger de Cargèse.

Pour les trois frères, cela voulait dire que la question de l'argent ne se poserait pas. Il y aurait les rentes, les portefeuilles d'actions et les immeubles, ce qui permettait de se consacrer aux choses sérieuses, la députation, le Louvre, qui les intéressaient plus que les équipages de chasse – passion de Béatrice de Camondo, femme de Léon fils de Théodore – et l'entrée au Jockey Club – bon pour ce dilettante, le Charles Swann de Proust. La même aventure était arrivée à une famille de banquiers allemands, les Warburg, dont le fils aîné se passionnait pour les travaux savants et l'histoire de l'art : Aby Warburg, dit-on, échangea son droit d'aînesse avec ses frères non contre un plat de lentilles, comme Ésaü dans la Bible, mais contre la promesse que sa vie durant ses frères lui achèteraient tous les livres dont il aurait besoin pour ses études.

Chez les Reinach, la vocation bancaire s'était éteinte. S'ils étaient encore capables d'avoir un œil sur une fortune bien gérée, les frères se consacrèrent entièrement à cette vraie richesse si tentante quand on a tout : les livres. J'ai mis du temps à comprendre : pour ma mère, qui était pauvre et fille d'encore plus pauvres, il n'y avait que l'argent qui comptait. Elle aurait peut-être aimé que Théodore me fasse engager dans une banque au lieu de me donner des cours de grammaire, elle aurait voulu sans doute que j'épouse une de ces demoiselles à millions qui venaient avec leurs mères chez les Reinach. Le prix de la tiare, pour Joseph, Salomon et Théodore, ce n'était pas important, l'argent ne signifiait que peu de chose. On dénonça leur cupidité, la manière dont cette acquisition scandaleuse avait contribué à ruiner la France. Leur fortune, dont ils ne s'occupaient que de loin, finit par fondre, entre les deux guerres, et cela ne s'est évidemment pas arrangé depuis. J'ai vu des Reinach de la nouvelle génération se vanter de voyager toujours en troisième classe, puisque « avec un livre on est bien partout ». Ce manque d'intérêt pour l'argent était le résultat de trois ou quatre générations de grande richesse. Adolphe était déjà comme cela : « Ce jardin, Achille, pour prendre l'air, regarder la mer, faire un peu d'exercice et écouter le piano à travers les fenêtres, c'est tout ce que je demande. Tu trouves ça chic, toi, les orchidées ? La mode des fleurs noires, ces pauvres tulipes, ces hortensias bleus qu'on oblige à pousser dans les ardoises ? Chez papa, à Paris, il n'y a que ça, dans des vases de Sèvres, il n'a pas de goût. Oncle Théodore fait semblant d'abandonner son jardin, alors que tu n'imagines pas comme ça l'intéresse, et il a interdit les bouquets dans la maison, il a bien raison.

Papa trouve que ça fait homme du monde d'avoir des orchidées sur sa cheminée. On n'a aucun besoin des vieilleries de la noblesse, des salons pour douairières ou de la petite cour de jeunes pages pâmés qui suit la vieille impératrice Eugénie quand elle arrive à Menton. Tu sais qu'elle vit toujours ? La noblesse, c'est la science, les arts, les lettres, le panache de Rostand. Tu crois que je saurais écrire du théâtre ? »

Et il sautait du parapet, rebondissait entre les pierres le temps de faire trois entrechats et plongeait tout habillé du haut du plus gros des rochers, sous les yeux de la bonne de Mme Reinach, qui levait les bras et courait chercher des serviettes.

28

Le « Triklinos » ou l'art de dîner couché

Un jour comme un autre, pendant la dernière guerre. Les étagères de la salle à manger ont les rideaux dépendus et toute la vaisselle est par terre. Il pleut dans la cour, devant les fresques. Je ne m'attarde pas.

Je suis le premier à entrer, parce que je me trouve dans la région, quelques jours après le pillage par les nazis. Le gardien s'est précipité à Nice pour me demander de venir vite. La fille de la crémière – une beauté qui allait avoir de gros ennuis à la Libération – m'avait déjà prévenu par téléphone.

Je ramasse tout, les morceaux d'assiettes et de bols qu'on peut sauver, ce qui est intact. La villa est saccagée, mais pas détruite, pas vidée. On a inspecté tous les placards. Les papiers ont tous été emportés. C'est dans la salle à manger que c'est le pire. Je ramasse les tessons un par un, par réflexe, par respect, parce que je ne vois pas quoi faire d'autre.

Ariane admirait toujours ces plats et ces bols, quand elle était invitée, avec les Pontremoli, à dîner dans le « Triklinos ». Théodore ici encore avait voulu éviter la copie. Il n'imaginait pas prendre ses repas dans de faux vases grecs. Ceux des musées sont d'ailleurs souvent des pièces ornées, objets de luxe, des offrandes placées dans des tombeaux. Il fallait inventer pour la Grèce la vaisselle de la vie de tous les jours, celle que les potiers sortaient du four et qu'on ornait de quelques guirlandes peintes à la va-vite. Celles qu'on aurait pu retrouver parmi les ruines de l'équivalent attique de Pompéi et d'Herculanum.

Dans la cuisine, il y en avait plusieurs armoires. Je descends : les Allemands les ont renversées aussi. Là, il n'y a rien à sauver. Je mets un petit morceau cassé dans ma poche.

De même qu'on avait choisi des bois, pour leurs couleurs, leurs parfums, leurs fibres, venus de pays que les Grecs ne connaissaient pas, pour le service de table, on s'était inspiré des potiers coréens. Le céramiste avait choisi le grès plutôt que la terre cuite, il y ajoutait parfois un peu de kaolin. Ses pièces n'avaient que peu de couleurs et adoptaient la palette de la maison ; des beiges, des ocres rouges, des noirs, c'était simple et beau.

Dans la salle à manger, les lits suggéraient qu'on prenait les repas allongé. L'un d'eux était plus haut que les autres, selon l'usage antique, réservé au maître.

Pour le coup d'œil, c'était parfait, mais je n'ai jamais vu Théodore se jucher là-dessus. Il s'installait sur une chaise, en face de sa femme, devant une des petites tables, les couchettes de cuir tressé servaient simplement de décor.

La salle à manger, avec ses angles à pan coupé, était parfaite à ses yeux, car réduite, on ne pouvait pas y banqueter. Je ne prends pas le temps aujourd'hui de sonder le plafond bleu, dont la peinture s'émiette, mais je ne vois pas comment, dans cette pièce, on pourrait placer une cachette. Au mur, des tableaux, copiés d'après ceux du musée de Naples, suggèrent la peinture de chevalet, qui existait déjà dans l'Antiquité. Les Allemands ne les avaient pas dépendus. Je les regarde de près, je les soulève un par un : derrière il n'y a que les murs. Je sors de l'étagère ce qui reste de ces assiettes, ces plats, pour le plaisir de les regarder, de les avoir en main, de caresser leur surface un peu rugueuse.

Dans ce « Triklinos », j'ai surtout des souvenirs de celui qui avait le meilleur appétit, et qui aimait y rester le plus longtemps, le deuxième des frères, Salomon. Il avait deux passions savantes. À côté de ses articles, de ses énormes répertoires et index – faire l'index d'un livre, c'était son régal, sa pâtisserie, il n'aurait délégué cette tâche à personne –, il aimait écrire des livres que tout le monde pouvait comprendre. Cela me plaisait bien, parce qu'il les essayait d'abord sur moi, sous forme de longues conversations d'après-dîner, et ensuite, il me les offrait sitôt parus. Je les ai tous avec des dédicaces de sa jolie écriture. Il publiait de petits résumés bien faits, sur le ton d'une discussion entre amis, qu'on pouvait emporter dans sa poche, et qui étaient de grands succès. Le plus célèbre, c'est *Apollo*, avec sa couverture verte ornée d'une monnaie d'or en relief, qui raconte toute l'histoire de l'art depuis les temps des hommes des cavernes jusqu'aux sculpteurs américains d'aujourd'hui. Il a écrit aussi *Cornélie ou le Latin sans pleurs*, *Sidonie ou le Français sans peine* et *Eulalie ou le Grec sans larmes*, mon préféré. Des livres qu'on aurait dû distribuer dans toutes les écoles de France, on n'en serait pas là aujourd'hui, où je me dis, moi qui ai fini par envoyer promener le grec et le latin, que ceux qui ne savent rien sont en train de triompher partout. Pour Salomon, toute vérité scientifique devait pouvoir être expliquée, et son cours à l'École du Louvre avait d'ailleurs beaucoup de succès, il le racontait dans les dîners de Kérylos, en décrivant les femmes du monde oppressées au premier rang, qui venaient boire ses paroles, tandis que lui se dandinait dans sa chaire, confortablement installé, comme le coq de la basse-cour. Joseph en riait, sans s'apercevoir que ses frères se moquaient de lui de la même façon quand, dans la conversation, il aimait évoquer la haute silhouette de Gambetta, dont il avait été le conseiller le plus influent – il allait de temps en temps, profitant de ses séjours à Beaulieu, se recueillir sur sa tombe, à Nice. Je l'entends dire, dans cette salle à manger, « le grand ministère », comme s'il avait de la perdrix dans la bouche. Un jour Joseph et Théodore ont parlé devant moi des liaisons de Salomon, le ton de voix baissait, et on évoquait ses liens avec la scandaleuse Liane de Pougy, peu habituée à l'érudition mais qui en matière de grande fortune ne se trompait pas. Salomon, en s'offrant une aventure avec la plus intelligente des demi-mondaines, avait fait entrer le clan Reinach dans le cercle fermé de ceux qui se ruinent pour des aventurières, de Louis Ier de Bavière avec Lola Montès au comte Henckel von Donnersmarck avec la Païva. Ce n'était pas si mal.

Eiffel venait souvent dîner dans le « Triklinos », et lui n'hésitait pas, prétextant ses douleurs, à s'allonger en soupirant tandis qu'on lui apportait des cuissots de chevreuil ou des délices glacées. Il me semblait incroyablement jeune et terriblement vieux : il était né en 1832, au début du règne de Louis-Philippe, et son père, dont il me parlait, qui s'appelait Alexandre, était officier dans la Grande Armée de Napoléon. M. Eiffel s'appelait aussi Alexandre, ce que Théodore lui rappelait toujours, pour lui dire qu'il était grec à sa façon, mais tout le monde lui donnait son second prénom, Gustave. Quand j'avais treize ou quatorze ans, je le voyais travailler sans cesse, alors qu'il était censé se reposer à Beaulieu : il voulait savoir quels résultats donnait le laboratoire météo installé au sommet de sa tour, il voulait y faire placer un émetteur de TSF, il menait des expériences d'aérodynamique et prétendait que pour étudier la chute libre on pourrait le faire du haut de sa tour de 300 mètres mieux que Galilée au sommet de celle de Pise. Il expliquait au cocher, aux cuisinières, aux bonnes, à ma mère, à moi, à mon petit frère, que la tour Eiffel allait bientôt servir à tout, éclairer Paris, devenir un observatoire pour les militaires et un fanal pour les dirigeables, c'était son obsession, sa hantise : il voulait mourir en ayant l'assurance que son monument vivrait.

Et moi, à quinze ans, j'avais la chance de les voir tous ensemble, dans cette pièce, et je les comparais, bien sûr. D'un côté le savant ingénieur qui s'était fait construire une demeure digne de la Renaissance, bourrée de cristaux et d'argenterie, de l'autre l'homme qui incarnait l'histoire ancienne et qui était allé d'instinct vers les lignes épurées, les formes simples et le chauffage central. D'un côté les balustrades de pierre, de l'autre les balcons en métal, comme s'ils avaient échangé leurs rôles. « Mon vieux Eiffel, vous avez eu raison trop tôt ! — Et vous, Reinach, vous avez compris que le grec ancien c'est l'avenir, ah mon père et ma mère, que je vous veux de mal comme on dit chez Molière ! Je n'ai jamais appris le grec, et c'est trop tard. — Et moi, croyez-vous que j'aie appris vos problèmes de pneumatique ! — Jeune Reinach, vous êtes modeste, vous avez eu aussi le prix de physique du Concours général, vous avez écrit sur la vis d'Archimède et sur le théorème de Pythagore… »

Ces débats de fin de dîner duraient des heures. Jamais de malveillance, aucun ostracisme, la conversation ne portait que rarement sur des personnes, ils aimaient plutôt parler de ce qu'ils avaient lu. Ils avaient des souvenirs de livres comme on a des récits de chasse et de pêche ou des souvenirs d'amour. Ils passaient ensuite dans l'« Andrôn » pour fumer et boire du cognac, tandis que les femmes s'installaient dans l'« Oikos » et ouvraient le piano.

À notre retour de l'Athos, un déjeuner a eu lieu ici, avec Eiffel, qui voulait tout savoir. J'avais été convié. J'ai entendu Théodore mentir, tandis qu'Adolphe et moi nous restions silencieux : nous n'avions rien trouvé, fausse piste, le tombeau d'Alexandre ne pouvait pas être là. Il décrivait l'immonde cuisine des religieux, les offices en pleine nuit. Eiffel s'amusait : « Si j'avais été là, j'aurais cherché mieux ! Vous avez voulu vous passer de mes services, tant pis pour vous ! »

Au fils des ans j'ai de moins en moins supporté ces repas, mais si je n'écris pas cela, bientôt il n'en restera plus rien, à peine une poignée de poussière et quelques assiettes cassées.

29

L'« Andrôn », où les Reinach reçoivent les rois par temps d'orage et où Thésée combat le Minotaure

Une fête à Kérylos, cela n'arrive pas souvent. Cette maison sur la pointe, tout le monde la voit de la plage, bien peu y sont allés, tout simplement parce qu'elle n'est pas très ouverte. Il est impossible d'y donner de grandes réceptions. Certains soirs, pourtant, elle s'illumine. La plus vaste des pièces s'appelle l'« Andrôn », l'appartement des hommes dans l'Antiquité, mais les dames amies des Reinach y sont les bienvenues. J'assiste de loin aux dîners de gala, j'aide à retirer les lourds meubles grecs pour placer des tables rondes, avec des bouquets, effet magnifique : les marbres rouges ou « fleur de pêcher » jouent avec le tissu des portières, les lumières des bougies se reflètent dans les vases d'argent, devant les fenêtres qui regardent vers le sud, du côté du cap. Les serviettes brodées avec le R n'ont rien de grec, ce sont les mêmes que celles qu'on utilise pour les banquets républicains au château de La Motte-Servolex. Théodore n'a pas voulu qu'on déménage aussi la bibliothèque, ce qui aurait permis d'installer d'autres tables et d'inviter plus de monde. Pas d'invités profanes dans le sanctuaire.

Le roi des Belges Léopold II est là pour un soir, l'air toujours satisfait de posséder cette maison trop grande à deux pas d'ici, la villa Leopolda. Théodore n'est en rien impressionné. Les rois, il connaît. Il en a reçu d'autres, en fredonnant « Voici les rois... » de *La Belle Hélène*. Le roi Gustave V de Suède trouvait que le jardin aurait été mieux avec un court de tennis – ce sport était sa passion – mais il aurait fallu en inventer un digne d'Olympie, défi auquel Pontremoli n'avait pas pensé. Georges Ier de Grèce prit à Kérylos des idées pour rendre un peu plus grec son palais de Tatoï, résidence de la famille royale. Le président Armand Fallières, en séjour à Monaco, voulut voir, par curiosité démocratique. Il salua Basileus d'égal à égal, qui aboya comme jamais. Il demanda s'il s'agissait d'Argos, le chien de l'*Odyssée*, qui est le premier à reconnaître Ulysse à son retour à Ithaque, et l'assistance se récria d'admiration devant ce bon mot – qui n'en était pas un. Avec son accent du Sud-Ouest, il demanda tous les détails possibles sur les grilles qui séparaient l'« Andrôn » du péristyle : il était petit-fils de forgeron. Théodore le félicita devant tout le monde d'avoir décidé de faire entrer Zola au Panthéon, et on discuta de savoir si le capitaine Dreyfus, lui aussi, aurait un jour sa place dans le temple des grands hommes.

Je n'ai pas croisé lors de ces fêtes beaucoup de membres de l'Institut : M. Reinach avait quelques craintes sans doute à l'idée de montrer à ses amis savants de quels moyens il disposait. Il a légué la villa à ses collègues, pensant qu'ils continueraient à y faire vivre son esprit, mais il a voulu que ses enfants puissent continuer à y venir. C'est ce que Justine la cuisinière appelle une « donation sous réserve de jus de fruit », et c'est à l'évidence la meilleure des solutions.

Lors de la visite du roi Léopold, un orage a éclaté. La pluie avait commencé à tomber, les serveurs avaient refermé les grilles, mais c'était de plus en plus fort. Je jouais les utilités, on m'avait mis une veste blanche, j'étais censé surveiller tout. Le roi s'était levé, avait porté un toast à la famille Reinach et un autre à Périclès, et demandé qu'on ouvre les fenêtres. Les invités étaient sortis pour regarder la furie des flots et les éclairs dans la nuit, comme un spectacle. La maison prouvait qu'elle pouvait résister à la tempête. Tous les convives avaient fini trempés, dans leurs tenues de soirée, les robes ne ressemblaient plus à rien, on aurait cru une cérémonie en Afrique pour le retour du soleil ; tous étaient éblouis, autour de ce souverain à barbe blanche qui avait l'air de Poséidon et s'amusait à commander aux éléments. Les souvenirs de ce soir-là sont beaux. La folie habitait la maison. Je n'en revenais pas. Quand je revois cette pièce, je ne peux pas croire que ces scènes étaient réelles. Tout est si calme maintenant.

Sur les consoles, le long des murs, les bronzes et les plâtres viennent du Musée archéologique de Naples, on les copie pour les voyageurs depuis plus d'un siècle. Il y en a un qui représente Alexandre à cheval. Je l'ai regardé de très près tout à l'heure, j'ai cherché si derrière, dans la direction vers laquelle regarde le cavalier, par terre, ne se trouvait pas une plaque de marbre un peu disjointe, ou qui pourrait coulisser. Je n'ai rien trouvé. Mon idée depuis le début est que l'« Andrôn » est la place la plus digne pour la couronne d'Alexandre. Cet après-midi, rien ne m'est apparu. Si les nazis l'avaient trouvée ? S'ils étaient repartis avec les archives et la couronne ? Ils avaient assez de savants illuminés dans leurs rangs pour imaginer que leur effrayant Führer aurait pu la ceindre, une fois maître du monde.

L'autre cachette possible, cela pourrait être le trône. Un fauteuil toujours vide, pour les ancêtres. Création de Pontremoli, pour laquelle Bettenfeld s'était surpassé, il est à la fois majestueux et léger. Je me suis toujours demandé si c'était le fauteuil d'Homère – son spectre se serait assis là entouré du respect de tous les bons auteurs venus après lui, comme dans le grand tableau d'Ingres qui a l'air d'une photo de classe prise au milieu de la cour de l'école. Adolphe par plaisanterie l'appelait « le fauteuil d'Achille » et m'avait montré la photographie d'un tableau de Léon Bénouville, *La Colère d'Achille,* où le héros pose assis, l'air farouche, nu dans un vaste drapé blanc. C'est ce qui m'a donné l'idée, plus tard, de faire ces dessins avec Ariane, ici, dans ce fauteuil. Elle voulait me dessiner dans ces jours où nous étions devenus amants et que la maison était vide. Elle avait conservé les clés que possédait Grégoire, pour venir me rejoindre la nuit quand elle voulait, pendant ces semaines où la maison était à nous. C'est moi qui l'ai obligée à s'asseoir là, à son tour, si mince, blottie contre un des accoudoirs, je vois la ligne que j'ai tracée dans mon carnet sans la quitter des yeux. Je l'entends encore me dire : « Mais non, c'est toi qui dois t'installer à cette place, Achille. » Jamais je n'ai autant aimé Kérylos qu'en voyant les dessins d'Ariane. Elle me montrait ce que je croyais le mieux connaître au monde, des pièces que j'aurais pu représenter moi-même les yeux fermés, et que je voyais pour la première fois – à travers ses yeux grands ouverts. Elle me montrait les broderies sur les rideaux bruns : Pontremoli avait donné des instructions aux couturières pour qu'elles changent de fil de temps en temps, afin que les couleurs ne soient pas toujours les mêmes, selon les bains de teinture, pour laisser une place au hasard, que rien n'ait l'air trop régulier. Je n'avais jamais remarqué cela. Qu'aurait dit Théodore s'il nous avait surpris tous les deux, nus, dans sa salle à manger de réception, devant une cathèdre antique, tenant à la main nos carnets et nos crayons de couleur ?

Mon vieux corps est déformé, je suis trop maigre, je me sens infirme : j'ai gardé ces dessins, j'ai eu raison, mes petits-enfants se demanderont qui est ce héros splendide, je n'ai rien écrit au verso. J'avais hésité à me déshabiller dans cette lumière, pour poser, elle avait insisté. Elle avait fait un premier dessin, où elle avait gommé mes cicatrices. Je lui ai demandé d'en refaire un, avec mes blessures, elle a déchiré l'autre en m'embrassant. Ceux qui trouveront ces papiers verront aussi la plus belle des femmes. Je n'ai jamais encadré ces feuilles, il faudrait. Pendant des années, quand je cherchais à retrouver Ariane, je pensais à ce trousseau de clés qu'elle avait gardé. Je me disais qu'elle avait peut-être parfois envie de revenir dans cette maison qui d'une certaine façon avait été sienne, et si j'y retournais, dans des moments où je savais bien qu'il n'y aurait personne, c'était aussi parce que je rêvais qu'elle aurait eu la même idée, et que je la retrouverais, dans l'« Andrôn », comme si elle m'attendait. Le destin n'a pas été gentil avec moi à ce point-là.

Pour la première fois, devant ce fauteuil dans lequel je n'ai pas osé m'asseoir, mes larmes sont montées : je revoyais le corps d'Ariane, je me revoyais face à elle, ici, il y a si longtemps. J'ai tendu ma main vers le vide, j'ai posé ma paume sur le bois, mes lèvres sur l'accoudoir. Elle a été là. Comment avais-je pu la laisser partir, comment n'avais-je pas réussi à la retrouver, lorsque Grégoire m'avait dit qu'elle avait disparu ? Où se trouve-t-elle ? Depuis des années, j'évite cette pensée. Ici, c'est impossible, la douleur me saisit comme un délire.

Je déplace avec peine ce meuble, le plus imposant, je tapote avec deux doigts sur chaque pierre pour savoir si cela sonne creux, rien. Assis par terre, je commence à me dire que je ne trouverai pas. Pour les fenêtres de cette pièce Pontremoli avait étudié les palais italiens : il imagina une disposition des carreaux qui ressemblait vaguement à ce qui se faisait à Rome au XVIe siècle, ajouta des ferrures de bronze, des volets intérieurs. Cela ne se voyait pas ailleurs, cela n'était pas grec, mais avait l'air « historique », et c'était beau à mes yeux de vingt ans. Aujourd'hui, c'est sinistre et ne m'aide pas à cesser de pleurer.

Les conversations entendues autrefois dans cette pièce prenaient un autre sens, je les rapportais à elle. Selon Pontremoli – et Reinach lui donnait raison – les époques s'imbriquaient sans jamais de rupture, il était resté un peu des fortifications de Troie et de Mycènes dans les formes de l'Acropole, un peu des structures de ses portes monumentales survivait dans les monastères orthodoxes, les maisons d'Athènes et de Délos avaient influencé l'architecture des demeures de la Méditerranée sous l'Empire romain, jusqu'aux riads du Maghreb, à l'Andalousie, et même on en trouvait encore des traces dans les palais de l'Arabie Heureuse : les barbares avaient eu beau saccager, les ennemis brûler tout, détruire, semer du sel, les hommes de toutes les époques avaient reconstruit à partir de leurs souvenirs, en adaptant, en simplifiant, en transformant, en trouvant des idées nouvelles. Ce qui comptait c'est que cette chaîne ne se soit jamais interrompue – et d'une certaine manière, c'était leur grande idée, la Grèce pouvait encore être présente parmi nous, sans que nous soyons toujours capables de la voir.

L'autel du foyer se dresse au fond de la pièce, avec son inscription « Au dieu inconnu », mais cette salle à manger n'a jamais servi au moindre culte. C'est la vraie religion des Reinach : un Dieu unique, qui a fait le monde, mais que nous ne connaissons pas. Sur le marbre, une encoche a été percée, utile pour les sacrifices : on égorgeait la bête sur l'autel, et le sang s'écoulait en bas. Je ne crois pas que le dispositif ait jamais servi. Je ne vois pas la cuisinière montant dans l'« Andrôn » aux murs de marbre pour faire un sort à son poulet selon les rites prévus par les prêtres. J'ai passé ma main dans l'ouverture, cela déclencherait peut-être un mécanisme. C'était trop évident sans doute. Là non plus, je n'ai pas vu la moindre cachette.

La mosaïque qui se trouve au milieu de cette pièce est celle du Labyrinthe : Thésée y combat le Minotaure. La carte postale est toujours dans ma sacoche. J'ai eu la force de me mettre à quatre pattes, aucune pierre ne bouge, aucune trappe comme celle que le gentleman-cambrioleur décèle dans la cheminée héraldique du château de Thibermesnil, rien n'a été prévu par l'architecte pour dissimuler un secret. Le seul secret ici, c'est, je crois bien, les rares moments de bonheur de ma vie, qui n'ont pas laissé d'autre trace que les blessures absurdes que je suis venu réveiller. Pourquoi vouloir souffrir encore, alors que j'ai mes enfants, mes petits-enfants, mes tableaux, ma vie ailleurs et autrement ?

Cette couronne avait dû être, le premier jour, dans la chambre de Théodore, il l'avait sortie de sa malle de voyage, mais ensuite… ? Voulait-il la rendre aux moines de Dionysiou ? Avait-il vraiment si peur de voir recommencer l'affaire de la tiare, en encore plus épouvantable ? Je me perdais dans le labyrinthe géométrique, je regardais la hache qui s'abat sur le cou de l'homme-bête. Ce dessin au sol de l'« Andrôn » est une de ces fausses pistes que Théodore affectionnait. Ariane m'avait dit, ici, qu'on n'avait pas besoin d'elle et de sa bobine. Il suffit d'être méthodique pour en sortir. Le labyrinthe de Kérylos est trop facile. Au centre, Thésée n'a pas grand mérite à trucider le Minotaure.

Ce matin, avant de venir, j'ai lu, à la terrasse du café, dans le numéro spécial de *Paris Match* consacré aux préparatifs du mariage du prince, un grand reportage sur les nouvelles fêtes de la Côte d'Azur, une photo montre la façade de ce caveau de jazz de Juan-les-Pins, le Minotaure. Devant l'entrée posent trois starlettes en bikini, la patronne de l'estaminet, un play-boy et un saxophoniste, mais ils ont derrière eux une grande enseigne peinte. C'est difficile à croire : elle est calquée sur le labyrinthe de Kérylos. Elle est si célèbre, ma villa – quant au Minotaure, pour tout le monde, c'est devenu Picasso.

30

Athéna est dans l'escalier

Dans l'« Amphithyros », devant les marches de l'escalier qui conduisait aux appartements privés, Fanny Reinach déposait des roses anciennes, et les parfums montaient dans ce vestibule, entre les rideaux, les marbres, les poutres, devant les peintures qui représentaient des navires. Les enfants couraient, sautaient les marches deux par deux, j'aimais cette pièce dominée par l'Athéna de bronze, tenant sa lance. À côté, un brasero projetait des lumières qui évoquaient les temples, Théodore en avait installé un autre à l'étage du dessus, devant un petit Hermès, l'escalier devenait mystérieux quand on les allumait et qu'on y jetait du papier d'Arménie. Fanny savait-elle que cette statue casquée, une restitution, tenait compte des hypothèses de Furtwängler ? Qu'est-ce qui avait poussé son mari à installer ainsi, dans cet endroit où tout le monde passait, une sorte d'hommage au savant rival ? C'était comme un permanent « Souviens-toi que tu es mortel, et faillible », murmuré à l'oreille du général vainqueur lors de son triomphe, à Rome, au Capitole. Théodore, comme un bon petit Spartiate qui apprend à souffrir, aimait qu'un renard lui dévore le ventre en permanence, caché sous sa tunique.

Les statues grecques les avaient fait rêver ; en posséder une qui n'était qu'une hypothèse de restitution allemande, une Athéna en plâtre dont on sentait bien qu'elle n'était pas tout à fait crédible, c'était peut-être aussi une forme d'ironie. Les trois frères, à des âges différents, avaient rêvé aux grandes découvertes. Cette Athéna était la déesse qu'aucun d'eux n'avait trouvée. Ils étaient ceux qui connaissaient le mieux la culture grecque, mieux que ce Furtwängler… Ils avaient cru durant des années qu'il serait logique et légitime que les Antiquités se dévoilent à eux – et « leur » seule découverte importante, c'est moi qui l'ai faite. En 1878, Joseph, à vingt-deux ans, avait été le premier à entreprendre un voyage en Grèce, ne doutant pas un instant que le premier trou qu'il creuserait lui révélerait une rivale de la *Vénus de Milo*. En réalité le voyage avait duré quinze jours, il avait vu Athènes, Mycènes, Corinthe et la baie de Navarin, et cela s'était terminé à l'opéra de Trieste où il était allé entendre *Tannhäuser* et à Venise, toujours à la poursuite des mythes wagnériens. Il en avait tiré un livre, son *Voyage en Orient*, péché de jeunesse dont ses frères eux-mêmes s'étaient moqués. En Grèce il avait surtout rencontré des hommes politiques, c'était déjà sa vraie passion. Théodore m'a raconté comment lui aussi, à vingt-deux ans, avait rêvé de la *Vénus de Milo*. Ce marquis de Rivière qui l'avait offerte à Louis XVIII était un innocent aux mains pleines : il ne savait pas grand-chose, et c'est à lui qu'était échu le bonheur de rapporter à Paris la plus merveilleuse des statues. Salomon disait qu'elle était proche de l'art de Phidias, il l'a écrit dans *Apollo*, Théodore la voyait plus tardive, du temps des successeurs d'Alexandre. Il avait raison. Avant de me dédier à la *Victoire de Samothrace*, j'étais un jeune garçon très épris de la *Vénus de Milo* : avec Adolphe, nous faisions des dessins pour imaginer ce qu'elle pourrait donner avec des bras, cela commençait très sagement, nous lui donnions une trompette, un miroir, une palme à tenir, puis évidemment comme nous avions seize ou dix-sept ans, nous inventions des horreurs que nous détruisions aussitôt.

Théodore avait envie de faire une de ces trouvailles que le génie ne doit qu'au hasard. Il se disait peut-être que mon innocence attirerait sur lui la fortune. Schliemann, ce gros épicier chleuh, avait fouillé le site de Troie et il était tombé juste, puis il avait creusé à Mycènes et avait découvert le masque d'or d'Agamemnon. Il allait vers les trésors avec l'instinct des imbéciles. La photo de Mme Schliemann portant les bijoux découverts lors des fouilles provoquait les rires de Mme Reinach, qui disait que Théodore et ses frères avaient été bien incapables de sortir de terre l'équivalent pour leurs épouses. Théodore répondait en décrivant avec épouvante la fausse maison grecque de Schliemann à Athènes, un gros vacherin orné dans l'esprit de Pompéi. Il trouvait drôle d'avoir fait représenter au plafond des putti grassouillets en train de faire des prospections archéologiques et de déchiffrer des inscriptions. Entre le ridicule palais Schliemann et la villa Kérylos, Théodore demandait à sa femme ce qu'elle préférait.

À vingt-deux ans, même folie de la découverte, lors de son premier voyage, Théodore, qui venait de devenir avocat au barreau de Paris – alors que Salomon quittait l'École normale de la rue d'Ulm pour l'École française d'Athènes –, ne doutant de rien, était allé jusqu'à Constantinople. Il avait été béat d'admiration en entrant dans Sainte-Sophie. Aucune grande trouvaille, il se contentait d'admirer des choses connues. Dans la bibliothèque de Kérylos, il me montrait toujours le grand lustre de métal rond, avec les emplacements des bougies, électrifiées discrètement : « On ne sait pas bien à quoi cela pouvait ressembler un lustre dans l'Antiquité, alors voilà, j'ai montré des photographies à notre architecte, toi qui es plus ou moins orthodoxe, ça doit te rappeler des choses. »

Il ne me parla pas tout de suite de voyage dans les monastères grecs – il n'avait pas encore compris que ce serait l'Athos, nous aurions pu aller dans les Météores ou à Mistra. Je ne lui disais pas que j'avais depuis l'enfance détesté cette religion orthodoxe. Il voulait sans doute d'abord m'étudier un peu, voir si je ne le décevrais pas. Je l'entends, devant l'Athéna : « J'étais si heureux, là-bas, quand sont apparues les côtes de Thassos, à bord du *Latouche-Tréville*. Tu verras, pour te récompenser de tes progrès, je vais bientôt t'emmener avec moi, ce serait dommage que tu perdes ton grec moderne ! » L'idée de s'initier au grec moderne ne lui venait pas. Pour lui, la langue qui avait succédé au grec ancien, par sa beauté et sa noblesse, la langue des philosophes, des poètes, des orateurs, c'était le français.

J'avais eu peur, quand, peu de temps après mon arrivée à Kérylos, sur le petit rocher pointu que j'appelais la roche Tarpéienne, j'avais entendu Théodore et Gustave parler entre eux en allemand. J'ai compris ce qu'il en était des années plus tard. Eiffel répétait à l'envi qu'il était né à Dijon, mais sa famille s'appelait en réalité Bönickhausen et venait de Rhénanie, où ils avaient pris le nom de cette petite région, l'Eifel. À Beaulieu, cela se savait, et le notaire disait qu'Eiffel lui aussi était juif – ce qui n'était pas vrai, ma mère savait qu'il était catholique, ainsi que toute sa famille, et depuis la nuit des temps, ce qui ne l'empêchait pas de ne croire qu'à la science. J'ai vu plusieurs fois Gustave Eiffel aller à la messe. J'ignorais qu'il parlait l'allemand, j'étais stupéfait ; à la génération de ses parents on devait l'utiliser encore un peu en famille et il s'en souvenait. Quant à Théodore, la moitié des livres de sa bibliothèque étaient en cette langue, et il la parlait aussi bien que le français.

À Beaulieu, l'affaire était entendue dans les familles bien-pensantes : Gustave Eiffel avait touché des caisses d'actions au moment de Panama, avec la complicité de la famille Reinach, parce qu'ils s'étaient entendus « entre coreligionnaires » – et il n'y avait pas un mot de vrai dans tout ce feuilleton. Le jour où je les ai surpris en train de parler allemand, je crois que c'était une conversation un peu leste que les enfants ne devaient pas comprendre – la bonne du curé y aurait vu la preuve que ces deux-là, qui étaient si riches, « faisaient des espionnages » à la solde du Kaiser.

Le grec ancien est une langue qui s'apprend très lentement et qui s'oublie très vite. Aujourd'hui, je peux encore lire quelques pages, mais je dois m'arrêter pour consulter mon vieux dictionnaire Bailly, j'ai presque tout perdu. Comme le latin, il ne m'en reste presque rien : l'autre jour, avec mes petits-enfants, je suis resté bête devant l'inscription d'un cadran solaire. Quelquefois, des pans entiers de grammaire me reviennent, sans prévenir, de manière absurde. Je ne pensais pas qu'ils étaient restés quelque part dans ma vieille tête. J'avais bien passé six mois à y faire entrer les règles de l'accentuation. Elles ne sont pas absolument utiles pour traduire les textes, mais je voulais aussi écrire le grec ancien. La première fois que Théodore m'a donné cinq lignes toutes simples à traduire, il m'a mis la note de moins trente-cinq sur vingt, j'avais perdu tous les points rien qu'avec les accents, tous aux mauvais endroits. J'ai été fier quand je suis arrivé à avoir zéro. Des lambeaux de règles effrayantes me restent, après les avoir récitées et surtout appliquées durant des semaines, attaché comme un bagnard à ma petite table dans la bibliothèque. Un mot peut être appelé oxyton, s'il a l'accent aigu sur la dernière syllabe, paroxyton, proparoxyton, périspomène, ça c'est l'accent circonflexe sur la dernière voyelle, propérispomène, ou baryton, quand c'est un accent grave sur la dernière syllabe. Mais dès qu'on fait jouer les déclinaisons et les conjugaisons, tous les accents bougent. J'apprenais la règle – une parmi des dizaines d'autres – selon laquelle quand la voyelle de l'avant-dernière syllabe doit recevoir l'accent et si elle est longue, cet accent sera toujours circonflexe si la voyelle de la dernière syllabe est brève. Dans les déclinaisons, quand la finale longue est accentuée, les cas directs sont oxytons et les cas obliques sont périspomènes. À l'aoriste moyen, tous les impératifs sont périspomènes. Comment ne suis-je pas devenu fou ? Je me suis forcé, c'était une question d'honneur. Il m'arrivait de pleurer.

Mes petits-enfants n'apprennent que l'anglais, je crains que cela ne leur serve pas à grand-chose. Pour l'anglais ou l'allemand, de mon temps, et c'est encore vrai de nos jours, il fallait avoir les moyens. J'ai vite compris, dès les petites classes, que ceux qui entraient au lycée Masséna avec de l'anglais ou de l'allemand – « les langues vivantes » comme disent messieurs les professeurs, cette vie-là, je la leur laisse – ne se contentaient pas des cours. Il fallait pouvoir se faire offrir par les parents le séjour chez un correspondant, les voyages d'études. Moi j'étais un petit pauvre, et d'une certaine façon je le suis toujours. Le grec actuel n'était pas proposé par les professeurs, pas plus que l'italien, que beaucoup pourtant parlaient à la maison chez les enfants d'ouvriers, ou l'espagnol. En 1891, on avait tenté une réforme pour remplacer l'enseignement du latin et du grec par celui des langues vivantes, Joseph Reinach avait tonné à la tribune : l'allemand, l'anglais permettraient aux jeunes gens de connaître d'autres pays, mais les enfermaient justement dans le particulier, alors qu'avec les grands textes on se formait à l'universel. Il avait dit, et Théodore me répétait la phrase : « Pour comprendre Sophocle et Virgile, il suffit d'être homme. » Ensuite, on pouvait, dans un second temps, s'initier à des langues utiles pour le voyage, le commerce, l'industrie ; il fallait d'abord avoir appris à penser. Théodore prétendait qu'on arriverait, si on retrouvait un peu plus de musique antique, à reconstituer la prononciation, mais cela prendrait du temps – si des savants de l'avenir s'intéressent encore à ces choses.

« Tu entends, Achille, tous ceux qui disent que l'étude du grec est futile et ne sert à rien. Que dans notre monde où il faut savoir conduire des voitures, lancer des ponts – je dis cela sans désobliger notre ami Eiffel –, tout le monde doit parler un vague et vaste anglais, qui n'a que de lointains rapports avec la langue de Shakespeare. Tu sais que dans ma jeunesse j'ai traduit *Hamlet*. C'est avec l'inutile qu'on fait de grandes choses. »

31

« Dehors ! »

Je me revois injuriant « M. Reinach ». Et lui me met à la porte, me dit qu'il ne veut plus me voir à Kérylos – cette maison que, depuis des mois déjà, sans me l'avouer, je n'aime plus.

À l'étage, au-dessus de la statue d'Athéna, l'escalier aboutit au vestibule d'Hermès. C'est ici, entre ses appartements et ceux des domestiques, devant la volée de marches qui va vers la terrasse, que Théodore m'a chassé.

J'ai cru que j'allais arracher de sa niche le bronze copié sur une statuette trouvée en mer, du côté de la Tunisie, et le lui jeter à la tête. J'étais pris d'un accès de délire. Il était courbé. Il s'appuyait contre le mur en me parlant. Basileus était endormi au pied de son maître.

Si le brasero avait été allumé, je l'aurais renversé et j'aurais mis le feu. J'en avais envie. Cela aurait été joli à regarder, depuis la plage, l'incendie de la villa grecque. Le rideau du palier se serait embrasé, les morceaux de la fenêtre devenus des brandons, du côté du vent, auraient propagé les flammes, les poutres auraient cédé dans de grands craquements, et tout ce bois des meubles aurait été une seule torche, les papiers, les livres auraient nourri le brasier, la clarté aurait illuminé toute la ville.

J'ai pris le temps de réfléchir, je savais qu'il n'y avait qu'une arme capable de le blesser : un mot. J'ai choisi. Je l'ai regardé. J'ai dit : « Voleur. » Il m'a dévisagé, je crois qu'il comprenait très bien à quel vol je faisais allusion. Je pensais qu'il allait tout sauver, en une seconde, et me rendre la couronne d'or, ou me dire que c'était moi qui l'avais volée à Dionysiou, et il a murmuré : « Dehors ! »

J'avais été très maladroit depuis quelques semaines, sans penser à mal. Je savais ce que je lui devais, je lui en voulais d'avoir vieilli et de m'impressionner encore. Il m'avait parlé comme à un gamin. J'avais vendu la semaine précédente mes trois premiers tableaux, j'avais eu mes premières critiques élogieuses dans la presse, je ne supportais plus qu'il me traite ainsi. Je n'avais plus envie d'être modeste. Si je n'osais pas lui montrer mes toiles, c'est parce que je savais ce qu'il allait me dire et que son mépris me ferait mal. Il était surtout incapable de m'en parler, de me poser des questions. Je préférais, depuis un an ou deux, fréquenter son frère Salomon, plus ouvert, plus fantaisiste, je me demandais même si je n'allais pas oser l'inviter à mon prochain dîner de vernissage, en lui demandant de ne rien dire à son frère.

L'origine de ma brouille violente avec mon « bienfaiteur » n'était pourtant pas liée à mes débuts artistiques. Ce fut une dispute archéologique qui déclencha cette tempête qui couvait depuis les lendemains de l'armistice. J'avais tellement changé, tandis que lui semblait rester tel qu'il était avant 1914. À l'enterrement d'Eiffel, qui s'était éteint à quatre-vingt-onze ans, dans le cimetière de Levallois, il m'avait d'un coup paru tassé, les yeux vides, tandis qu'on descendait son vieil ami dans un tombeau un peu de biais, pour qu'il soit dans l'axe de sa tour. Théodore ne se rendait pas compte que, dans sa famille, on le raillait, on l'imitait, avec affection. Ses enfants osaient trouver que cet homme, le plus intelligent de sa génération, était bête. Je pense qu'il ne voyait rien de tout cela. Il savait qu'il publiait un plus petit nombre d'articles désormais, il s'était mis comme en retrait, mais il ne se disait jamais qu'il avait perdu beaucoup de sa gloire. Il ne m'émouvait pas, il m'agaçait, je ne supportais plus de l'entendre parler d'histoire grecque et de questions numismatiques, j'attendais tellement mieux de lui.

Mon enthousiasme avait été immense le jour où Salomon, dans le sombre bureau de son musée des hommes préhistoriques et des Gaulois, à Saint-Germain-en-Laye, le « musée des Antiquités nationales », m'avait dit : « Regarde ces photos, Achille, on dirait de l'alphabet phénicien, ça ressemble aux inscriptions qu'on vient de découvrir sur le sarcophage du roi Ahiram à Byblos ! Tu as vu le rapport de la mission française au Liban ? Devine de quand ça date et où on les a trouvées... »

Je faisais un vague signe de tête. Salomon continuait son monologue, exalté : « C'est un bourg qui s'appelle Glozel...

— En Iran ?

— Oui, à côté d'un village nommé Ferrières-sur-Sichon, à deux pas de Vichy. Le gisement comprend des os taillés, des pointes de flèches, des urnes en terre avec des visages, c'est incontestablement du néolithique... Tu comprends ce que ça veut dire ?

— Que l'alphabet... Si c'est un alphabet...

— Ça y ressemble ! Oui, l'alphabet n'est pas né en 700 avant Jésus-Christ sur le rivage du Liban, mais il y a quinze mille ans, et sur notre territoire, dans l'Allier.

— Ferrières-sur-Sichon, berceau de l'humanité lettrée, ça va surprendre... »

Salomon doutait malgré tout. Je l'aidais à classer des photos, à trier ses papiers couverts de sa grande écriture mouvementée – alors que Théodore traçait des lignes souples et régulières avec des lettres qui partaient vers le haut. Devant les photos qu'il me tendait, j'ai été troublé. Plus que par le dossier d'images pornographiques sur lequel j'étais tombé un jour : vases, sculptures, mosaïques, statuettes... Cette fois, ce n'étaient que des figures géométriques. J'ai redessiné tout dans mon carnet, confronté les séquences de signes, je sentais que c'était déchiffrable. J'essayais d'associer chaque dessin à une syllabe...

Ma conviction le gagna. Nous ne parlions plus que de cela. Il m'a emprunté à son frère, comme il disait, pour aller voir là-bas, ce fut toute une aventure. C'est ce que j'aimais chez les trois frères : la passion de Joseph à défendre le capitaine Dreyfus, celle de Salomon dès qu'il pressentait une découverte – il s'est enflammé pour ce site de Glozel –, la joie enfantine sur le visage de Théodore quand il me faisait entendre les notes de l'hymne à Apollon de Delphes dont il avait été le Champollion.

En 1926, Salomon et moi avons passé deux jours à parler avec les paysans, à arpenter le champ, et surtout nous avons tenu en main les tablettes d'argile. Au retour, avec toute l'autorité d'un membre influent de l'Académie des inscriptions, il s'afficha publiquement en faveur des découvertes. Il publia même un petit livre, qui reproduisait les signes alphabétiques.

Sans me douter de rien, je rentrai peu après à Beaulieu, après avoir traversé comme dans un rêve le succès de ma première exposition : sur mes tableaux, je traçais des signes, des images du passé qui s'inscrivaient sur ces morceaux d'avenir que j'avais peints : cela m'a aidé à sortir de ma première période cubiste, à me créer un style personnel, encore plus simple, élémentaire et primitif. Je rêvais, dans le train, à ces tableaux nouveaux, avec des rectangles, des flèches, des triangles, de petites aquarelles, un monde ouvert, qui serait ma demeure. J'entrai dans la villa, silencieuse, un peu triste, qui ne me parlait plus.

Théodore dès qu'il me vit fut pris d'une colère

comme je n'en avais jamais vu. Il m'injuria. Un alphabet ! Et puis quoi encore ! Il était manifeste qu'on avait fabriqué un site archéologique, avec quelques pièces authentiques et ces morceaux d'argile qui étaient des faux grossiers. On aurait inventé l'alphabet pour ne pas s'en servir ailleurs que dans un village ? On l'avait ensuite oublié jusqu'à ce qu'il réapparaisse chez les Phéniciens, après une éclipse de plus de dix mille ans ? C'était grotesque. Lui, d'habitude si calme, hurlait. À cause de moi, la carrière de son frère finissait en farce. Puis il se tut. Sa voix devint de glace. Je me suis d'abord défendu : « Vous avez été ridicule par imprudence au moment de l'achat de la tiare, vous allez l'être à nouveau, mais par prudence excessive. » Je ne lui avais jamais parlé de l'affaire Saïtapharnès. Il me répondit d'une voix doucereuse qu'il avait entendu dire grand bien de mes peintures, il sous-entendait que si j'étais artiste, j'aurais pu, pour les berner, être celui qui… Il allait m'accuser d'être l'auteur des tablettes de Ferrières-sur-Sichon. C'est à cet instant que j'ai compris que je devais partir, et vite.

Je l'ai quitté. Cela, au fond, a été ma chance, j'ai pu vivre par moi-même. Glozel était un prétexte comme un autre. J'ai suivi le conseil que m'avait donné le mari d'Ariane. Lui aussi avait cessé de venir. Mais j'ai pleuré quelques semaines plus tard, quand Théodore Reinach est mort, et que j'ai suivi son convoi au cimetière Montmartre. Sa dernière maison, celle de l'éternité – à laquelle il ne croyait peut-être pas –, dessinée par Pontremoli, était grecque, avec des palmes de bronze. Elle voisinait avec les tombes des Cahen d'Anvers, des Camondo, des Pereire, des Bischoffsheim, des Koenigswarter, non loin du buste de son cher Offenbach.

Théodore semblait n'être revenu à Kérylos que pour me chasser. Depuis longtemps, il préférait le confort de Paris, il avait quitté sa rue Hamelin pour s'installer à l'angle de la place des États-Unis, dans l'ancien hôtel de Jules Ephrussi, hérité de sa femme. Il marchait en traînant des pieds avec Basileus en laisse, qui n'était guère fringant non plus. Il y avait à deux pas des rangées de monuments, l'hôtel des Deutsch de la Meurthe, celui des Cahen d'Anvers, celui des Bischoffsheim – le plus somptueux, qui allait devenir célèbre quand les Charles de Noailles, bien plus tard, y donnèrent des fêtes pour bousculer tout ce gratin. L'affaire de Glozel continue. On en parle encore de temps en temps. On n'a jamais trouvé de faussaire…

Je n'ai pas su imaginer en moi-même l'oraison funèbre de Théodore, encore moins celles de ses frères. Ils étaient très forts, très cultivés, très intelligents, sans doute trop, on pouvait les berner, les tourner en ridicule, les humilier, ils restaient les meilleurs, ils avaient toujours été comme ça, eux-mêmes n'y pouvaient rien, les meilleurs en chimie, en mathématique, en géographie, en histoire, en philosophie. Et surtout dans le domaine qui était leur grande passion : la Grèce, son histoire, sa langue, ses ruines, ses statues, ses tombeaux – ses temples et ses maisons. Le latin c'était l'Église et les prêtres, le grec c'était la démocratie et donc c'était la France. Ils y croyaient. Je pensais souvent à tout cela lorsque je vivais chez eux, en nageant – le moment où mon cerveau fonctionnait le mieux, quand mes articulations me supportaient encore. Ils savaient tout de l'histoire juive, se passionnaient pour les religions, mais leur France était la France laïque, le même royaume pour tous. Je me dis, avec le recul, que si Glozel m'a passionné, c'est peut-être la faute de Théodore : comment résister à l'idée que le premier alphabet au monde était né « chez nous » ? Nous n'avions qu'une idée à cette époque : servir la patrie. Entre les deux guerres, l'opinion a changé ; aujourd'hui, depuis la Libération, ce genre d'idées nées après 1870 peut se concevoir à nouveau. En 1898, en pleine affaire Dreyfus, Théodore avait publié le texte qu'il avait prononcé lors de la remise des prix des écoles consistoriales israélites de Paris, j'ai ça dans mes archives, Adolphe me l'avait donné : « Ne confondez jamais la France avec l'écume qui s'agite impunément, mais passagèrement, à sa surface. Continuez à l'aimer, cette France, de toutes vos forces, de toute votre âme, comme on aime une mère, même injuste, même égarée, parce qu'elle est votre mère et parce que vous êtes ses enfants. »

Dans ces années qui suivirent la victoire, j'étais devenu pour lui, pour Salomon – je voyais moins Joseph, qui mourut en 1921 –, je crois pouvoir le dire avec fierté, un véritable ami, sur lequel ils ont pu compter. La scène de rupture, qui me soulagea tant, n'en avait été que plus dure. Je m'étais lassé de voir

Théodore debout, dans sa bibliothèque, revêtu de son burnous blanc qui lui donnait l'air d'un mage, passer toute la matinée à écrire, je ne supportais plus de l'accompagner sur les bancs devant les rochers bleus pour qu'il me déclame ses derniers articles, ou ceux que lui envoyait Salomon. Il m'avait lu *Apollo*, en entier, à haute voix, le petit manuel de son frère – et je l'entends grommeler dans sa barbe quand, dans le chapitre sur l'art grec, on trouvait signalées les théories du professeur Furtwängler sur les sculptures de Phidias. Je ne pourrai jamais oublier ça. Et pourtant, dans les années trente, je n'ai pas voulu m'en souvenir. J'ai été aux trois enterrements, puis j'ai fréquenté les enfants, de loin en loin, en restant en bons termes, sans chercher vraiment à renouer le fil qui s'était cassé devant la statue d'Hermès. J'avais ma maison, ma famille, à moi. Pour mon mariage, ils m'ont envoyé un cadeau « de la part de toute la famille, avec nos vœux pour votre installation » : je m'étais attendu à une montre en or de chez Breguet – ils m'ont expédié dans de la paille toutes les casseroles de cuivre de Kérylos, celles que ma mère admirait toujours. Ils avaient dû passer à l'aluminium.

Ils avaient beau tout savoir, ou presque, mes chers frères Reinach, c'est moi qui les avais bluffés, en découvrant le plus grand secret de toute l'histoire grecque. Durant notre voyage vers Dionysiou, je m'étais senti comme Jason et ses Argonautes certains qu'ils allaient trouver la Toison d'or au royaume de Colchide – un des sujets que j'avais vu peindre sur un des murs du péristyle. Mais ma Toison d'or à moi, ce n'est pas la couronne d'Alexandre, c'est mon œuvre, ce que j'ai pu créer de mes mains quand je suis sorti du Labyrinthe.

32

La chambre de Mme Reinach,
et sa douche à jets multiples

Pendant des années, j'ai cherché Ariane, partout. C'était mon seul but. Je me demandais si elle était revenue sur la côte, j'allais rendre visite à toutes les dames qui avaient ouvert des cours de dessin et d'aquarelle, je me disais qu'elle avait peut-être, sous un nom d'emprunt, épousé le notaire – qui m'avait envoyé un faire-part de ses noces tardives –, ce qui aurait été affreux. J'ai exploré les bordels de Nice et de Toulon, pendant la guerre, je suis allé assister à des offices dans la chapelle de Matisse à Vence, dont le dévoilement a été le grand événement de 1951, j'étais certain qu'elle viendrait voir, j'ai même dévisagé toutes les bonnes sœurs qui avaient à peu près son âge. Quand j'ai eu ma première voiture, quand j'ai fait ma première photo en couleurs, quand je suis parti pour mon premier grand voyage en Italie, quand j'ai acheté mon premier 78 tours, j'ai toujours pensé à Ariane, qui n'était pas là. Depuis quelques années, je ne la cherche plus. Je me suis rendu compte que je n'avais plus de peine. Penser à elle me rend heureux, qu'elle soit vivante ou qu'elle soit morte. Cette idée d'un enfant, né d'Ariane et peut-être de moi, je l'ai peu à peu bannie quand je me suis occupé de mes deux fils, comme un vrai père de famille qui ne se pose pas de questions. C'est quand je vais nager que les images d'Ariane me reviennent, par surprise, et puis quand je me sèche, sur le sable, je crois bien que je les oublie – et je ne m'occupe plus que de mes petits-enfants.

Comme les Corses de ma génération, je n'aimais pas tellement la mer. C'est Théodore qui m'a appris à la regarder, à l'appeler en utilisant le mot *thalassa*, la mer des Grecs, à repérer les vagues violettes du temps d'Ulysse. Depuis, j'ai navigué, j'ai aimé les bateaux, les vacances dans la vraie Grèce, les tours dans les îles en famille, j'ai même voulu acheter une casemate à Thasos, pour y finir. Aujourd'hui je connais tous les oiseaux, j'aime l'odeur du varech, je ne nage plus :

Pleurez doux alcyons, ô vous, oiseaux sacrés,
Oiseaux chers à Thétis, doux alcyons, pleurez.

Les vers d'André Chénier – l'auteur des *Odes à Fanny* – me font toujours penser aux Reinach. Je m'allonge tout habillé, comme aujourd'hui, avec mon carnet et mon stylo, avec mon pantalon de toile blanche, les pieds nus dans mes vieux mocassins américains, un polo d'avant-guerre, bleu délavé, si mes enfants me voyaient, j'ai l'air d'un clochard. Certains jours, je fais un effort, je me rase, je prends dans mon armoire un pantalon fraise écrasée et une chemise blanche : à partir de cinquante ans, à Nice, on n'a rien à perdre à s'habiller en vieux beau. Je m'installe sur un banc, sur la promenade, je prends le soleil en silence, je ferme les yeux. Aujourd'hui pas d'élégances, sur cette terrasse des Alcyons, je suis à même le sol, je prends des notes en silence, au centre de la rose des vents que le sel de la mer a fini par gommer. J'ai fait ma gymnastique matinale avec Adolphe ici, quelques semaines avant sa mort. C'était très injuste, j'avais une tête de plus, je comptais cinquante pompes quand il arrivait à quinze, je me musclais deux fois plus vite – il incriminait son hérédité savante et la consanguinité et me félicitait de mes ancêtres bergers. Je lui demandais à quoi ressemblait son arrière-grand-père, celui qui était marchand de bestiaux, et s'il était déjà si féru de latin, de grec et d'araméen. Il me répondait que courtier en bêtes, c'est déjà mieux que berger, et qu'il avait fini par être le plus grand marchand de Francfort, mais que je ne devais pas m'inquiéter, cela pouvait aller très vite, et je pourrais sans doute avoir des enfants qui seraient professeurs de sanscrit au Collège de France, si je modérais un peu la gymnastique pour insister sur la linguistique. Aujourd'hui il n'y a plus que moi à savoir que sur cette sorte de tour des vents, cette vigie, où on oublie même ce que l'architecture de la maison a de désuet, on est libre, heureux, on a envie de voyager, de faire des roulades et des étirements, de boire du champagne en tenue de soirée, de lire et de penser.

« Ornithès » : les Oiseaux, on appelait ainsi la chambre de Fanny, avec ses peintures bleu nuit et ses arabesques noir et or. J'y ai vu la fragile « Mme Reinach », son profil d'oiseau sur fond de nuages, devant sa fenêtre ouverte, en robe du soir, avec une capeline de soie turquoise, entourée de ses cousines et de ses belles-sœurs en costume de bain. Je ne savais pas trop quelle figure faire, chez eux, comment m'adresser à elle. J'ai vite appelé Théodore par son prénom ; je n'ai jamais osé dire « Fanny ». Ce que je ne savais pas c'est jusqu'à quel point je pouvais me permettre de me moquer d'eux, de leurs manies, de leurs goûts, de leurs manières de ne parler entre eux que de livres, de leurs commentaires agrémentés de citations lorsqu'ils dépliaient les journaux. Comme je n'étais pas plus que cela intimidé, je pouvais être naturel. J'avais des répulsions : la première fois qu'on m'a mené chez Salomon à Paris, j'ai trouvé que tout était hideux, et je l'ai dit à Théodore, en pensant qu'il allait me rabrouer – je crois que cette réflexion a beaucoup compté pour me faire adopter. Salomon aimait son hôtel particulier de l'avenue Van Dyck, œuvre d'un bon architecte, Alfred Normand, celui de la villa romaine du prince Napoléon. C'est sans doute un exemple qu'ils avaient médité, avant que Théodore ne se lance. Ce palais aux boiseries blanches et dorées sentait trop le besoin d'éblouir.

Dans le coffre aux livres de la chambre de Fanny, il n'y a plus rien : que sont devenus ses Marivaux, ses Molière, ses éditions des deux Corneille et les Rostand signés par l'auteur au crayon ? Les partitions aussi ont disparu. Il ne reste d'elle que de rares photographies. Construire une maison de l'Antiquité, cela participait de l'émulation qu'il y avait toujours eue, depuis l'enfance, entre les trois génies. Mme Reinach avait-elle participé à la décoration de cette chambre, la plus belle, où les attributs d'Héra, épouse de Zeus, alternaient avec les motifs de fleurs ? Dans les personnages de la frise haute, on pouvait reconnaître son mari – Adolphe avait pris une échelle pour lui ajouter une pipe et corriger sa barbe, cette plaisanterie était restée. Si on l'avait laissé faire, il aurait aimé graver sur les murs de faux graffitis antiques, comme à Pompéi... Allongée sur son lit, en train de lire, sa tante adorée était une princesse de Troie. Je ne sais pas bien jusqu'à quel point elle en était heureuse.

Les mauvaises langues disaient que la belle Fanny, cousine germaine de la première Mme Théodore Reinach, était surtout l'héritière de ses deux oncles Charles et Jules Ephrussi. Charles Ephrussi comptait beaucoup, il dirigeait la *Gazette des beaux-arts*, collectionnait aussi bien les asperges de Manet que les pommes d'or de Puvis de Chavannes, il aimait l'art ancien et la modernité, connaissait tout Paris. Mme Reinach n'était pas mondaine. Elle ne cherchait pas à rivaliser avec les grandes dames du coin, au premier rang desquelles sa cousine Béatrice. Elle se moquait des voisins, qu'il n'était pas question de recevoir. Egbert Abadie, qui avait fait fortune dans le papier à rouler les cigarettes, avait racheté le bateau du marquis de Rochechouart et cultivait l'amitié du prince de Monaco. Elle le fuyait par principe. Il y avait aussi « les gens du château Marioni », descendants d'un brigadier de gendarmerie qui avait expliqué à ses enfants comment devenir riches, on avait vu chez eux le « président Soleil », Félix Faure, pendant son séjour triomphal sur la côte en 1896, on en parlait encore. À Saint-Jean-Cap-Ferrat, il y avait un nid : Paris Singer – des machines à coudre –, amoureux d'Isadora Duncan, faisait refaire la villa « Mes rochers », c'était beau comme un château fort de Toscane. Ils ne parlaient là-bas que de palais à Venise, et rivalisaient avec les Curtis, très répandus, les Américains de la villa Sylvia, un jardin où Claude Monet était venu peindre, qui recevaient le monde entier dans leur demeure du Grand Canal. Mme Reinach les voyait de loin en loin, lors de soirées musicales, mais cela ne la passionnait pas. Elle faisait quelques visites du côté d'Èze : le neveu du grand poète Tennyson était plutôt aimable et l'invitait dans son château de l'Aïguetta – une forteresse du Moyen Âge qu'il avait fait construire –, mais je crois qu'elle cessa de le fréquenter quand elle comprit qu'il ruinait sa famille au casino de Monte-Carlo. À Èze, elle aimait le « chemin de Nietzsche », et elle m'avait donné *La Naissance de la tragédie*, l'essai où il coupe en deux la beauté, inspirée tantôt par Apollon et tantôt par Dionysos.

Elle me parlait de l'architecture sobre d'Athènes face à celle du grand autel de Pergame, je n'osais pas lui dire qu'elle ne m'apprenait rien. Le séjour du penseur, alors solitaire et maudit, sur la Riviera, cela devait remonter aux années 1880 ; il était devenu un auteur classique.

J'avais repéré ceux qui auraient souhaité fréquenter les Reinach et que Fanny tenait à distance. À peu près à l'époque de l'édification de Kérylos, s'était construite au cap d'Ail la villa Mirasol : Gabrielle Réval y régnait en femme de lettres. Autant dire qu'on m'avait interdit ses livres, dont les titres me donnaient des émois : *La Bachelière*, *Le Dompteur*, *La Fontaine des amours* ou *L'Infante à la rose*. Elle avait un mari qui donnait dans le genre historique et publiait des romans qui s'intitulaient *Au temps du Bien-Aimé* ou *Échec au roi*. Quand on sut qu'ils avaient eu l'impudence d'organiser une soirée en l'honneur des dieux de l'Olympe, on cessa de parler d'eux.

De son premier mariage, Théodore avait eu deux filles, il avait été inconsolable de se retrouver veuf à vingt-neuf ans, puis s'était consolé. Fanny lui avait dit : « Vous êtes fou. » Il avait répondu : « Fou de vous. » Je crois que Théodore l'aimait. Il l'avait demandée en mariage immédiatement. D'où les quatre enfants, Julien, Léon, Paul et Olivier. On disait qu'ensuite ils avaient pris l'habitude de vivre chacun de leur côté, et qu'elle avait trouvé des consolateurs, mais toujours chez des hommes d'exception, je ne sais pas très bien ce que cela voulait dire ni si c'était vrai.

Avec moi elle était charmante, elle avait toujours un

encouragement, un sourire. Quand elle est morte en 1917, bien trop tôt, Théodore ne put même pas aller à son enterrement. Le gouvernement l'avait envoyé aux États-Unis pour tenter de convaincre les hommes politiques de Washington qu'il fallait entrer dans la guerre – ce qui advint, puisque le combat fut ensuite gagné. Mais il avait perdu le goût d'être heureux. Il ne se remaria pas. Il se réfugia de plus en plus dans les lectures, qui devaient le ramener au temps de son adolescence, il contemplait les nuages, comme moi aujourd'hui.

Pendant ces jours où nous nous sommes aimés, ici, avec Ariane, nous avons dormi plusieurs nuits dans la chambre de Fanny. C'était la plus belle. La maison était sous ma garde, nous n'étions dérangés par personne. Je lui parlai des tableaux que je voulais peindre ; elle m'a dit, la première, que je ne devais pas hésiter, si je voulais être artiste, je devais tout abandonner, y consacrer chaque jour. Par la fenêtre, on devinait la côte italienne. Le soleil venait nous réveiller. Nous courions nus sous cette douche que Théodore avait dessinée pour Fanny. Elle ressemblait à une haute niche creusée pour qu'on y place une statue. Debout sur le caillebotis, qui devenait piédestal, nous prenions des poses de groupes antiques, Pâris et Hélène, Mars et Vénus, Psyché recevant le premier baiser de l'Amour, maintenant, c'étaient nous. Très moderne, digne des hôtels de Londres, la « cabine » possédait trois jets, avec pour chacun un robinet d'eau froide et un robinet d'eau chaude. Des inscriptions grecques expliquaient tout en lettres de mosaïques. On tournait le jet « Perikulas », et l'eau arrivait en cercle, le robinet marqué « Krounos » donnait une pluie fine, et il y avait enfin « Kataxysma », un mot très rare, qui dans la langue grecque ne désigne qu'une seule chose : la sauce qu'on verse sur la viande. Ariane riait aux éclats. C'est le genre de plaisanterie que Théodore faisait à sa femme, et qui – à cette époque – me rendait heureux de vivre à Kérylos.

33

Les appartements d'Ulysse

À côté de la douche se trouvait une salle de bains nommée « Ampélos » – c'est le nom d'une constellation, mais c'est avant tout celui d'un jeune satyre inspiré par Dionysos. Ariane s'installait durant des heures dans la baignoire de marbre, pendant ces jours où nous n'étions que tous les deux. Sur les murs, une vigne en stuc était hantée par des jeunes filles à l'air chaste qui regardaient des grappes de raisin sans avoir l'air de les cueillir, c'était cocasse. Elle me parlait, elle me racontait l'ennui de son mariage, les moments de tristesse du morne Grégoire, et puis son intelligence devant un plan, comment il sentait l'architecture, et je comprenais qu'elle l'admirait et qu'elle ne le quitterait pas. Elle me parlait aussi, brièvement, de ses envies d'indépendance à elle, de voyages, de fêtes, de musiques ; elle s'imaginait ouvrant une librairie, un hôtel, une boutique de modes, j'aurais dû comprendre alors qu'elle le quitterait.

Je passais dans la pièce voisine, à égale distance de la chambre de Fanny et de celle de Théodore. C'était à la fois un cabinet pour lire et le salon privé du couple. En grec, on disait « Triptolème », du nom du fils de Gaïa et d'Okéanos, né de l'union de la terre et de la mer. Théodore ne perdait pas son temps à descendre dans la salle à manger pour prendre ses repas. On lui montait quelques plats qu'il gardait dans une armoire fabriquée exprès. Triptolème avait dit : « Honore les dieux en leur offrant des fruits et ne tue pas les animaux », mais ce n'était pas une raison pour finir végétarien. Et Théodore déjeunait à la va-vite sur un guéridon dont la surface était en argent poli, comme les miroirs des Anciens. Les peintures murales suggéraient un jardin, où des arbres dansaient avec des colonnes blanches.

Le grec et le latin ont été les études inutiles qui m'ont le plus servi dans ma carrière. Sans le grec et le latin je serais gâte-sauce à récurer des chaudrons à confitures dans l'arrière-cuisine d'un restaurant ; les enfants des collègues de ma mère se sont tous recasés dans des hôtels de luxe à subir les caprices des nouveaux riches. Ensuite, il a fallu que je me débarrasse de tout ça. Si j'avais suivi les Reinach, j'aurais été professeur de lettres. Avec la peinture, j'ai su m'imposer seul. J'ai dîné avec le duc et la duchesse de Windsor, j'ai été invité aux répétitions des ballets du marquis de Cuevas à Monte-Carlo, j'ai fait du yachting avec

Fulco di Verdura et le vicomte de Noailles, j'ai une jolie maison remplie d'objets anciens et je possède deux tableaux de Picasso et un Puvis de Chavannes, que j'ai accrochés ensemble. J'ai aussi une cabane au toit de verre qui me sert d'atelier : ce n'est ni la grande fortune, ni la réussite des capitaines d'industrie et des banquiers, on ne cite jamais mon nom dans les journaux, et tant mieux, mais ce n'est pas si mal pour un garçon dont aucun des parents n'avait le baccalauréat, dont le grand-père était berger et n'avait pas lu trois livres. Ma vie, je la dois au grec. Si je n'avais pas su conjuguer l'aoriste, accentuer, réciter les verbes en *mi*, je n'aurais jamais pu quitter mon petit monde servile. Les déclinaisons furent l'instrument de mon ascension. Charles de Noailles m'a fait visiter sa propriété qui s'appelle le château Saint-Bernard, le contraire d'un château, une maison moderne et fonctionnelle, « intéressante à habiter », m'a dit ce parfait homme du monde qui n'en revenait pas que je connaisse aussi bien que lui les *Idylles* de Théocrite – c'est ce que Théodore, à son époque, avait saisi : on ne s'amuse pas assez quand on habite les maisons. À la villa Noailles il y a une piscine couverte, un gymnase : à dix-sept ans, j'aurais été plus heureux là qu'à Kérylos – si j'étais né vingt ans plus tard ! J'aurais pu aussi ne pas quitter la maison des Eiffel, ne connaître personne, rester pauvre. Je ne dis pas que cela aurait été mal, mais ce que j'ai fait de ma vie me plaît plus. Je sais des centaines de choses absurdes. J'ai lu des centaines de livres qui ne servent à rien. J'ai appris des langues rares que je n'ai jamais pu parler avec personne. Cela, c'est la dette que je dois à la famille Reinach. Ils ne me l'ont pas appris, ils me l'ont montré.

« Tu vois, Achille, espèce de petite tortue – j'avais à peine seize ans, je le dépassais d'une tête –, écoute-moi, je n'en peux plus de dire aux gens que l'étude du grec va malgré tout leur servir. S'ils sont politiciens, à réfléchir à la démocratie. S'ils sont pharmaciens, à comprendre les étiquettes de leurs pots. S'ils sont touristes, à mieux se pénétrer des monuments de Delphes ou d'Olympie. Cela c'est bien gentil, on peut le dire, mais ce n'est pas vrai. Le grec n'a rien à prouver. Il me plaît parce qu'il ne sert pas. Il n'y a de vraiment beau que ce qui ne peut servir à rien, a écrit le bon vieux Théophile Gautier. Tu as lu *Le Roman de la momie* ? Je vais te le donner. Même la tour de M. Eiffel ne sert à rien, ça le désespère, c'est le gage de son succès futur. Il est incapable de s'en rendre compte, il n'est pas architecte, il est ingénieur. Les étudiants doivent foncer vers l'inutile. Est-ce que la musique, le solfège, c'est vraiment utile ? Est-ce que la course à pied, le lancer de disque, le tir à l'arc, ce sont des choses utiles ? Est-ce que les règles du jeu d'échecs sont utiles ? Pourtant je préférerai toujours celui qui sait jouer aux échecs, celui qui joue du violon, si je dois choisir qui je vais inviter chez moi.

— Parce que vous aimez que vos hôtes vous jouent du violon ? Vous n'allez pas supporter cela cinq minutes. Et vous détestez les jeux de société.

— Sacripant. Ces gens-là sauront me parler

d'autres choses, par allusions, dire sans dire, je serai de plain-pied avec tous ceux qui auront appris des tas de choses pour le plaisir. Apprentissage long, pénible, pas drôle, mais c'est ça aussi qui est amusant…

— Celui qui sera arrivé le premier à la course à pied de Beaulieu ? Vous allez lui faire préparer du thé ?

— Insolent, tu es unique. Le grec ne sert à rien, mais l'avoir appris c'est ce qui nous distingue des barbares.

— Et Mme Reinach, qui est si distinguée, elle sait le grec ?

— Tu deviens impertinent. Elle en sait assez. Cela me regarde. »

Cette salle de bains du maître de maison avait été baptisée « Nikai », les Victoires, sans doute parce que c'était dans son bain que Théodore avait ses fulgurances les plus invraisemblables. On entendait tout à coup, depuis la « galerie » qui desservait ces pièces, le maître de maison parler tout seul – l'élégant Grégoire bannissait le mot « corridor », trop prosaïque, pour le faire enrager je disais toujours « dans le couloir ». Théodore ratiocinait dans l'eau chaude : « Ce fier-à-bras de Barrès n'a rien compris à la Grèce ! Il faut relire son *Voyage de Sparte* ! Ridicule ! Pontremoli l'a rencontré, autrefois, en voyage, posant avec son parapluie au milieu des colonnes, pauvre tête ! »

Les stucs et les mosaïques avaient été particulièrement soignés, c'était plus réussi que dans la salle de bains de Mme Reinach, qui tendait dangereusement vers le style impératrice Joséphine. Le décor des murs exaltait la natation, effet comique inattendu. Pontremoli avait dessiné lui-même beaucoup de mosaïques, en modifiant les modèles de vases antiques que Théodore lui suggérait. Mais pour les stucs, je les avais vu faire par un de ses amis ancien pensionnaire de la Villa Médicis qui s'appelait Jean-Baptiste Gascq. C'est tout un art de mélanger de la poudre de marbre avec du plâtre, et de sculpter cela comme si c'était une médaille. Qui y arrive encore ? Les anatomies, copiées sur ce célèbre vase qui s'appelle le « cratère d'Euphronios », devaient être transposées en léger relief. Les muscles vibrent, les corps jouent dans la lumière. Je me demande bien ce que pensait le grassouillet petit Théodore, sortant en souriant de sa cuve de pierre, quand il voyait ces hommes nus au torse large et aux biceps de culturistes taquinés par leurs esclaves. Il devait se dire tout simplement qu'il avait peut-être, dans ce morceau de bravoure, dépassé les artistes antiques – et rêver en pensant qu'on ne le saurait jamais, puisque personne ne visitait sa salle de bains. Pour Pontremoli ce goût du secret n'était pas drôle : le bruit s'amplifiait selon lequel Kérylos était son chef-d'œuvre, le dernier mot de l'architecture actuelle, la réconciliation de l'histoire et de la modernité, mais que c'était comme le chef-d'œuvre inconnu de Balzac, une chose impossible à voir…

La chambre du maître se nommait « Érotès », que je traduirais non par « les Amours », ce qui serait romanesque, mais par « les Petits Amours », qui étaient cet essaim de personnages ailés peints sur les murs, moustiques sur le fond rouge bordé d'une large frise. Théodore aimait que ses enfants, ses neveux, ses nièces, viennent le trouver dans sa chambre. Il avait aussi fait peindre Athéna, qui n'est pas une déesse très amoureuse. Il aimait lire sur son balcon, rêver devant le cercle de mosaïques représentant un bateau aux voiles gonflées entouré de poissons. Pour les dix-sept ans d'Adolphe, que beaucoup de monde – mais pas moi – appelait Ado, comme s'il était un adolescent éternel, son oncle lui avait offert un « appareil photographique », un modèle sans pied, dernier cri, qu'on portait en bandoulière. Oh merveille, il en avait acheté un pour moi. Nous allions bientôt partir pour la Grèce, et il se disait que nos clichés pourraient être intéressants pour lui. Peut-être cela l'amusait-il aussi de jouer avec Adolphe et moi l'histoire du prince et du pauvre, de me faire des compliments devant tout le monde, pour inciter le petit Adolphe, espoir de la lignée, et qui n'était pas dupe, à travailler encore plus. Théodore croyait à la photographie comme auxiliaire de l'archéologie. Salomon lui répondait qu'il n'y avait que la gravure qui permettait de connaître la vérité des inscriptions et des sculptures, et même la gravure « au trait », sans les ombres, qui ne relève que les contours. Comme Salomon n'était pas à cela près, dans beaucoup de ses livres – mais plutôt dans ses ouvrages pour le public, pas dans ses articles savants – on trouve quand même de nombreuses photographies. En Grèce, on m'a interdit de photographier. Les moines ont même voulu me prendre mes plaques. Je regrette de ne pas avoir d'images pour prouver la réalité de nos découvertes de l'Athos.

Les trois frères se sont toujours entendus, avec ce qu'il fallait d'émulation. Ils auraient pu se répartir le savoir humain, un scientifique, un historien, un explorateur. Théodore a été sur cette planète le dernier homme qui savait tout. Mais pas pour épater les autres, pour mettre ce savoir au service de ceux qui, comme moi, ne comprenaient rien. Eux qui n'étaient jamais allés à l'école avant le lycée pensaient qu'il fallait des écoles partout. Que la France depuis que Napoléon III était tombé allait devenir la nouvelle Athènes et qu'on affranchirait les hommes en leur montrant le monde. À la Chambre, Joseph ne cessait de faire l'éloge de la Révolution. Je suis tombé chez un bouquiniste de Nice sur trois volumes regroupant divers articles de Salomon, ça s'intitule *Amalthée*, du nom de la chèvre qui avait donné sa nourriture à Zeus quand il était bébé, avec un sous-titre moins amusant : *Mélanges d'archéologie et d'histoire*. On y trouve des études sur l'orfèvrerie hollandaise, la peinture de la Renaissance, la faune africaine, les procès au Moyen Âge, le néolithique en Serbie, la Crète mycénienne, les statues grecques, la littérature latine tardive...

Théodore à sa grande époque avait, je crois, une bien plus haute ambition : il voulait comprendre l'homme, tout ce qui n'avait jamais changé dans notre cerveau depuis l'Antiquité, ce qui se retrouvait du Brésil à l'Inde, et qui pouvait avoir existé dans la boîte crânienne des artistes des cavernes. Il avait été un peu étonné en recevant les livres de Sigmund Freud, qui citait très souvent les travaux de Salomon sur l'histoire des religions. Il disait en me regardant : « Ne lis jamais ça. J'en ai discuté avec mon vénéré frère, il est mortifié de se retrouver cité dans ce livre. Ces soi-disant médecins freudistes ce sont comme les peintres cubistes ou les poètes vers-libristes, il n'en restera rien. C'est intéressant parfois, mais c'est indécent. Il faut apprendre à commander à nos sens. Tu crois vraiment toi, que le moi n'est pas maître dans sa propre maison ? Les docteurs de cette école nouvelle, menés par ce charlatan qui se croit le Copernic des esprits, vont faire encore plus de dégâts que les confesseurs catholiques ou les restaurateurs de vieux tableaux ! Donne-moi mon peignoir, veux-tu ? On mettra cent ou deux cents ans à réparer leurs ravages, ils auront fait fortune et fondé une secte. Quand je pense que tout ce galimatias est né de nos livres, de nos études, qui nous ont demandé tant de labeur… Le cerveau humain, c'est d'abord la grammaire, vois-tu, ensuite l'architecture… »

Épilogue

Dédale, Icare et Ariane

L'escalier de bois foncé qui permet de passer des deux chambres les plus hautes à la terrasse ressemble à un aménagement de yacht. « Dédale » et « Icare » ont les plus belles vues, avec des balcons. J'y montais toujours en rêvant que j'allais me poster à la hune d'un navire. De là-haut, l'humanité se fond dans le paysage. Dédale, l'architecte du Labyrinthe de Minos, que nous avions visité en Crète, c'était Pontremoli. Icare, avec ses ailes mal attachées, était-ce Théodore ? Le rêve d'Icare c'est de voler sans se brûler les ailes. Lui se brûlait assez souvent. Ces deux pièces, que Fanny laissait à ses amies, étaient les plus agréables, et quand personne ne venait en visite, elles restaient vides. Je me penchais pour regarder les rochers bleus, comme un cartographe qui repérait les écueils – je les retrouvais quand je nageais.

Je suis monté voir le soleil bas, sur la terrasse, je n'ai

pas voulu prendre le risque de rester jusqu'au coucher, de peur que le gardien ne me trouve, si jamais il fait tous les soirs une ronde d'inspection, ou si la fantaisie lui vient de monter au sommet pour voir l'embrasement de la principauté. Les feux d'artifice, j'ai mis à peu près dix ans, après la Première Guerre, avant d'arriver à y assister. Le bruit m'était insupportable. Aujourd'hui, je suis guéri, ça ne me fait plus rien. Je suis redescendu, j'ai retrouvé la sortie par la venelle.

Je voulais repartir avec la couronne d'Alexandre. Le jour est tombé. Il me manque ces feuilles d'olivier découpées et ciselées, si légères, chef-d'œuvre des orfèvres de Macédoine, que j'ai tenues entre mes mains et que je n'avais pas osé poser sur ma tête. Il me faudrait entreprendre un nouveau voyage au monastère de Dionysiou, peut-être pour y rester, pour finir mes jours dans ce paysage de paix quotidienne, comme un saint homme qui foulera de ses sandales, quand il ira aux offices de la nuit, cette terrasse de galets qui cache peut-être à tout jamais les restes mortels du héros. Là-bas, quand il y a un mort, on l'enterre, face à la mer, sans cercueil. Le moine jardinier l'arrose tous les jours pendant deux ans. Ensuite, on exhume les os, on les nettoie, et on les empile dans une chapelle, en écrivant le prénom du frère mort, en lettres rouges, sur son crâne. Je ne suis pas certain d'avoir envie de cela, ni d'avoir le courage de tout quitter. Cet objet doit bien exister encore. Théodore ne l'a pas donné à un musée, c'est certain, pour qu'un prétendu « expert » affirme qu'il date de la Renaissance ou prouve qu'il a été exécuté pour un monastère byzantin – et qu'il finisse dans les réserves du Louvre, avec la tiare, ou dans un placard à Saint-Germain-en-Laye avec les dossiers de Salomon consacrés aux tablettes de Glozel. Je me dis que les Allemands ont pris la couronne, mais comment savaient-ils qu'elle était là ? Je n'en avais pas parlé. Je n'ai jamais rien raconté – sauf une fois, à une personne, dans « Naïadès ». Jamais Ariane n'aurait pu trahir, me trahir. Avais-je été trop naïf ? Je ne savais pas du tout ce qu'elle avait fait pendant la dernière guerre, si elle était encore de ce monde. Ce soir, je suis reparti, sans couronne, sans être certain de ne pas revenir à Kérylos avant ma mort, sans avoir filmé autant que je le voulais et que me le permettait ma pellicule. Me voici à nouveau au café, épuisé, avec dans le sac de ma caméra le *Paris Match* tout froissé qui parle du prince de Monaco et cette étrange carte postale du Labyrinthe.

Je me souviens – car je dois raconter la fin de cette journée avec tous les détails – de l'attention avec laquelle, dans la chaleur, j'ai feuilleté ce magazine, pour ne pas avoir à réfléchir, comme hypnotisé. J'ai regardé chaque photo de la future princesse arrivant à bord du *Constitution*, avec son chapeau trop large. Quelques pages plus loin il était question d'un monde que je ne connais guère, on montrait ce club, le Minotaure, mi-cabaret mi-cave de jazz, avec une dame qui dansait pieds nus et accueillait « des jeunes gens à cheveux longs, des filles qui n'ont pas froid aux yeux et des producteurs de cinéma en smoking blanc. On y voit même certains soirs Jean Cocteau, qui peint en ce moment une chapelle pour les marins à Villefranche-sur-Mer ». La chapelle de Villefranche, je ne l'avais pas encore vue, mais j'avais envie d'entrer, pour le regarder travailler. On dit qu'il a des assistants, et qu'il n'est pas tous les jours sur son échafaudage. Cela n'aurait rien de scandaleux, mais les braves gens en concluent que cet imposteur de Cocteau n'est qu'un Michel-Ange de plage.

J'ai passé une heure à feuilleter tout ça, à survoler cette Côte d'Azur actuelle qui m'est une terre étrangère, je n'ai que soixante-dix ans, je suis plus jeune que Clemenceau en 1914, le grand rôle de ma vie est peut-être encore devant moi. C'est ce que je me disais pour meubler les pièces vides de mon esprit. Ensuite l'« envoyé spécial en principauté » égrenait les rumeurs sur les invités, avant un reportage chez les Kelly, à Philadelphie.

Le vieux café que je connaissais est devenu un restaurant, on m'a servi une daurade, je n'étais pas malheureux. Pour le journaliste qui signait ce reportage, avec photos de l'Eden Roc et de la Croisette, la Côte d'Azur fait rêver parce qu'elle est « très internationale ». Les Reinach étaient patriotes, ils aimaient Gambetta et la République, et Clemenceau autant que Monet, ils auraient été surpris d'entendre le curé, la pâtissière, le maréchal-ferrant et les serveurs des hôtels, la crémière qui en savait long et qui ne savait rien – qui étaient eux aussi la France – commenter en détail leurs allées et venues, et les montrer du doigt en disant que ces gens-là étaient « des étrangers ». Les Reinach étaient riches et généreux, c'était l'autre chose ignoble qu'on racontait sur eux : ils laissaient de très bons pourboires. Ceux qui les empochaient se sentaient humiliés. Je ne suis pas certain que les producteurs en smoking blanc laissent quoi que ce soit en partant au portier du Minotaure.

Jamais le petit port de Beaulieu n'avait réussi à comprendre cette famille. On voulait bien que des richissimes parlent des dernières pièces jouées à Monaco et entretiennent des danseuses, on pouvait se moquer d'eux parce qu'ils achetaient des Renoir et des Degas, mais de quelle planète pouvaient bien être tombés ces messieurs à lunettes avec leurs femmes si convenables et réservées, qui, sur la jetée, passaient l'après-midi à se demander à voix haute comment étaient faites les murailles de la cité de Métaponte, si elles avaient des barbacanes et comment avait été dessiné le système défensif. Le marchand de fromages avait été témoin d'une conversation sur les diverses formes que revêtait le culte d'une certaine Isis à Alexandrie, il avait d'abord cru que c'était une chanteuse d'opéra, avant d'entendre des mots inconnus, « inscriptions », « épigraphie », « monnayage », il en avait conclu que c'étaient deux ingénieurs parlant du télégraphe, mais sentait bien que la logique de tout cela lui échappait. Chorégraphie oui, épigraphie, non. La demoiselle de la poste, à qui on demandait à qui ces gens écrivaient, les défendait : on voyait que c'étaient des docteurs, de grands médecins, et sans doute avaient-ils fait des découvertes, elle avait demandé à ce M. Théodore s'il ne voulait pas vacciner son petit. Il avait ri, et l'avait envoyé à un de ses confrères de Nice, qui avait vacciné gratis : ces Reinach-là, c'étaient des bienfaiteurs de l'humanité.

Personne n'avait rien compris à rien, Kérylos était un quiproquo. Les Reinach avaient cru qu'ils se fondaient à la vie même de la France, à sa culture. Parmi les personnes un peu instruites qui se trouvaient à Beaulieu – le médecin justement, l'horrible notaire, un greffier de tribunal à la retraite – on les traita de snobs, on les jugea méprisants, les quelques châtelains des environs, qui tenaient donjon entre Antibes et Menton, n'essayèrent même pas de les recevoir et se trouvèrent du même avis que la crémière. Ils apprirent vite que les Reinach venaient de Saint-Germain-en-Laye et en déduisirent qu'ils faisaient bien des embarras pour pas grand-chose. Ce n'était pas le faubourg Saint-Germain ! Il aurait fallu aux Reinach le Minotaure, et un fond de jazz. Fanny et Théodore, nés trente ans plus tard, se seraient fait photographier avec Giulietta Masina et Marcel Pagnol devant des calamars frits, et on les aurait laissés tranquilles. Théodore avait aimé d'un amour d'or pur la tiare de Saïtapharnès, il avait aimé sa villa, il avait aimé ses livres. Sa femme aurait dû se montrer jalouse, et l'arrêter avant qu'il ne soit trop tard. Au bout du ravin vers lequel il se pressait, c'était la chute – comme dans tous les poèmes grecs, il n'avait rien pressenti. Avec Dédale on se perd, avec Icare on tombe.

Ce soir, comme je ne savais pas quoi faire, et que j'avais lu ce reportage sur les lieux à la mode, « la nouvelle Riviera », j'avais envie de boire un peu trop, j'ai repris ma voiture. J'y suis allé. J'ai garé ma Peugeot devant l'enseigne qui m'avait intrigué, juste derrière une Rolls. Un jeune Américain éméché, qui sortait de la boîte, a commencé à me faire un grand discours. Il était sympathique, genre golfeur en vacances, fils de famille de la côte Est avec un pull de coton et des mocassins, qui parlait français : « Vous avez vu ce chef-d'œuvre, la calandre Rolls-Royce, voilà la quintessence du style britannique. Il a fallu des siècles pour arriver à cet équilibre. De face, avec ces colonnes, on dirait un temple grec, et de profil, le bouchon de radiateur, l'élan de la femme aux ailes ouvertes, c'est une statue antique, Dionysos installé au-dessus d'Apollon, quelle perfection, je pourrais regarder cela pendant des heures. »

Je lui ai répondu : « Oui, c'est à la fois la rigueur harmonieuse d'Athènes et l'énergie maîtrisée des sculpteurs de Pergame, et ça donne Westminster et Miss Liberty. » Il a ouvert de grands yeux, il m'a pris le bras : « Je vous offre un verre. » Et je suis entré avec lui dans le bar.

Comme deux stèles géométriques, à l'entrée de la longue salle, des tourniquets de cartes postales étaient remplis d'une seule et même image, en écho au panneau du fond : le Labyrinthe de Kérylos. La même carte que j'avais achetée au bureau de tabac de Beaulieu, semblable à celle qu'on m'avait mystérieusement envoyée. Elle était là en une centaine d'exemplaires, pour que les clients les emportent. « Qui n'a pas son Minotaure ? », dit mon Américain, riant trop fort. Ce bellâtre a l'âge de l'aîné de mes petits-fils, j'aimerais bien qu'ils se rencontrent. Il termine une thèse sur le rythme dans les poèmes de Pindare, à Yale University. C'est dans le Connecticut, je n'y suis jamais allé. Je lui ai dit que selon moi, de tous les poètes grecs, Pindare est le plus difficile à comprendre. Il m'a répondu que ses odes sont d'abord une mélodie ; il les lit toujours à haute voix. Le grec ancien, me dit-il, fait fureur aux États-Unis. Nous nous sommes fait servir deux gin tonics, il m'a demandé si, dans les *Odes*, je préférais les *Olympiques* ou les *Pythiques*, nous avons trinqué, j'ai répondu que je ne m'en souvenais plus très bien, et j'ai commandé deux autres gins.

La musique montait comme une vague recouvrant les conversations, puis elle redescendait, avec douceur. Le bar était un ancien hangar à bateaux, avec encore des cordes et des voiles, que le décorateur avait cru bon de laisser. Je n'étais pas le plus vieux. Des yachtmen fripés offraient du champagne. Toutes les tables étaient occupées. Beaucoup de jeunes gens s'étaient assis par terre, au bord de la minuscule piste de danse, d'autres sur les marches qui conduisaient à un palier où, dans la fumée des cigarettes, on ne distinguait pas tout de suite le pianiste et le saxophoniste en pleine improvisation. Au fond de l'établissement, à côté d'eux, j'ai mis un peu de temps, parce que l'Américain était devenu intarissable, me parlant des cérémonies d'initiation aux mystères d'Éleusis et des ruines de l'atelier de Phidias retrouvées sur le site d'Olympie, à voir la fine silhouette de « la patronne », celle dont parlait l'article. Les musiciens venaient de cesser de jouer, certaines tables applaudissaient. Elle se pencha vers le pianiste. Il commença une mélodie que je ne reconnus pas tout de suite. Une petite phrase au bout de quelques minutes se fixa dans mon esprit, avant de disparaître engloutie par une variation, puis elle revint. J'entrouvris les lèvres pour chanter. Je n'arrivais pas à croire que j'entendais ici, comme dans un rêve, le thème de l'hymne à Apollon de Delphes.

« Au fait, je m'appelle Erwin. Oh, regardez ce petit temple, comme il est drôle, on dirait une niche à chien. Il a même une inscription : "Basiléôs" ! C'est pour nous ! Vous croyez que ça veut dire que ce que contient la niche appartient au roi ? Je veux la même ! »

Je n'avais pas revu cet objet depuis plus de trente ans. Je n'avais pas pensé, à Kérylos, qu'il n'y était plus. Je n'avais jamais traduit de manière aussi simple « appartient au roi… ». Ce que contient cette boîte appartient au roi… C'était si simple.

Je me suis levé. Je suis allé vers elle. Elle ne masquait pas ses cheveux blancs, qui selon le journaliste faisaient sa légende. Sur la photo du magazine, on distinguait mal ses traits. Au milieu des sculptures en tubes de néon, devant un mur de miroirs, j'ai vu ses

« belles boucles » et son regard bleu. Je n'avais pas osé me dire que cette carte reçue sans signature venait d'elle.

Elle a pris ma main, elle a roulé la manche de ma chemise pour faire apparaître le petit poulpe aux gros yeux dont j'avais jadis fourni le modèle au vieux tatoueur du port de Salonique. Du haut de l'escalier du club, Ariane était venue à ma rencontre en souriant, les bras ouverts, dans une tunique de lin bleu qui descendait jusqu'à ses pieds, une couronne d'or sur la tête, ma Victoire.

PRÉCISIONS HISTORIQUES ET REMERCIEMENTS

Ma gratitude va au président de la fondation Théodore Reinach, Michel Zink, de l'Académie française, professeur au Collège de France, secrétaire perpétuel de l'Académie des inscriptions et belles-lettres, et romancier, qui m'a ouvert les portes de la villa Kérylos, propriété de l'Institut de France. Lors de plusieurs passionnants colloques, auxquels j'ai eu la chance d'être invité à intervenir, Odile et Michel Zink m'ont montré que l'esprit de liberté et de fantaisie de la famille Reinach était encore vif sur la pointe des Fourmis. Chaque année, l'Académie dont Salomon était membre et Théodore « membre libre », organise en leur mémoire de véritables fêtes savantes.

Quand j'ai commencé ce roman, dont plusieurs chapitres ont été écrits sur place, devant la mer, j'ai pu apprécier la courtoisie et l'efficacité de Bruno Henri-Rousseau, fin lettré, toujours très amical, qui a su mettre en valeur le site avec un grand respect du génie de ce lieu. J'ai eu la chance d'habiter à Kérylos durant quelques jours. Aujourd'hui, le Centre des monuments nationaux, sous l'impulsion de son président Philippe Bélaval, entretient et restaure la villa, ouverte au public toute l'année. Bernard Le Magoarou est l'administrateur qui veille magnifiquement bien sur Kérylos.

Je tiens à remercier les participants de ces colloques annuels de Kérylos, qui m'ont tous donné des idées : Antoine Compagnon, Philippe Contamine, Xavier Darcos, Jacques Jouanna – à qui je dois l'histoire de la prétendue statue de « Sophocle », que j'ai située, en prenant quelques libertés, du vivant de Mme Reinach –, Béatrice Robert-Boissier, Arlette et Jean-Yves Tadié, Monique Trédé, Benoît Duteurtre, Henri Lavagne, qui a commenté pour moi, sur place, les décors et les meubles de la villa et me pardonnera, je l'espère, mes quelques licences romanesques.

Sur la villa Kérylos, le lecteur qui désirerait en savoir plus se reportera à quelques livres :

Joseph Chamonard et Emmanuel Pontremoli, *Kérylos, la villa grecque*, Éditions des bibliothèques nationales de France, 1934. Rééd. (avec une préface de Jacqueline de Romilly), Marseille, éd. Jeanne Laffitte, 1996.

André Laronde et Jean Leclant (dir.), *Un siècle d'architecture et d'humanisme sur les bords de la Méditerranée. La villa Kérylos, joyau d'inspiration grecque et lieu de mémoire de la culture antique*, Actes du XIXe colloque de la villa Kérylos, 10-11 octobre 2008, *Cahiers de la villa Kérylos*, n° 20, Académie des inscriptions et belles-lettres De Boccard, 2009.

Georges Vigne, *La Villa Kérylos*, Éditions du patrimoine, coll. « Itinéraires », 2016.

Régis Vian des Rives (dir.), *La Villa Kérylos*, préface de Karl Lagerfeld, photographies de Martin D. Scott, Éditions de l'Amateur, 2001.

Jérôme Coignard, *La Villa Kérylos*, *Connaissance des arts*, hors-série, 2012.

Françoise Reynier, « Archéologie, architecture et ébénisterie : les meubles de la villa Kérylos à Beaulieu-sur-Mer », *In Situ* [en ligne], n° 6, 2005.

Anne Sarosy a soutenu en 2015 à l'université de Paris-Sorbonne un mémoire remarquable sur les sources de la villa Kérylos, il faut souhaiter qu'il soit publié.

Théodore Reinach attend encore son biographe. La plus récente étude consacrée à cette personnalité multiple est celle de Michel Steve, *Théodore Reinach*, Nice, Serre éditeur, 2014, qui mêle de bonnes analyses architecturales et des parties dialoguées, où il imagine les conversations de Reinach et de Pontremoli.

On lira avec intérêt Gustave Glotz, « Éloge funèbre de M. Théodore Reinach, membre de l'Académie », in *Comptes rendus des séances de l'Académie des inscriptions et belles-lettres*, 72ᵉ année, n° 4, 1928, pp. 321-326 ; et René Cagnat, « Notice sur la vie et les travaux de M. Théodore Reinach », in *Comptes rendus des séances de l'Académie des inscriptions et belles-lettres*, 75ᵉ année, n° 4, 1931, pp. 374-393.

Pour connaître Théodore Reinach, il n'est pas interdit, aujourd'hui encore, de le lire. Parmi ses si nombreuses publications, le livre qui donne sans doute le mieux une idée de sa finesse d'analyse et de son style est son *Mithridate Eupator, roi de Pont* (Firmin-Didot, Bibliothèque d'archéologie, d'art et d'histoire ancienne, 1890). L'érudition y est mise au service d'une compréhension profonde du monde antique, avec une vraie vision géopolitique : l'archéologue et le numismate cèdent ici la place à un grand historien, injustement oublié et mésestimé. L'ouvrage, introuvable, est facilement accessible en ligne sur gallica.bnf.fr, il témoigne aussi de l'attrait qu'exerçaient sur lui les rivages de la mer Noire, d'où provenait la prétendue tiare de Saïtapharnès…

Sur la famille Reinach, le meilleur livre est le volume des actes du colloque *Les Frères Reinach*, édité par Sophie

Basch, Michel Espagne et Jean Leclant, Académie des inscriptions et belles-lettres De Boccard, 2008. Dans ce volume foisonnant, l'avant-propos du regretté Jean Leclant et les contributions d'Alexandre Farnoux, Dominique Mulliez, Jacques Jouanna, Annie Bélis, Agnès Rouveret, Élisabeth Décultot, Roland Recht et Antoine Compagnon m'ont été particulièrement précieux.

Pour comprendre le milieu dans lequel évoluait la famille Reinach, on peut lire deux ouvrages fondamentaux, celui de Pierre Birnbaum, *Les Fous de la République*, Fayard, 1992, qui consacre un chapitre à cette famille intitulé « Au cœur de la République républicaine, les Reinach » (pp. 13-28), et celui de Cyril Grange, *Une élite parisienne : les familles de la grande bourgeoisie juive (1870-1939)*, CNRS Éditions, 2016.

On se référera aussi à deux livres qui ont su faire revivre cette société : Pierre Assouline, *Le Dernier des Camondo*, Gallimard, 1997, et le récit d'Edmund de Waal, *La Mémoire retrouvée*, traduit de l'anglais par Marina Boraso, Albin Michel, 2011.

Pour évoquer les constructions de villas à Beaulieu-sur-Mer et dans les environs j'ai utilisé le livre de Didier Gayraud, *Belles demeures en Riviera (1835-1930)*, préface de Georges Lautner, éd. Giletta-Nice-Matin, 2010.

Pour la villa Eiffel, j'ai eu recours au catalogue de l'exposition *Les Riviera de Charles Garnier et Gustave Eiffel*, dirigé par Jean-Lucien Bonillo, avec des contributions de Béatrice Bouvier, Andrea Folli, Jean-Louis Heudier, Françoise Le Guet Tully, Jean-Michel Leniaud et Gisella Merello, Imbernon, 2004.

Sur la villa d'Edmond Rostand à Cambo-les-Bains, les

lecteurs curieux d'en savoir plus pourront se référer au livre de Jean-Claude Lasserre, *Arnaga*, Le Festin, 1998.

Sur la villa Ephrussi, on lira, sous la direction de Régis Vian des Rives, *La Villa Ephrussi de Rothschild*, avec des contributions de Jean-Pierre Demoly, Alain Renner, Michel Steve, Pierre-François Dayot, Christina Ulrike Goetz et Guillaume Séret, photographies de Georges Véran, Éditions de l'Amateur, 2002.

Pour en savoir plus sur la villa Primavera, qui n'est que citée en passant dans ce roman, mais qui offre un très intéressant exemple de construction de style grec édifiée peu après Kérylos, il existe une remarquable étude d'Henri Lavagne, « La villa Primavera à Cap-d'Ail (1911-1914) : témoignage d'une culture ou déclaration de grécité », dans *Monuments et mémoires de la fondation Eugène Piot*, Académie des inscriptions et belles-lettres De Boccard, 2013, t. 92, pp. 177-247.

La vie de Léon Reinach, musicien, compositeur, mari de Béatrice de Camondo, a été racontée par le romancier italien Filippo Tuena dans *Le variazioni Reinach*, Rizzoli, 2005.

Sur Adolphe Reinach, la source la plus précieuse a été pour moi la lecture de l'excellente édition introduite et annotée par Agnès Rouveret de son ouvrage posthume, paru pour la première fois aux éditions Klincksieck en 1921, *Textes grecs et latins relatifs à l'histoire de la peinture ancienne (Recueil Milliet)*, publiés, traduits et commentés sous la patronage de l'Association des études grecques, avant-propos de Salomon Reinach, Macula, 1985.

Le récit de la croisière de 1908 vient de la communication d'Hervé Duchêne, « En Méditerranée orientale avec les frères Reinach : Joseph, Salomon, Théodore », dans les actes du colloque *La Grèce antique dans la littérature et les arts, de la Belle Époque aux années trente*, sous la direction de Michel Zink, Jacques Jouanna et Henri Lavagne, *Cahiers de la villa Kérylos*, n° 24, Académie des inscriptions et belles-lettres De Boccard, 2013, pp. 19-36.

Pour l'évocation des restaurations des sites crétois, j'ai été inspiré par le très bon catalogue de l'exposition *La Grèce des origines, entre rêve et archéologie,* publié sous la direction d'Anaïs Boucher, musée d'Archéologie nationale de Saint-Germain-en-Laye, RMN, 2014. Le disque de Phaistos a été découvert en réalité quelques mois après la croisière à laquelle participaient les Reinach, en août 1908, mais il est révélateur de ce goût pour les découvertes spectaculaires et très tôt controversées.

À l'École française d'Athènes, Alexandre Farnoux, son directeur, m'a longuement parlé des Reinach, dont il est un des spécialistes, et m'a montré les documents que conserve la bibliothèque, dont ce long brouillon de lettre de Théodore concernant l'affaire de la tiare de Saïtapharnès, auquel fait allusion Dominique Mulliez en appendice de son article « Les Reinach et l'École française d'Athènes », dans les actes du colloque *Les Frères Reinach*, *op. cit.*, p. 56.

Le voyage de Théodore et de son neveu Adolphe au mont Athos est de pure imagination, de même que la recherche du tombeau d'Alexandre. Je dois beaucoup à mes amis Olivier Descotes, directeur du musée Benaki, et David Lévi, passionné par la sainte montagne, qui m'y ont entraîné lors d'une mémorable semaine sainte.

J'ai cherché en vain la description de la fresque représentant saint Sisoès découvrant le tombeau d'Alexandre le Grand et l'inscription qui l'accompagne dans le savant ouvrage de référence de G. Millet, J. Pargoire et L. Petit,

Recueil des inscriptions chrétiennes de l'Athos, 1re partie, Paris, Albert Fontemoing, 1904, réimprimé à Thessalonique en 2004 : elle ne s'y trouve pas. Pourtant cette peinture existe – un panneau conservé au Musée byzantin et chrétien d'Athènes montre également ce rare thème iconographique – la fresque se trouve là où je la décris, je l'ai photographiée. Cet ouvrage est d'ailleurs très incomplet pour le chapitre qui concerne le monastère de Dionysiou (pp. 456-495). Les trésors des monastères de l'Athos demeurent mystérieux et difficilement accessibles. Parmi les livres récents, le meilleur est sans conteste celui de Ferrante Ferranti, *Athos. La sainte montagne*, Desclée de Brouwer, 2015.

Pour comprendre ce que pouvait être le mont Athos au début du XXe siècle, avant sa découverte par les voyageurs qui l'ont rendu populaire, outre les ouvrages de Jacques Lacarrière (*Mont Athos, montagne sainte*, Seghers, 1954) et de François Augiéras (*Un voyage au mont Athos*, Flammarion, 1970, et Grasset, « Les Cahiers rouges », 2005), j'ai utilisé un témoignage plus ancien. Il s'agit du magnifique ouvrage, qui mériterait d'être réédité, de Francesco Perilla, *Le Mont Athos* (Salonique, édition de l'auteur, 1927), que ce voyageur pionnier a illustré de ses dessins et aquarelles, un peu comme le fait Achille, le héros de ce roman.

La ville gréco-corse de Cargèse est bien connue, son épopée est racontée dans le livre classique du comte Colonna de Cesari-Rocca et de Louis Villat, *Histoire de Corse*, Furne, Boivin et Cie, 1916, et par Patrice Stéphanopoli dans *Histoire des Grecs de Corse*, Ducolet frères, 1900. Le récit de cette aventure m'avait été fait par Mgr Florent Marchiano, archimandrite de la paroisse grecque de Cargèse et prêtre de la paroisse latine, prélat de Sa Sainteté, que j'avais eu la chance de rencontrer avant sa disparition en 2015.

L'histoire de la tiare de Saïtapharnès est connue grâce aux travaux d'Alain Pasquier, qui avait publié un article pionnier à ce sujet dans le catalogue de l'exposition du musée d'Orsay, *Jeunesse des musées*, sous la direction de Chantal Georgel et Catherine Chevillot, musée d'Orsay, RMN, 1994 : « La tiare de Saïtapharnès : histoire d'un achat malheureux » (pp. 300-311) avec en annexe l'étude « La tiare de Saïtapharnès, description et analyse » par Catherine Metzger et Véronique Schiltz (pp. 312-313). D'autres informations précieuses se trouvent dans la communication de Dominique Mulliez, « Les Reinach et l'École française d'Athènes », dans le volume des actes du colloque *Les Frères Reinach*, *op. cit.*, pp. 21-40. Véronique Schiltz poursuit aujourd'hui ses recherches. Elle a publié sur ce sujet « Du bonnet d'Ulysse à la tiare de Saïtapharnès », dans Kazim Abdullaev (dir.), *The Traditions of East and West in the Antique Cultures of Central Asia. Papers in Honor of Paul Bernard*, Tachkent, « Noshirlik yog'dusi », 2010, pp. 217-234, ainsi que « Le savant et l'orfèvre », dans les *Comptes rendus des séances de l'Académie des inscriptions et belles-lettres*, 2012, I (janvier-mars), pp. 585-618. Grâce à Christine Flon-Granveaud, qui nous a fait nous rencontrer, j'ai pu interroger Véronique Schiltz sur ces pages méconnues de l'histoire du goût pour un monde grec éloigné de celui de Périclès.

Il existe encore des œuvres d'Israël Rouchomovsky, grand artiste que la postérité continue de prendre pour un faussaire : grâce à Nicolas et Alexis Kugel j'ai eu la chance de tenir entre mes mains une de ses créations faites à Paris après l'affaire de la tiare et il est impossible de ne pas penser à Fabergé en la voyant.

Au Louvre, le président-directeur du musée, Jean-Luc Martinez, amoureux de longue date de Kérylos et de Beaulieu-sur-Mer – il a conçu, avec Alain Pasquier, la galerie de moulages de sculptures antiques qui se trouve dans les coursives qui entourent la villa –, Françoise Gaultier et Cécile Giroire m'ont permis de voir la fameuse tiare d'or, qui se trouve en réserve, sans doute le faux le plus célèbre et le plus précieux des collections nationales.

Tous mes remerciements vont à ceux qui m'ont entraîné pour la première fois à Kérylos, Marike Gauthier, Bruno Foucart et Roseline Granet – qui m'a transmis la mémoire de la famille Eiffel et de la famille Salles – et aussi à ceux qui, ensuite, lors des colloques de la villa Kérylos m'ont encouragé et donné des idées, Mme Jean Leclant, en tout premier lieu, Lory Reinach, qui a évoqué pour moi les souvenirs de Fabrice Reinach, son mari, petit-fils de Théodore, Thomas Hirsch-Reinach, arrière-petit-fils de Théodore, et sa famille, rencontrés par hasard comme si c'était un signe du destin alors que j'écrivais ce livre, ainsi qu'Hervé Danesi, secrétaire général de l'Académie des inscriptions et belles-lettres, passionné lui aussi par cette maison.

J'ai été accueilli à Kérylos par Vassiliki Mavroidakou-Castellana, responsable du développement, qui m'a parlé des photographies de la Grèce ancienne au temps des Reinach. J'ai beaucoup discuté avec Paulo Chavez, qui connaît la villa depuis longtemps et en assure l'entretien. Qu'ils soient remerciés l'un et l'autre de m'avoir fait partager leur amour de cette villa unique.

Pour la scène finale, j'avais en tête la conférence d'Erwin Panofsky intitulée « Les antécédents idéologiques de la calandre Rolls-Royce », traduite de l'anglais par Bernard Turle et publiée par Le Promeneur en 1988. Pour suggérer qu'Achille était, après 1945, devenu un peintre abstrait, je me suis inspiré de la passionnante exposition du musée des Beaux-Arts de Lyon : *1945-1949. Repartir à zéro. Comme si la peinture n'avait jamais existé*, catalogue sous la direction d'Éric de Chassey et de Sylvie Ramond, Hazan, 2004.

Je dois aussi beaucoup à mes conversations en France et en Grèce avec Lucile Arnoux-Farnoux, Sophie Basch, ma chère et regrettée Laure Beaumont-Maillet, Christophe Beaux, Violaine et Vincent Bouvet, Marine de Carné, Laurence et Cécile Castany, Adélaïde de Clermont-Tonnerre, Valérie Coudin, Mathieu Deldique, Bertrand Dubois, Béatrice de Durfort, Côme Fabre, Olivier Gabet, Annick Goetz, Élisabeth et Cyrille Goetz, Mickaël Grossmann, Constance Guisset, Aline Gurdiel, Matthieu Humery, Barthélémy Jobert, Jacques Lamas, Laurent Le Bon, Isabelle le Masne de Chermont, Jean-Christophe Mikhaïloff, Christophe Parant, Paul Perrin, Polissena et Carlo Perrone, Alain Planès, Nicolas Provoyeur, Jules Régis, Bruno Roger-Vasselin, Brigitte et Gérald de Roquemaurel – qui m'ont fait découvrir Cargèse, et son église orientale – et Béatrice Rosenberg.

Ma gratitude va bien sûr à mon éditeur, Charles Dantzig, écrivain d'aujourd'hui qui connaît si bien l'histoire, l'art et la littérature de l'Antiquité.

Mes pensées vont enfin à mon oncle, Jean Goetz, professeur de lettres classiques, qui m'a donné mes premières leçons de grec – j'étais un bien mauvais élève – et m'a fait entendre, quand j'étais au collège, l'hymne à Apollon. J'aurais tant voulu qu'il puisse lire ce roman – que je dédie à sa mémoire – sur une de ces plages crétoises qu'il aimait.

Elles vont aussi à Marie, Julie et Lucile, pour qui il n'y a pas de vacances réussies si elles ne se sont pas baignées à Beaulieu-sur-Mer, la plus jolie station de la Côte d'Azur.

VILLA KÉRYLOS

Plan

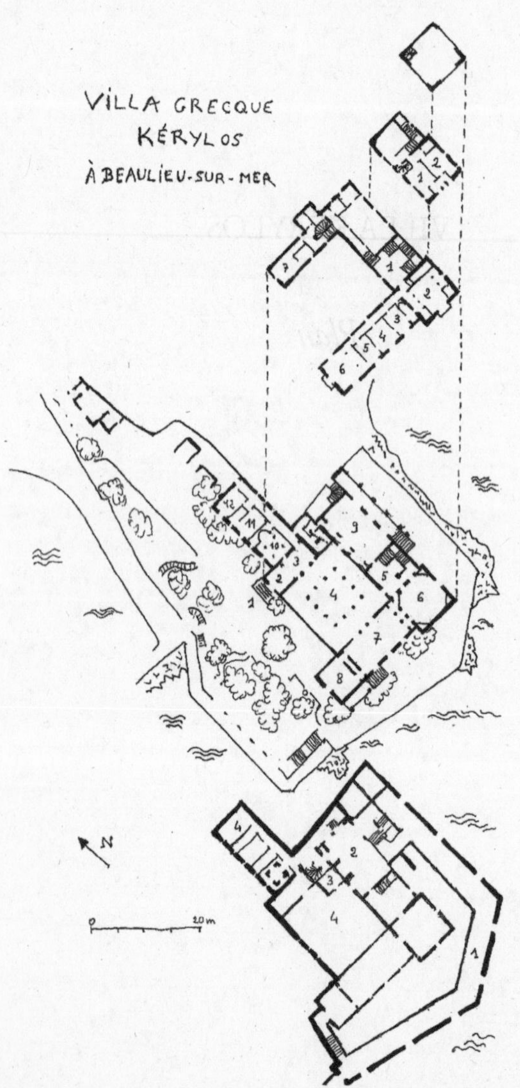
VILLA GRECQUE
KÉRYLOS
À BEAULIEU-SUR-MER
N
0
20m

Terrasse

Second étage

1. Dédale
2. Icare

Premier étage

1. Vestibule d'Hermès
2. Ornithès (Les Oiseaux, chambre de Fanny Reinach)
3. Ampélos (La Vigne, salle de bains)
4. Triptolème (petit salon)
5. Nikai (Les Victoires, salle de bains)
6. Érotès (Les Amours, chambre de Théodore Reinach)
7. Euormos (Le Bon Port, appartement d'hôte)

Rez-de-chaussée

1. Entrée principale
2. Thyrôreion (vestibule)
3. Proauleion (avant-cour)
4. Péristyle
5. Amphithyros (antichambre)
6. Triklinos (salle à manger)
7. Andrôn (salle de réception)
8. Oikos (salon de musique)
9. Bibliothèque
10. Naiadès (bains)

11 et 12. Philémon et Baucis (chambres des hôtes)

Sous-sol

1. Galerie basse
2. Grande cuisine
3. Ballon d'eau chaude
4. Pièces de service

Table

PREMIÈRE PARTIE

Les rochers bleus

SECONDE PARTIE

L'hymne à Apollon

Du même auteur :

Webcam, roman, Le Passage et Points.

La Dormeuse de Naples, roman, Le Passage et Points, prix des Deux-Magots, prix Roger-Nimier.

Une petite légende dorée, roman, Le Passage et Points.

À bas la nuit !, roman, Grasset et Le Livre de Poche.

Le Coiffeur de Chateaubriand, roman, Grasset et Le Livre de Poche, grand prix Palatine du roman historique.

La Nouvelle Vie d'Arsène Lupin, roman, Grasset et Le Livre de Poche.

La Grande Galerie des peintures, Centre Pompidou-Musée du Louvre-Musée d'Orsay.

Au Louvre, les arts face à face, Hazan-Musée du Louvre.

Marie-Antoinette, Assouline.

Ingres. Collages, Le Passage-Musée Ingres de Montauban, prix du livre d'art du Syndicat national des antiquaires.

L'Atelier de Cézanne, Hazan.

Comment regarder Renoir, Hazan.

Le Soliloque de l'empailleur, nouvelle, avec des photographies de Karen Knorr, Le Promeneur.

Cent monuments, cent écrivains. Histoires de France (direction d'ouvrage), Éditions du Patrimoine.

Versailles, le château-livre, anthologie, Artlys.
Cent chefs-d'œuvre du Louvre racontent une histoire du Monde, Beaux-Arts éditions-Musée du Louvre.
Les Oiseaux de Christophe Colomb, nouvelle, Gallimard.
Le Trésor de la Cathédrale d'Angoulême : Jean-Michel Othoniel, APRES éditions-Les Presses du réel.
Un jour avec Claude Monet à Giverny, Flammarion.

Ainsi que…

Les Enquêtes de Pénélope, série romanesque comprenant :
Intrigue à l'anglaise, roman, Grasset et Le Livre de Poche, prix Arsène-Lupin.
Intrigue à Versailles, roman, Grasset et Le Livre de Poche.
Intrigue à Venise, roman, Grasset et Le Livre de Poche.
Intrigue à Giverny, roman, Grasset et Le Livre de Poche.